実務解説

資金決済法

［第５版］

堀 天子

Takane Hori

商事法務

第５版はしがき

2020年に公布された資金決済法の改正では、資金移動業についての種別を設け、第１種資金移動業について上限を撤廃し、第３種資金移動業については資産保全義務の緩和が行われるなどの制度改正が行われ、2021年５月より改正法が施行されています。2010年に施行された資金決済法は、相次ぐ改正により、その対象を広げ、この10年の間にテクノロジーを活用した金融サービスの進化に対応し、後押ししてきたといえます。

本書では、送金サービス、電子マネー、プリペイドカードなどの支払手段を発行するサービス、暗号資産に関するサービス、収納代行サービス、ポイントサービスを対象とし、相互の関連性などにも配意しながら説明を行い、特に資金移動業については種別ごとに記載を分けるなどし、前払式支払手段発行業についても体系を整理して、法律・政府令や事務ガイドラインの改正にも対応しました。また、改正法で収納代行サービスのうち一部が為替取引に該当するものとその要件が明確化されたことに伴い、収納代行サービスについて、サービスの立案や策定上の留意点や利用約款例の記載も追加しました。

本書は、これまで同様、決済サービスの立案・策定から、登録申請、登録後まで、具体的な手順に従って、検討すべきポイントについてまとめており、条文の解説にとどまらず、記載例やQ&Aにより、実務家の皆様にサービスの全体像についてイメージを持っていただけるよう構成しています。決済サービスの提供には、コンプライアンス態勢の整備が不可欠ですが、社内規則等の態勢整備についても、実務の観点から検討の一助としていただけたらと考えます。実務上の論点が多岐にわたるなか、紙幅の関係上そのすべてに触れられておらず、また、まだ運用が未確定なものもありますので、それらについては今後の改訂にも委ねたいと思います。

本書を発行するにあたり、商事法務の辻有里香氏には企画から校正まで、多大なご尽力をいただきました。この場をお借りして深く御礼を申し上げます。

本書につきましては、すべて筆者が個人的に執筆したものであり、筆者が所属する事務所や団体、過去に参加、所属した団体の見解等を示すものではありません。

2022年 1 月

堀　天子

第４版はしがき

2017年４月に改正資金決済法が施行され、仮想通貨交換業者が新たに規制対象となりましたが、2018年１月に仮想通貨交換業者（当時みなし事業者）が管理する顧客の仮想通貨が外部に流出するという事案が発生し、これを契機として、行政当局の立入検査を通じて、多くの仮想通貨交換業者の内部管理体制等の不備が指摘されました。

当初、決済手段としての利用が期待された仮想通貨は、価格が乱高下し、むしろ投機の対象となり、仮想通貨によって資金調達を行おうとする新たな取引も登場するようになりました。

金融庁の下で設置された仮想通貨交換業等に関する研究会は、仮想通貨交換業等を巡る諸問題について対応を検討し、2018年４月から11回にわたり審議を行い、2018年12月に報告書を取りまとめました。そして、これをもとに、法改正の作業が行われ、2019年６月７日、改正資金決済法および改正金融商品取引法が公布されました。今後、改正資金決済法および改正金融商品取引法は公布の日から１年以内に施行されることが予定されています。

本書は、仮想通貨交換業者に対する内部管理態勢やシステムリスク管理態勢等の構築の強化、利用者保護や取引の適正化に向けた取組みの強化を背景に、改正資金決済法において明らかとなった改正内容や、2019年９月３日に公表された仮想通貨ガイドラインの改正内容も取り込む形で、「第７章 仮想通貨交換業」を中心に改訂を行いました。改正資金決済法では、「仮想通貨」を「暗号資産」と呼称することとなったため、本書上での記載も「仮想通貨」から「暗号資産」に改めることとしています。

なお、2018年10月に、一般社団法人日本仮想通貨交換業協会に対し、認定資金決済事業者協会としての認定がなされ、同協会が主体となって、自主規制規則の策定や、会員である暗号資産交換業者に対するモニタリング等を行う環境が整備されています。本書は紙面の関係上、実務的に必要となる事項のすべてを網羅することはかないませんが、関係事業者においては、認定資金決済事業者協会の自主規制規則等も踏まえ、適切な態勢を整備することが必要と考えます。

その他の章に関しては、基本的に大きな法改正はありませんが、2019年7月26日、金融庁の下で設置されている金融審議会金融制度スタディ・グループでは、資金決済法制定後の実態を踏まえた検討の結果、資金移動業については送金額に応じた三類型の規制とすること、一部の前払式支払手段については利用者資金の保全に関する規制等を見直すこと、一般消費者が債権者となる収納代行で実質的に個人間送金に該当するものを規制対象とすることなどに言及した報告書をとりまとめております。今後、決済法制が大きく見直される可能性がある点にも留意する必要があると考えます。

本書を発行するにあたり、商事法務の下稲葉かすみ氏に多大なご尽力をいただきました。この場をお借りして深く感謝を申し上げます。

最後に、本書については、すべて筆者が個人的に執筆したものであり、筆者が所属する事務所や団体、過去に参加、所属した団体の見解等を示すものではありません。

2019年9月

堀　天子

第3版はしがき

近年、IT分野の技術の進展に伴い、革新的な金融サービスを提供する試みが進んでおり、その担い手も多様化するなど、決済・送金サービスのイノベーションや構造的変化が生まれています。

2010年4月に施行された資金決済法は、銀行以外の事業者でも登録によって送金業務を営むことを可能にした、いわば銀行法の実質的改正というべき内容を含むものでしたが、インターネットやモバイルという新たなツールで、あるいは国境を越えて決済や送金を行うニーズに応えて、多様な担い手が決済・送金サービスを提供するようになったきっかけともなりました。

2017年4月に改正資金決済法が施行され、仮想通貨交換業者が新たに登録対象として追加されたことにより、仮想通貨がいよいよ実用的なものとして定着し、革新的かつ安全にビジネスが提供される環境が整ったともいえます。

本書は、第2版のあと公布された政府令やガイドラインに対応し、全面施行された改正資金決済法をもとに、決済サービスの全体像についてふれたあと、資金移動業、第三者型前払式支払手段の発行、自家型前払式支払手段の発行、適用除外前払式支払手段の発行、ポイントサービス、仮想通貨交換業の各サービスについて言及しました。実務上の論点にもふれながら、記載例やQ&Aを多くお示しすることにより、サービスの全体像についてイメージを持っていただけるよう構成しています。登録の流れや社内規則等の体制整備についても、実務の視点から理解を深めていただけることを期待しています。

決済・送金サービスに携わる起業家や実務家のすべての皆様に、本書を手にとっていただき、少しでも何らかのお役に立てることがありましたら、幸いに存じます。

本書を発行するにあたり、引き続き、商事法務の岩佐智樹氏および下稲葉かすみ氏に多大なご尽力をいただきました。この場をお借りして深く御礼申し上げます。

なお、本書については、すべて筆者が個人的に執筆したものであり、筆者が所属する事務所や過去に参加、所属した団体の見解等を示すものではありません。

2017年6月

堀　天子

第2版はしがき

本書は、2016年6月に改正された資金決済法をもとに、決済サービスについて、実務上の観点から解説を試みたものです。

初版では、主として、送金サービス、電子マネー、プリペイドカードなどの支払手段を発行するサービス、ポイントサービスを中心に解説しました。

第2版では、これらのサービスに関して、2010年に資金決済法が施行された以降の法令およびガイドラインの各改正に対応して、記載を見直しています。また、仮想通貨に関する章を新設し、2016年の改正法で新たに対象とされた仮想通貨交換業（仮想通貨の交換所や、取引所が提供するサービス）についても、解説を加えています。

仮想通貨は、現金や預金通貨、これまで本書でみてきた電子マネーやポイントとは異なり、必ずしも中央で管理する発行者がおらず、分散型のネットワークの中で価値が承認されている支払手段です。そのため、発行者に対する規制となっている電子マネーやプリペイドカードの法制とは異なり、仮想通貨を業として交換したり、取引したりする主体に対して規制が設けられています。

資金決済法のルーツは、古くは1932年に制定された商品券取締法であり、1989年に全面改正された前払式証票規制法であり、これが2009年に制定された資金決済法に受け継がれています。

これらの改正はいずれも資金決済をめぐる環境の変化に対応したものです。

技術の革新とともに、紙から電子へ、中央集権型の管理システムから分散型の承認システムへと、支払手段のあり方に様々な選択肢が生まれ、利用者の行動様式の変化とともにそのトレンドも少しずつ移り変わっていること、法律も時代の要請にあわせて変化し、その変化が時代とともに早まっていることがお分かりいただけるのではないかと思います。

もっとも、金融規制は、金融の円滑と利用者の保護を目的としており、その根本を貫く幹は共通しています。イノベーションをもった新たな決済サービスが社会のインフラとして普及するためには、事業者の側で金融規制を理解し、社内体制を整備して、利便性と安全性を兼ね備えたサービスを提供することが何より重要です。

本書は、決済サービスに取り組む実務家の皆様に手にとっていただきたいという思いから、初版と同じく、実務上の論点を多く盛り込むとともに、条文の解説に留まらず、記載例やQ&Aにより、サービスの全体像についてイメージを持っていただけるよう構成しています。

本書を発行するにあたり、商事法務の岩佐智樹氏および下稲葉かすみ氏に多大なご尽力をいただきました。この場をお借りして深く御礼申し上げます。

なお、本書については、すべて筆者が個人的に執筆したものであり、筆者が所属する事務所や過去に参加、所属した団体の見解等を示すものではありません。

2016年９月

堀　天子

初版はしがき

本書は、資金決済法を中心とした決済サービスについて、実務上の観点から解説を試みたものです。

筆者は、金融審議会第二部会決済に関するワーキング・グループにおいて、制度整備の対象と内容に関する議論が繰り広げられていたころ、金融庁総務企画局に専門官として任用され、その後、資金決済法の立法作業、政府令の策定作業や、他省庁・業界との調整作業に従事し、資金移動業者の登録審査に参加させていただきました。

資金決済法の施行と同時に、弁護士業務に戻り、幸いにして、多くのクライアントから決済サービスのスキームについての実務的な相談を受け、資金移動業者や前払式支払手段発行者としての登録申請業務、約款・社内規則の策定等に従事する機会を得ました。

筆者は、これまでに、資金決済法の逐条解説や、資金決済に関する理論的な考察と資料整理を行った『詳説 資金決済に関する法制』（商事法務、2010）を共同執筆いたしましたが、本書は、これらの書籍とはまた目的を異にしています。

対象とした決済サービスは、主として、送金サービス、電子マネー、プリペイドカードなどの支払手段を発行するサービス、ポイントサービスであり、その内容は多岐にわたりますが、これらのサービスは実は相互に関連したサービスですので、本書を通じて決済サービスについての理解をより深めていただけることを期待しています。

また、本書の体系からもお分かりいただけるように、決済サービスの立案・策定から、登録申請、登録後まで、具体的な手順に従って検討すべきポイントについて説明を行いました。この中には、前記の経験を踏まえて、検討した実務上の論点をできるだけ多く盛り込むこととしています。条文の解説にとどまらず、記載例やQ&Aにより、サービスの全体像について、イメージを持っていただくこと、そして、図表は多少の正確性を犠牲としても分かりやすさを重視することといたしました。

本書の執筆にあたっては、金融庁時代の上席、同僚との意見交換によって醸成した考え方を元としており、この場をお借りして彼らに大きな感謝の意を伝えたいと思います。また、常に最新の情報や資料を提供してくださる社団法人日本資金決済業協会の各位、日々新たな論点について検討の機会を与えてくださるクライアントのみなさまにも感謝は尽きません。最後になりましたが、編集の多大な労をいただいた株式会社商事法務の岩佐智樹氏と下稲葉かすみ氏にも厚く御礼を申し上げます。

本書については、すべて筆者が個人的に執筆したものであり、筆者の所属する事務所や過去に所属した団体の見解等を示すものではありません。また、誤謬が含まれているとすれば、その責任はすべて筆者にあります。

決済サービスへの参入を検討し、または決済サービスを現に提供されている会社のご担当役員・実務担当者、実務家の皆様方、そして、本書を手にとっていただけたすべての方々にとって、本書が少しでもお役に立つことができましたら、何より幸いに存じます。

2011年7月

堀　天子

目　次

●凡　例●

1　法令

資金決済法／法	資金決済に関する法律（平成21年6月24日法律第59号）
2016年改正法	情報通信技術の進展等の環境変化に対応するための銀行法等の一部を改正する法律（平成28年6月3日法律第62号）
2019年改正法	情報通信技術の進展に伴う金融取引の多様化に対応するための資金決済に関する法律等の一部を改正する法律（令和元年6月7日法律第28号）
2020年改正法	金融サービスの利用者の利便の向上及び保護を図るための金融商品の販売等に関する法律等の一部を改正する法律（令和2年6月12日法律第50号）
資金決済法施行令／令	資金決済に関する法律施行令（平成22年3月1日政令第19号）
前払府令	前払式支払手段に関する内閣府令（平成22年3月1日内閣府令第3号）
資金移動府令	資金移動業者に関する内閣府令（平成22年3月1日内閣府令第4号）
暗号資産府令	暗号資産交換業者に関する内閣府令（平成29年3月24日内閣府令第7号）
協会府令	認定資金決済事業者協会に関する内閣府令（平成22年3月1日内閣府令第6号）
発行保証金規則	前払式支払手段発行保証金規則（平成22年3月1日内閣府・法務省令第4号）
履行保証金規則	資金移動業履行保証金規則（平成22年3月1日内閣府・法務省令第5号）
前払式証票規制法／旧法	前払式証票の規制等に関する法律（平成元年12月22日法律第92号。現在廃止）
前払式証票規制法施行令	前払式証票の規制等に関する法律施行令（平成2年6月29日政令第193号）

略称	正式名称
意匠法	意匠法（昭和34年４月13日法律第125号）
一般消費者に対する景品類の提供に関する事項の制限	一般消費者に対する景品類の提供に関する事項の制限（昭和52年３月１日公正取引委員会告示第５号）
会社法	会社法（平成17年７月26日法律第86号）
外為法	外国為替及び外国貿易法（昭和24年12月１日法律第228号）
外為報告省令	外国為替の取引等の報告に関する省令（平成10年３月19日大蔵省令第29号）
外国為替令	外国為替令（昭和55年10月11日政令第260号）
貸金業法	貸金業法（昭和58年５月13日法律第32号）
学校教育法	学校教育法（昭和22年３月31日法律第26号）
割賦販売法	割賦販売法（昭和36年７月１日法律第159号）
供託法	供託法（明治32年２月８日法律第15号）
銀行法	銀行法（昭和56年６月１日法律第59号）
銀行法施行規則	銀行法施行規則（昭和57年３月31日大蔵省令第10号）
金融商品取引法	金融商品取引法（昭和23年４月13日法律第25号）
金融商品取引法施行令	金融商品取引法施行令（昭和40年９月30日政令第321号）
金商業府令	金融商品取引業等に関する内閣府令（平成19年８月６日内閣府令第52号）
景品表示法	不当景品類及び不当表示防止法（昭和37年５月15日法律第134号）
兼営法	金融機関の信託業務の兼営等に関する法律（昭和18年３月11日法律第43号）
公職選挙法	公職選挙法（昭和25年４月15日法律第100号）
公的個人認証法	電子署名に係る地方公共団体の認証業務に関する法律（平成14年12月13日法律第153号）
小切手法	小切手法（昭和８年７月29日法律第57号）
国外送金調書法	内国税の適正な課税の確保を図るための国外送金等に係る調書の提出等に関する法律（平成９年12月５日法律第110号）

国外送金調書法施行令	内国税の適正な課税の確保を図るための国外送金等に係る調書の提出等に関する法律施行令（平成９年12月17日政令第363号）
個人情報保護法	個人情報の保護に関する法律（平成15年５月30日法律第57号）
社債等振替法	社債、株式等の振替に関する法律（平成13年６月27日法律第75号）
出資法	出資の受入れ、預り金及び金利等の取締りに関する法律（昭和29年６月23日法律第195号）
証券情報等の提供又は公表に関する内閣府令	証券情報等の提供又は公表に関する内閣府令（平成20年12月５日内閣府令第78号）
商店街振興組合法	商店街振興組合法（昭和37年５月17日法律第141号）
消費者契約法	消費者契約法（平成12年５月12日法律第61号）
消費生活協同組合法	消費生活協同組合法（昭和23年７月30日法律第200号）
商標法	商標法（昭和34年４月13日法律第127号）
商品券取締法	商品券取締法（昭和７年９月７日法律第28号。現在廃止）
信託業法	信託業法（平成16年12月３日法律第154号）
信託法	信託法（平成18年12月15日法律第108号）
組織的犯罪処罰法	組織的な犯罪の処罰及び犯罪収益の規制等に関する法律（平成11年８月18日法律第136号）
地方自治法	地方自治法（昭和22年４月17日法律第67号）
貯金保険法	農水産業協同組合貯金保険法（昭和48年７月16日法律第53号）
著作権法	著作権法（昭和45年５月６日法律第48号）
電子署名法	電子署名及び認証業務に関する法律（平成12年５月31日法律第102号）
特定商取引法	特定商取引に関する法律（昭和51年６月４日法律第57号）
特定商取引法施行規則	特定商取引に関する法律施行規則（昭和51年11月24日通商産業省令第89号）

農業協同組合法	農業協同組合法（昭和22年11月19日法律第132号）
犯罪収益移転防止法	犯罪による収益の移転防止に関する法律（平成19年３月31日法律第22号）
犯罪収益移転防止法施行令	犯罪による収益の移転防止に関する法律施行令（平成20年２月１日政令第20号）
犯罪収益移転防止法施行規則	犯罪による収益の移転防止に関する法律施行規則（平成20年２月１日内閣府・総務省・法務省・財務省・厚生労働省・農林水産省・経済産業省・国土交通省令第１号）
振り込め詐欺救済法	犯罪利用預金口座等に係る資金による被害回復分配金の支払等に関する法律（平成19年12月21日法律第133号）
保険業法	保険業法（平成７年６月７日法律第105号）
麻薬特例法	国際的な協力の下に規制薬物に係る不正行為を助長する行為等の防止を図るための麻薬及び向精神薬取締法等の特例等に関する法律（平成３年10月５日法律第94号）
民法	民法（明治29年４月27日法律第89号）
改正民法	民法の一部を改正する法律（平成29年法律第44号）による改正後の民法
預金保険法	預金保険法（昭和46年４月１日法律第34号）
旅行業法	旅行業法（昭和27年７月18日法律第239号）

2　ガイドライン等

前払ガイドライン	金融庁事務ガイドライン第三分冊金融会社関係「５．前払式支払手段発行者関係」
資金移動ガイドライン	金融庁事務ガイドライン第三分冊金融会社関係「14．資金移動業者関係」
暗号資産ガイドライン	金融庁事務ガイドライン第三分冊金融会社関係「16．暗号資産交換業者関係」
預り金ガイドライン	金融庁事務ガイドライン第三分冊金融会社関係「２．預り金関係」
ポイントガイドライン	経済産業省「企業ポイントに関する消費者保護のあり方（ガイドライン）」

個人情報保護ガイドライン	金融分野における個人情報保護に関するガイドライン（平成29年２月28日個人情報保護委員会・金融庁告示第１号）
個人情報保護実務指針	金融分野における個人情報保護に関するガイドラインの安全管理措置等についての実務指針（平成29年２月28日個人情報保護委員会・金融庁告示第２号）
2010年パブコメ	平成22年２月23日付「資金決済に関する法律の施行に伴う政令案・内閣府令案等に対するパブリックコメントの結果等について（コメントの概要及びコメントに対する金融庁の考え方）」
2017年パブコメ	平成29年３月24日付「『銀行法施行令等の一部を改正する政令等（案）』等に対するパブリックコメントの結果等について（コメントの概要及びそれに対する金融庁の考え方）」
2020年パブコメ	令和２年４月３日付「令和元年資金決済法等改正に係る政令・内閣府令案等に対するパブリックコメントの結果等について（コメントの概要及びコメントに対する金融庁の考え方）」
2021年パブコメ	令和３年３月19日付「令和２年資金決済法改正に係る政令・内閣府令案等」に関するパブリックコメントの結果等について（コメントの概要及びコメントに対する金融庁の考え方）」
2021年パブコメ（事務ガイドライン）	令和３年２月26日付「『事務ガイドライン（第三分冊：金融会社関係）』、『主要行等向けの総合的な監督指針』等の一部改正に関するパブリックコメントの結果等について（コメントの概要及びコメントに対する金融庁の考え方）」
個人情報保護ガイドラインパブコメ	平成16年11月19日付「『金融分野における個人情報保護に関するガイドライン』（案）への意見一覧」
金融審第二部会報告書	平成21年１月14日金融審議会金融分科会第二部会「資金決済に関する制度整備について――イノベーションの促進と利用者保護」

金融審第二部会WG報告	金融審第二部会報告書別添「金融審議会第二部会 決済に関するワーキング・グループ報告」
プリペイドカード等に関する研究会報告書	平成元年２月17日プリペイドカード等に関する研究会（大蔵省銀行局長及び証券局長の私的研究会）「プリペイドカード等に関する研究会報告書」
企業ポイント研究会報告書	平成21年１月経済産業省「企業ポイントの法的性質と消費者保護のあり方に関する研究会報告書」
資金決済に関する諸問題	平成22年１月中央銀行預金を通じた資金決済に関する法律問題研究会「取引法の観点からみた資金決済に関する諸問題」（金融研究2010年１月号）
金融審決済高度化WG報告書	平成27年12月22日金融審議会「決済業務等の高度化に関するワーキング・グループ報告――決済高度化に向けた戦略的取組み」
仮想通貨交換業等に関する研究会報告書	平成30年12月21日「仮想通貨交換業等に関する研究会報告書」
金融審金融制度SG基本的な考え方	令和元年７月26日金融審議会「金融制度スタディ・グループ『〈決済〉法制及び金融サービス仲介法制に係る制度整備についての報告《基本的な考え方》』」
金融審決済仲介法制WG報告	令和元年12月20日金融審議会「決済法制及び金融サービス仲介法制に関するワーキング・グループ報告」
金融審資金決済WG報告	令和４年１月11日金融審議会「資金決済ワーキング・グループ報告」

３　文献（その他の参考文献は本文中に表記）

詳説	高橋康文編著『詳説 資金決済に関する法制』（商事法務、2010）
逐条解説	高橋康文編著『逐条解説資金決済法〔増補版〕』（金融財政事情研究会、2010）
新逐条解説	高橋康文編著『新逐条解説資金決済法』（金融財政事情研究会、2021）
犯収法逐条解説	犯罪収益移転防止制度研究会編著『逐条解説犯罪収益移転防止法』（東京法令出版、2009）

小山銀行法	小山嘉昭『銀行法精義』（金融財政事情研究会、2018）
電子決済と法	岩原紳作『電子決済と法』（有斐閣、2003）
実務解説	大蔵省銀行局内プリペイドカード研究会編『前払式証票（商品券・ギフト券・プリペイドカード等）規制法の実務解説』（日本法令、1991）
法律と実務	商事法務研究会編〔別冊NBL22号〕『プリペイド・カードの法律と実務』（商事法務研究会、1991）

4　その他

資金移動業者、前払式支払手段発行者および暗号資産交換業者に対する監督権限は、内閣総理大臣から金融庁長官を通じて、各財務（支）局長に委任されている（法104条、令28条、29条、30条、31条）。そのため、特段の断りがない限り、文中では監督権者および監督官庁を財務（支）局長または財務（支）局と表記している。

また、資金移動業者、前払式支払手段発行者および暗号資産交換業者が財務（支）局長に提出すべき書類（登録申請書や届出書等）は、管轄する財務事務所等があるときは、当該財務事務所長等を経由することとされているため、留意されたい（資金移動府令40条、前払府令54条、暗号資産府令42条）。

著者紹介

堀　天子（ほり　たかね）

森・濱田松本法律事務所パートナー弁護士

2001年　慶應義塾大学法学部卒業

2002年　第二東京弁護士会登録

2008年12月より金融庁総務企画局企画課調査室に出向

2009年7月より金融庁総務企画局企画課信用制度参事官室（～2010年3月）

2014年10月より金融審議会専門委員（決済業務等の高度化に関するスタディ・グループおよび同ワーキング・グループ）（～ 2015年12月）

2015年9月より一般社団法人Fintech協会理事

2021年2月より一般社団法人全国銀行協会「不正防止に向けた口座連携に関する研究会」委員

2021年8月より内閣府規制改革推進会議経済活性化ワーキング・グループ専門委員

2021年12月より内閣府規制改革推進会議スタートアップ・イノベーションワーキング・グループ専門委員

［主な著書］

『詳説 資金決済に関する法制』（共著）商事法務（2010）

『FinTechの法律 2017-2018』（共著）日経BP社（2017）

『暗号資産の法律』（共著）中央経済社（2020）

『新逐条解説資金決済法』（共著）金融財政事情研究会（2021）

決済サービスの全体像

1　資金決済法の制定と改正経緯

資金決済に関する法律（資金決済法）が2010年4月1日に施行されてから11年が経過した。

資金決済法は、情報通信技術の革新やインターネットの普及等により、銀行が提供する従来のサービスとは異なる新たなサービスがリテール分野において普及、発達してきたことを踏まえ、イノベーションの促進と利用者保護を図るべく制定された法律である。

資金決済法の制定により、これまで銀行のみしか取り扱うことができなかった「為替取引」を、銀行以外の事業者（資金移動業者）も取り扱うことができるようになった。新たに登録を受けた資金移動業者が、様々な決済サービスを提供するようになり、特にインターネット上での送金や、海外送金の分野に参入が相次いでいる。

また、ここ近年もさらに、モバイル端末の急速な普及とともに、ITを利用した決済サービスは拡大しており、サーバ型前払式支払手段の発行は増加し、ITベンチャー企業や大手事業会社などのノンバンク・プレイヤーが決済サービスに取り組むようになっている。利用者向けサービスとして、モバイル端末やアプリ間での送金や、複数の決済手段を束ねるウォレットの提供、店舗向けサービスとして、モバイル端末やQR

コードで決済を可能とするサービスなどがこれにあたる。
　これらノンバンク・プレイヤーの動向と並行して、銀行においても決済サービスを向上させるために、ノンバンク・プレイヤーとの協働を進めたり、API（Application Programming Interface）の公開に踏み切るなど、従来のクローズドな方針を大きく転換してきている。
　近年注目されたブロックチェーン技術は、取引（トランザクション）をひとかたまりのブロックとみなし、一定の承認作業によって承認されたブロックをチェーン（鎖）状につなげていく技術である。各ノード（コンピュータの端末）を同期させ、ノード間のチェーンに差異が生じた場合には、一定のルールに基づいた多数決によって正当なチェーンを決定する分散型合意形成技術により成り立っている。ブロックチェーンは様々なビジネスへ応用可能性が検討されているが、この技術を利用して出現した暗号資産は、法定通貨、預金通貨、電子マネーと異なり、中央で管理する発行者がおらず、ネットワークの参加者間で電子的に移転する新たな決済手段として注目を集めた。
　こうした背景を踏まえ、2015年に金融審議会の下で開かれた決済業務等の高度化に関するワーキング・グループでは、我が国における決済高度化に向けた戦略的な取組みについて議論がなされた。この結果、従来から資金決済法の対象となっている前払式支払手段や資金移動業について一部の規定を見直すとともに、ビットコイン等の仮想通貨を取り扱う仮想通貨交換業について新たに登録制とし、資金決済法に加える制度整備を行うことが提言された。
　これを受けて、金融庁は、情報通信技術の進展等の環境変化に対応するための銀行法等の一部を改正する法律案を第190回通常国会に提出し、衆参両議院で可決、2016年6月3日に公布された。2016年改正法は、2017年4月1日に施行された。
　しかし、2018年1月に、不正アクセスにより、仮想通貨交換業者が管理する顧客の仮想通貨が不正流出するという事案が発生したほか、行政当局の立入検査を通じて、多くの仮想通貨交換業者の内部管理態勢等の不備が確認された。

2018年3月に設置された仮想通貨交換業等に関する研究会では、仮想通貨の価格が乱高下し、仮想通貨が投機の対象となっているという実態や、証拠金を用いた仮想通貨の取引や仮想通貨による資金調達等の新たな取引が登場していることを踏まえ、仮想通貨交換業等をめぐる諸問題について制度的な対応が検討された。この研究会における検討が進められている最中にも、2018年9月、仮想通貨交換業者において顧客の仮想通貨が外部流出するという事案が再び発生した。仮想通貨交換業者においては内部管理態勢やシステム管理態勢の強化、利用者保護や取引の適正化に向けた取組みの徹底が望まれることとなった。2018年12月、仮想通貨交換業等に関する研究会報告書が取りまとめられ、その内容をもとに、資金決済法と金融商品取引法を改正する内容を含む、情報通信技術の進展に伴う金融取引の多様化に対応するための資金決済に関する法律等の一部を改正する法律案が第198回通常国会に提出され、衆参両議院で可決、2019年6月7日に公布された。2019年改正法は、2020年5月1日に施行された。

また、資金決済法の制定から10年以上が経過し、情報通信技術の発展により、決済サービスの多様化が進むほか、決済サービスの利用実態や、それを踏まえて留意すべきリスクが具体的に確認されつつある。さらに、キャッシュレス化が推進されている今日において、キャッシュレス時代の利用者ニーズに応え、利便性が高く安心・安全な決済サービスを実現することが求められるようになった。

こうした背景の下、2019年9月25日の金融審議会の下で改組された決済法制及び金融サービス仲介法制に関するワーキング・グループでは、イノベーションの促進等を通じた利用者利便の向上と利用者保護のバランスに留意しつつ、決済に関する規制枠組みの見直しの具体的な方向性について検討を行った。

この結果、資金移動業者に対する規制が、機能やリスクに応じた柔軟なものとなるよう、①「高額」送金を取り扱う事業者、②現行規制を前提に事業を行う事業者、③「少額」送金を取り扱う事業者の3類型に分けた上で、それぞれの類型に過不足のない規制を適用すること、その他資金決済法について所要の改正を行うことが提言された。

これを受けて、金融庁は、金融サービスの利用者の利便の向上及び保護を図るための金融商品の販売等に関する法律等の一部を改正する法律案を第201回通常国会に提出し、衆参両議院で可決、2020年６月12日に公布された。2020年改正法は、2021年５月１日に施行された。

こうした各改正をふまえ、現在、資金決済法が対象とする決済サービスは、資金移動業、前払式支払手段の発行の業務、暗号資産交換業、資金清算業の４つの業務である。

決済サービスには様々なものがある。既に一般の利用者にとっても馴染みのあるものとしては、銀行送金、クレジットカードなどがあり、これらは銀行やクレジットカード会社が、利用者と利用者との間の、あるいは利用者と事業者との間の資金授受の仲介を担っている。

銀行が行っている送金は、銀行法上「為替取引」と定義される業務である。「為替取引」というと、外貨両替や外国為替を想起する人が多いように思うが、正確ではない。「為替取引」とは、ある者の資金を地理的に離れた場所まで移動すること、この際に単に資金を物理的に輸送する方法によるのではなく、一定の仕組みを用いて移動することを指している（定義の詳細については後記２に詳述する）。

資金決済法が対象とする「資金移動業」とは、銀行以外の事業者が行う為替取引を指している。

資金決済法が対象とする「前払式支払手段」の発行の業務とは、プリペイド型の支払手段の発行の業務を指している。昔から商品券、ギフトカード、テレホンカードなど、日本においては多くのプリペイド型の支払手段が発行されてきた。2000年代からはSuicaやPASMOに代表されるようなIC型プリペイドカードが決済手段として用いられ、広く一般の人にも馴染みがあるサービスとして定着してきた。現在では、事業者のサーバに価値が記録され、利用者の手元にはこの価値と紐づいた番号等が交付されるサーバ型前払式支払手段も多く発行されるに至っている。これらは、「前払式支払手段」の発行の業務に属する決済サービスである。

図表1-1：資金決済法の規制対象と対象外の決済サービス

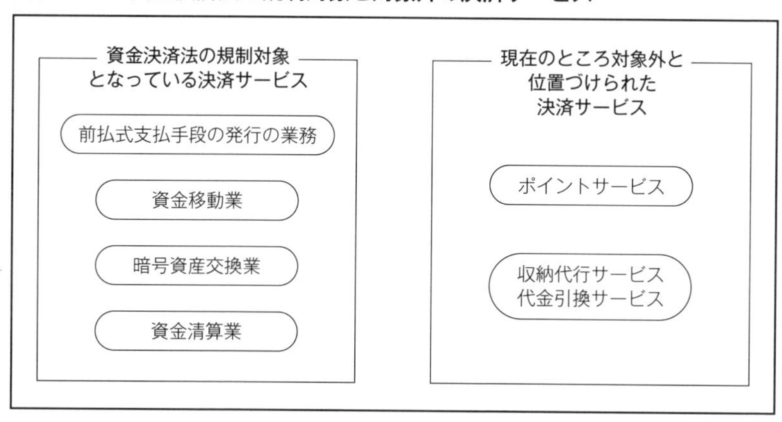

資金決済法が対象とする「暗号資産交換業」とは、暗号資産の交換所や取引所を営む業務を指している。2019年改正法の下では暗号資産の管理を行う業務も規制対象とされた。

最後に、資金決済法が対象とする「資金清算業」とは、銀行間の資金決済を担う資金清算機関が行う業務を指している。現在、銀行の為替取引は、「全国銀行内国為替制度」と呼ばれる仕組みを通じて、集中決済が行われ、日々各銀行間の決済尻を日本銀行の当座預金口座を振り替える形で最終決済が行われている。「全国銀行内国為替制度」については、全国銀行データ通信システム（全銀システム）の稼働によってオンライン化されており、一般社団法人全国銀行資金決済ネットワーク（全銀ネット）がこの全銀システムを運営している。現在のところ、全銀ネットが資金決済法に基づく唯一の資金清算機関として免許を受けて、資金清算業を行っている。

資金清算業は、いわば資金決済の担い手（プロ）に対して決済サービスを提供するものであり、資金決済の利用者（個人、企業等）に対して決済サービスを提供する資金移動業や前払式支払手段の発行の業務、暗号資産交換業と位置づけが異なる。本書では、事業者が利用者に対して提供する決済サービスについて説明することを目的としているため、資金清算業について詳しく取り上げることはしないが、詳細については、全銀ネットのウェブサイトをご覧いただきたい（https://www.zengin-net.jp/zengin_net/）。

以上の４つの業務は、いずれも決済手段、支払手段として利用されたり、資金によって決済を行うサービスとして共通するため、１つの法律（資金決済法）の中で規定が設けられたものである。もっとも、決済サービスのすべてが資金決済法の中で規制されているものではないことは前述のとおりであり、銀行送金は、銀行法（銀行業）によって規制されているし、クレジットカード業務は、その一部が割賦販売法によって規制されている。

また、資金決済法が制定される前に、どの決済サービスが資金決済法の規制対象となるかについて、議論が行われていたが、現在のところ、制度整備の対象外として、将来の課題とすることが適当とされた各種のサービスがある（ポイントサービスや収納代行サービス、代金引換サービスなど。金融審第二部会報告書２～３頁）。これらについては、基本的には資金決済法の枠外ではあるが、2020年改正法の下では、収納代行サービスのうち、一部が為替取引に該当するとされたほか、重要な決済サービスとして、その位置づけを理解しておく必要があるため、本書では必要な範囲で説明することとしたい。

2　資金移動業

⑴　資金移動業と為替取引の意義

資金移動業とは、銀行等以外の者が為替取引を業として営むことをいい（法2条2項）、登録を受けて資金移動業を営む者を資金移動業者という（法2条3項、37条）。

「為替取引」とは、銀行法2条2項2号に定める「為替取引を行うこと」と同義とされているが、資金決済法にも銀行法にもその定義はない。最三小決平成13年3月12日（刑集55巻2号97頁、判例タイムズ1059号66頁）は、為替取引の意義について、「『為替取引を行うこと』とは、顧客から、隔地者間で直接現金を輸送せずに資金を移動する仕組みを利用して資金を移動することを内容とする依頼を受けて、これを引き受けること、又はこれを引き受けて遂行することをいう」と判示している。

⑵　どのようなサービスが為替取引に該当するか

「為替取引」には、手形・小切手を利用した送金、電信を利用した送金、振込送金、手形を利用した取立てなど様々な種類があり、「為替取引」とは、これらのすべての種類を包摂する概念である（法曹会編集『最高裁判例解説刑事編平成13年度』（法曹会、2004）49頁〔平木正洋〕）。

銀行が行う為替取引は、機能面に着目して、送金、振込、代金取立ての3つに区分されると説明される。送金と振込は、金融機関を経由して、債務者から債権者に資金を送付し、債権・債務を決済する方法である。資金は、債務者、金融機関、債権者の順に流れる（順為替）。これに対し、代金取立ては、債権者が手形などの証券類を金融機関を通じて債務者に対して取り立てるものである。代金取立てにおいては、資金は、送金、振込とは逆の方向に向かい、債権者、金融機関、債務者の順に流れる（逆為替）（小山銀行法141頁参照）。

送金は、銀行を介して行う資金の送付であるが、預金口座を介しない取引である。送金には、普通送金、電信送金、国庫送金があるが、普通

図表1-2：為替取引の意義

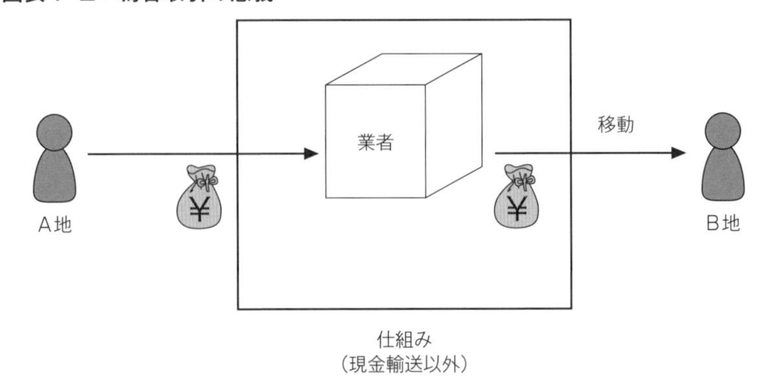

送金は、送金小切手が利用されるものであり、電信送金は電信が利用されるものである。また、振込は、受取人の預金口座に一定金額を入金することを内容とする取引であり、普通振込と電信振込があるが、普通振込は為替通知に文書が利用されるものであり、電信振込は電信が利用されるものである（小山銀行法138頁参照）。

このほか、為替は、内国為替と外国為替に類別される。金銭の貸借の決済ないし資金の移動を必要とする地域が、いずれも同一国内にある場合を内国為替といい、複数国にまたがる場合を外国為替という（小山銀行法137頁参照）。

以上は、銀行が行う為替取引の内容であるが、資金移動業者も銀行と同じく、順為替、逆為替、内国為替、外国為替を問わず、これを営むことが可能である。円貨建てであるか、外貨建てであるかも問わない。

資金移動業者は、銀行と異なり預金の受入れはできないことから（銀行法2条2項参照）、利用者の預金口座を開設することはできない。もっとも、資金移動業を行うために必要な限度で、口座（アカウント）を開設することは許容されており、口座間送金を取り扱うことが可能とされている（2010年パブコメNo. 145、146参照）。口座（アカウント）で送金資金を受け入れる場合の留意点については、後記第2章1⑷(vi)および第2章3⑵を参照されたい。

また、銀行が行う普通送金は、送金小切手が利用されるものであり、小切手は、その支払人を銀行等に限り、かつ、振出しに際して小切手契約および小切手資金の存在を要求しているため（小切手法3条、59条）、資金移動業者が送金小切手を利用して送金を行うことは想定されていないが、資金移動業者がこれと類似する機能を有する証書を利用して送金を行うことは可能である。送金に利用される証書として、日本ではゆうちょ銀行が発行する定額小為替証書があり、海外では、マネーオーダー（Money Order、Postal Money Order）やキャッシャーズチェック（Casher's Check）などの例がある。これらはいずれも、送金額に応じて、送金人が証書を購入し、これを受取人に送付すると、受取人がこれと引き換えに現金を受け取ることができるという機能を有する点で共通している。このような証書を利用して資金移動の仕組みを構築する場合も為替取引に該当する。

さらに、トラベラーズチェックやこれと機能が類似する電子マネーカード（外貨を海外のATM等で引き出せるもの）を発行して資金移動を行う業務は、為替取引に該当すると考えられている（2010年パブコメNo. 66、67参照）。

トラベラーズチェックやこれと機能が類似する電子マネーカードによって提供される一連のサービスについてみると、これらの発行者は、その発行の業務を通じて、隔地者間で直接現金を輸送せずに資金を移動する仕組みを構築していると考えられる。前述の平成13年最高裁決定では、隔地者が、異なる人物であるか、同一人物であるかを問うていないことから、同一人物であっても隔地で資金を受け取ることができる仕組みであれば、為替取引に該当すると考えられるし、仮に資金移動の目的を否定して為替取引に該当しないとすれば、預り金に該当するおそれが出てきてしまい、私人が取り扱うことができないのではないかとの疑問が生じることからも、かかる結論は妥当であると考えられる（詳説183頁）。

なお、暗号資産を資金移動の手段として用いる場合に、為替取引に該当するかについては、後記4(7)を参照されたい。

図表１-３：資金移動業の例

（1）店舗間送金

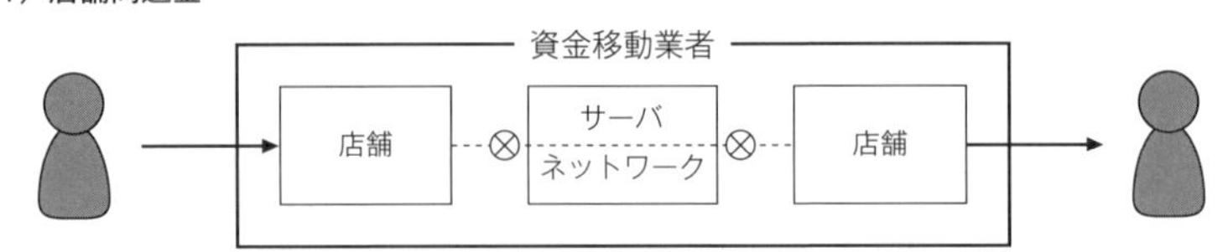

（2）口座間送金

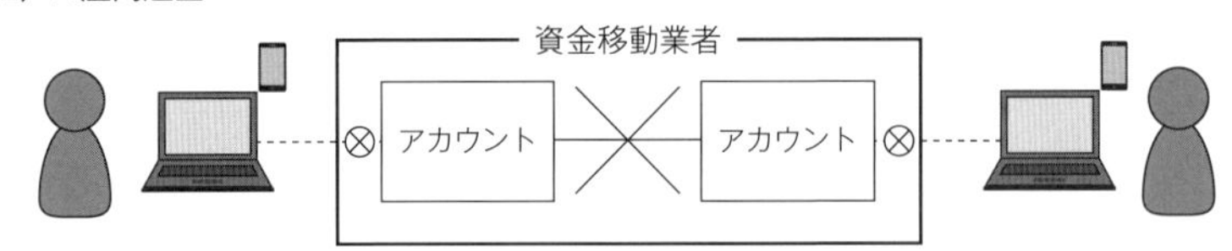

（3）証書等を利用した送金

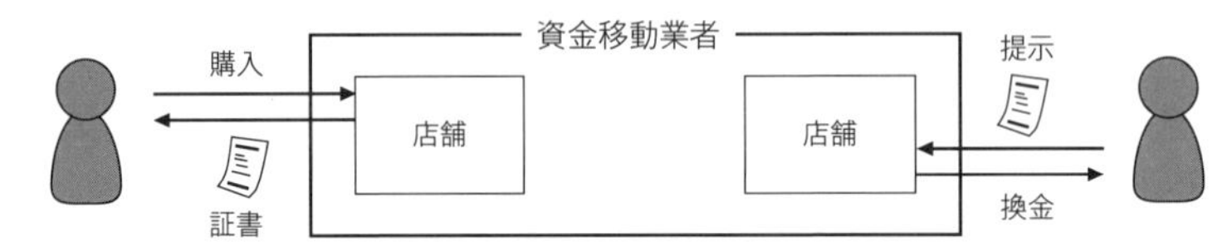

(3)　前払式支払手段の発行の業務との関係

前払式支払手段とは、後記３に詳述するとおり、証票、電子機器その他の物（証票等）に記載または記録される金額等に応ずる対価を得て発行される証票等または番号、記号その他の符号（番号等）であり、発行者等から物品の給付やサービスの提供を受ける場合に使用することができるもの、あるいは発行者等に対して提示等することにより、物品の給付やサービスの提供を請求することができるものをいう（法３条１項）。

前払式支払手段は、物品の給付やサービスの提供を受ける場面で利用することができるものであり、その払戻しが原則として禁止されている（法20条５項）。一方で、前払式支払手段の譲渡は、現在規制されておらず、第三者に対して交付・通知されることも予定されている。

資金移動業のうち、証票等や番号等を発行して送金に利用されるものについては、発行者等に対して「現金の引き出し」というサービスの提供を要求できるものとして、前払式支払手段の定義にも該当するようにも思われる。しかしながら、前払式支払手段は、原則として払戻しが禁止されていることから、前払式支払手段を発行して現金を引き出すサービスを提供することは認められていない。この点は、2010年パブコメにおいても、譲渡が自由に行われ、換金・返金も自由に行われる場合は、前払式支払手段としての性格を変えることとなるため、前払式支払手段としての届出・登録は認められないとの解釈が示されている（2010年パブコメNo. 66、67）。このような証票等や番号等を発行して送金サービスを提供しようという場合には、資金移動業登録が必要である。一方、送金サービスを提供する目的ではなく、換金を自由に行う証票等や番号等を発行して資金を集める場合には、「預り金」に該当し、銀行等以外の事業者が行うことは禁止される点に留意が必要である。

また、資金移動業において利用される証票等や番号等が、「現金の引き出し」もできるが、商店やホテル等でも利用できるという場合も考えられる。この場合、資金移動業登録のほかに、前払式支払手段としての届出・登録が必要であるようにも思われる。しかしながら、この場合の証票等や番号等も、「現金の引き出し」という利用方法が予定されている以上、前払式支払手段としての性格を超えているため、同様に前払式支払手段としての届出・登録を行うことはできないと考えられる。逆に言えば、資金移動業登録を行えば足りるのであって、商店やホテル等は、証票等や番号等の一利用者として位置づけるのか、あるいは発行者側の委託先として位置づけるのかという点を検討する必要がある。委託先と利用者の相違については、後記第２章１のＱ＆Ａ10を参照されたい。

なお、前払式支払手段の中でも、後述する第三者型前払式支払手段については、発行者が利用者と加盟店との間（隔地者間）の資金移動を一定の仕組みをもって仲介するものであることから、金融機能を有し、為替取引に該当しうるサービスであると考えられる（詳説23頁図表参照）。もっとも、他の法律において規定があるものについては、仮に為替取引に該当しうるサービスであるとしても、これを適法に営むことができると考えられることから、これまで銀行法のいわば特例として整理するこ

図表1-4：資金移動業と前払式支払手段の発行の業務との関係

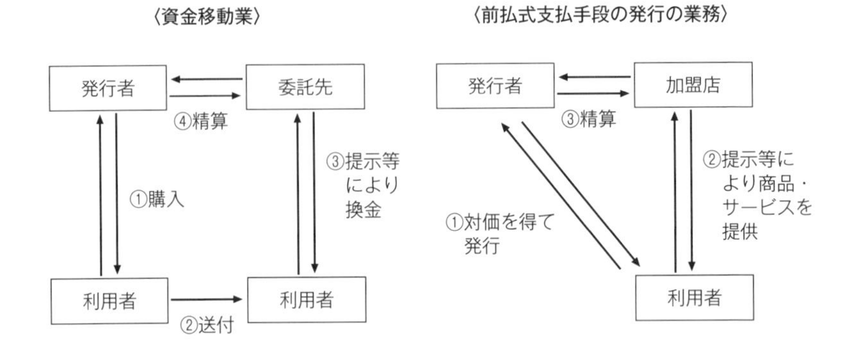

とができる（詳説155頁）。ただし、前払式支払手段として整理することができるのは、あくまでもその利用が商品の給付やサービスの提供を受ける場面に限定され、その金融機能が限定されているところに、為替取引と比較して緩やかな規制で足りる根拠があるものと考えられる。資金移動としての機能を付与され、現金の引き出しができる証票等や番号等は前払式支払手段として整理をすることはできず、資金移動業として営むことが適当であると考えられる（金融審第二部会WG報告４頁参照）。

(4) 両替業務との関係

両替とは、通貨を異種の通貨と交換することをいう。一般には、邦貨と外貨の交換のほか、邦貨を異種の邦貨と交換することも含めた意味でも使用される（角田禮次郎ほか編『法令用語辞典〔第10次改訂版〕』（学陽書房、2016）775頁）が、外為法で規定される両替業務は、業として外国通貨または旅行小切手の売買を行うことである（外為法22条の３）。1998年の外為法改正前は、両替業務を行う場合には大蔵大臣の認可が必要であったが、現在は、誰でも行うことができる。ただし、１ヶ月の取引合計額が100万円相当額を超える両替業者は外為法に基づく事後報告が必要である（外為法55条の７、外為報告省令18条１項）。

通常両替を希望する利用者は、両替店で通貨を提示して異種の通貨を

図表1-5：資金移動業と両替業務との関係

〈資金移動業〉

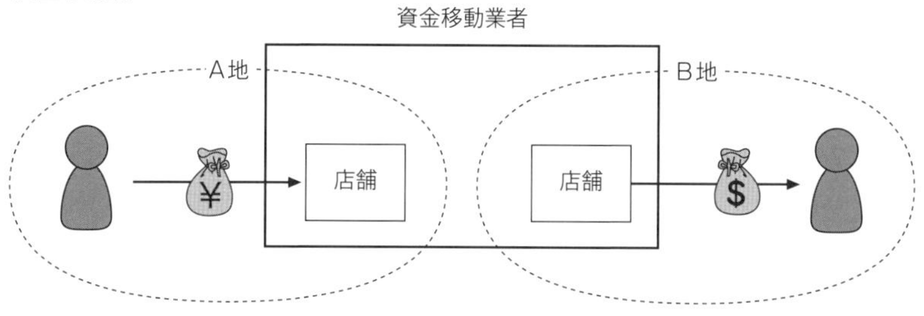

〈両替業務〉

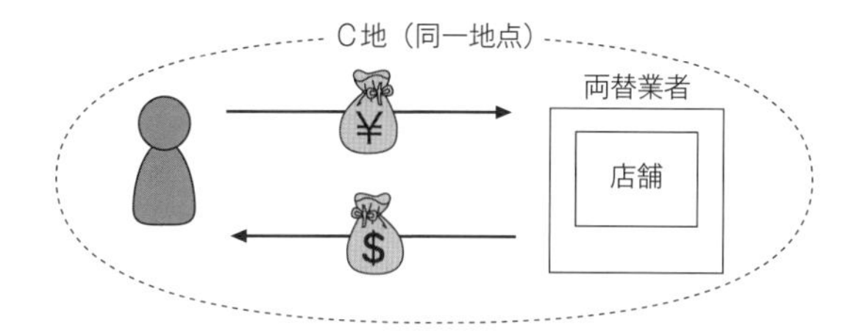

受け取るが、これは必ずしも為替取引とはいえない。両替商が必ずしも隔地者間での資金移動を行っているわけではないからである。

しかしながら、事業者が、隔地者間での資金移動を行うとともに、その間で両替を行う場合、その業務は両替にも該当するが、為替取引にも該当すると考えられる。例えば、送金人から日本において邦貨で送金資金を受領するとともに、受取人に対して外国において外貨でそれを払い出すような場合である。また、同一人に対して提供するサービスであっても、資金移動を目的とするサービスは為替取引に該当すると考えると、旅行者が事業者に対してあらかじめ邦貨を預けておき、旅行先で外貨を引き出すことができるようなサービスを提供する場合も為替取引に該当すると考えられる。

Q1 外国為替証拠金取引（FX取引）においては、外貨や邦貨を取引口座に入金して反対売買（差金決済）を行い、取引口座から外貨または邦貨で引き出すことができるサービスがあるが、これは為替取引に該当するか。

A1 外国為替証拠金取引において、円貨を入金して外貨を引き出すことができるサービスを「現受け」、外貨を入金して円貨を引き出すことができるサービスを「現渡し」という。この場合、隔地で引き出すことができる機能をみる限り、為替取引に類似するサービスと考えられるが、外国為替証拠金取引業者は、外国為替証拠金取引の結果、取引口座からの払出し（弁済）義務を負っており、利用者との間で当該債務の支払方法についての合意があるものと考えれば、資金移動を行っているのではなく自身の債務を履行しているにすぎないことから、原則として為替取引に該当しないと考えることが可能である。しかし、このような取引の実態がなく、単に資金移動の目的で円貨を受けて外貨を引き出すサービスを提供しているのであるとすれば、外国為替証拠金取引業者が取り扱う業務の範囲を超えて、為替取引を営んでいると評価されるおそれもあるため、留意が必要である。

(5) 貸金業との関係

貸金業とは、金銭の貸付けまたは金銭の貸借の媒介（手形の割引、売渡担保その他これらに類する方法によってする金銭の交付または当該方法によってする金銭の授受の媒介を含む）で業として行うもの（ただし、貸金業法２条１項各号に掲げるものを除く）をいう（貸金業法２条１項）。貸金業を営もうとする者は、財務（支）局長または都道府県知事の登録を受けることが必要である（貸金業法３条１項）。

資金移動業においては、顧客が事業者に対して信用を与えて、資金の移動を依頼する。これに対し、貸金業においては、事業者が顧客に対して信用を与えて、金銭の貸付け等を行うため、通常は両者の区別は明確である。

もっとも、事業者が顧客から依頼を受けて資金移動先に資金を交付し、後から送金資金を回収する仕組みによって入金させる場合も、為替取引を行っていると判示する下級審裁判例があり（横浜地判平成９年８月13日、横浜地判平成15年12月25日）、資金決済法でも、上記の仕組み

図表1-6：資金移動業と貸金業との関係

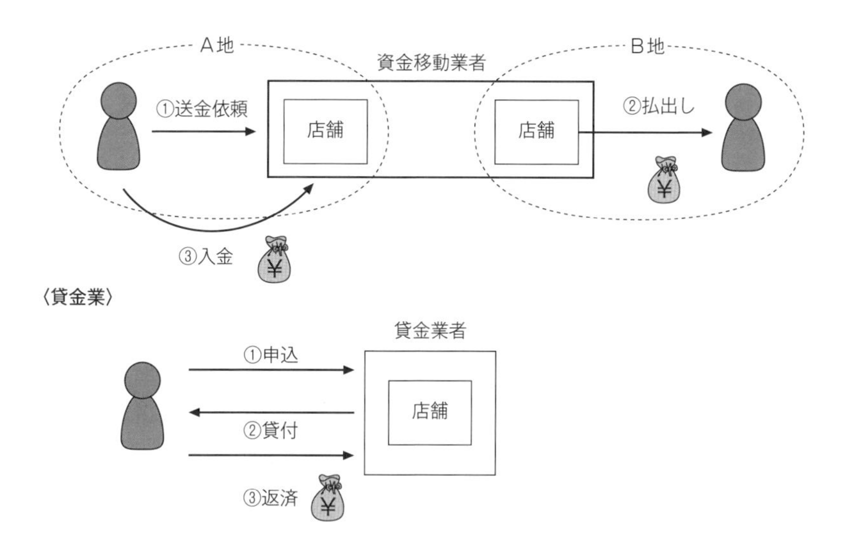

によって資金移動業が営まれることを想定した規定が設けられている(資金移動府令11条3項)。

この点、資金移動の後に送金資金を回収することもビジネスモデルとして想定されるところであり、単に送金資金の入金と、資金移動の先後だけで資金移動業か貸金業かを決することは妥当でない。営まれているサービスが、隔地者間の資金移動を目的としたものであるならば、送金資金を預かってから資金移動を行うサービスと、先に資金を交付し後から送金資金を回収するサービスとであるかにかかわらず、資金移動業として整理することが適切である。これに対し、営まれているサービスが、顧客への貸付け（与信）を目的としたものであるならば、貸金業として整理することが適切である。いずれがそのサービスの目的であるかは、①地理的な資金移動性の有無、②資金の回収期間、③回収資金に対する利息の有無等を総合考慮して決せられるべきであり、サービスの実態等を踏まえて判断されるものと考えられる。

⑹ 立替払との関係

立替払とは、利用者と販売業者または役務提供事業者との間で、商品購入契約または役務提供契約が締結され、当該利用者が当該商品または当該役務の代金支払債務を負担する場合に、事業者が利用者に代わって、販売業者または役務提供事業者に対して、代金相当額の弁済をするとともに、当該利用者に対し当該代金相当額を求償することをいう。

立替払について、法律上の定義があるものではないが、後記⑺で記載する債務引受（民法470条または472条）の法律構成を採るもののほか、第三者弁済（民法474条）の法律構成を採るものもある。商品購入や役務提供契約に基づき負担する利用者の債務を弁済し、後から利用者から回収することは、後払いサービスとして提供されており、割賦販売法上の包括信用購入あっせんや、個別信用購入あっせんに該当するものも多い。

資金移動の後に送金資金を回収することもビジネスモデルとして想定されているところであり、立替払を行う場合にも、資金移動業に該当するかが論点となる。営まれているサービスが、隔地者間の資金移動を目的としたものであるならば、送金資金を預かってから資金移動を行うサービスであるか、先に資金を交付し後から送金資金を回収するサービスであるかにかかわらず、資金移動業として整理することが適切である。これに対し、営まれているサービスが、利用者への販売信用を目的としたもので、第三者が利用者に代わって債務の弁済を行っているとすれば、立替払として資金移動業の外で行われているものと考えられる。

⑺ 債権譲渡や債務引受との関係

債権譲渡を行う場合、債権の譲渡人に対して債権譲渡対価が支払われ、債権の譲受人が債務者に対して債務の弁済を求めることとなる。債務引受を行う場合、債務者に代わって債務を引き受けること（免責的債務引受）や、債務者とともに債務を引き受けること（重畳的債務引受）が行われ、債務者に代わり債権者に対して支払を行い、本来の債務者に対して求償を行うこととなる。

こうした債権譲渡や債務引受も、隔地者間で資金を移動する効果があり、資金移動業との関係性が問題となる。この点、債権譲渡や債務引受が、債権を譲り受けたり、債務を負担するなどして、真実、債権者や債務者としての立場に立ち、その回収や履行についてリスクを負うとすれば、自己の債権を行使するために、あるいは自己の債務を履行するために資金移動が生じているのであり、社会通念上、隔地者間の他人の資金を移動しているのではなく、資金移動業には該当しないと考えられる（詳説186頁参照）。

(8) 出資法との関係

出資法は、一般大衆を保護し、社会の信用制度と経済秩序の維持・発展を図るため、私人が業として預り金の受入れを行うことを禁じている（出資法２条１項）。

預り金とは、預金等と同様の経済的性質を有するものとされ（出資法２条２項）、具体的には、次の４つの要件のすべてに該当するものとされている（預り金ガイドライン２－１－１(2)）。

①不特定かつ多数の者が相手であること
②金銭の受入れであること
③元本の返還が約されていること
④主として預け主の便宜のために金銭の価額を保管することを目的とするものであること

資金移動業は、資金を移動するサービスであり、為替取引に用いられる利用者の資金を預かることは認められている。また、資金移動業者のサービスにおいて、送金口座を開設することは可能と考えられている（2010年パブコメNo. 145、146）。一方、為替取引に用いられるものではないと認められる利用者の資金は、資金移動業では保持することができないことから、当該利用者への返還を行わなければならない。

また、資金移動ガイドラインでは、利用者資金残高に利息を付す場合などについては、為替取引に利用する以外の目的での利用者資金の受入れを誘引する仕組みが講じられていると考えられ、出資法上の預り金規制に抵触するおそれがあると考えられるとされている点に留意が必要である（資金移動ガイドラインⅡ－２－２－１－１(5)（注））。

Q2 利用者資金残高に利息に相当するようなポイント等の経済的なインセンティブを付与することは、許されるか。

A2 資金移動府令30条の２の規定との関係で、為替取引に用いられる見込みがない資金を受け入れることになりかねないほか、資金移動ガイドラインⅡ－２－２－１－１(5)（注）に記載のあるとおり、出資法の預り金規制に抵触するおそれがあるものとして許容されない（2021年パブコメ（事務ガイドライン）No. 15、16回答）。

(9) ステーブルコインとの関係

ステーブルコイン（Stablecoin）は、法令用語ではなく、一義的な定義があるわけではないが、金融安定理事会の報告書には、「他の資産（典型的には通貨単位や商品）または資産のバスケットに対して安定した価値を維持するよう設計された暗号型資産」と定義されている。ビットコインに代表される暗号資産が、ボラティリティや支払スピード、使い勝手やガバナンスといった面で、信頼できる支払手段や価値保蔵手段として機能しにくいことから、その価値を特定の資産や資産プールに連動させることにより価格を安定させようと、様々な試みがなされ、発行されているものである。ステーブルコインが、信頼できる支払手段や価値保蔵手段として機能すれば、現在の決済の仕組みよりも早く、安く多くの人がアクセスできる決済の仕組みを構築することができる可能性がある。

しかし、日本における現在の法制の下では、民間事業者が日本円建てのステーブルコインを発行しようとすれば、資金移動の仕組みとして機能することとなり、為替取引に該当するものとして、銀行免許を得てこれを行うか、または資金移動業者がこれを行うことになると考えられる。また他国において発行されているステーブルコインは、「金銭及び容易に現金化できる財産」すなわち「資金」に該当すると考えられ（前掲・角田ほか編『法令用語辞典〔第10次改訂版〕』344頁）、事業者が提供するウォレット上で利用者のステーブルコインの送受信に関与することは、為替取引に該当する可能性がある。

もっとも、ステーブルコインは、ウォレット分散型台帳の上で記録され多数の国内外の事業者が関与することから、日本法のみにおいて既存の法規制を単純に適用することが難しく、マネー・ローンダリング防止、適切な課税といった公益の観点も重要となる。いかなるガバナンスの下で取り扱うことが可能となるかは、2021年7月から、金融庁が設置した「デジタル・分散型金融へのあり方等に関する研究会」において議論が重ねられ、2021年11月17日、同研究会より「中間論点整理」が公表された。この中で、いわゆるステーブルコインについては速やかな制度的対応が必要とされ、その内容を踏まえ、金融審議会が設置した「資金決済ワーキング・グループ」で具体的な制度設計について議論が行われた。2022年1月11日、金融審資金決済WG報告が公表され、いわゆるステーブルコインについて、不特定の者に対する送金・決済に利用することができるもの（電子的方法により記録され、電子情報処理組織を用いて移転することができるものに限る）を電子的支払手段と定義した上で、発行者については従来の銀行や資金移動業者が担い手となることを確認した。そして、仲介者については、暗号資産取引における暗号資産交換業者同様、取り扱う電子的支払手段に係る情報提供や適切なAML/CFT対応のほか、これらの前提となる適切な体制整備等（システム対応等含む）、利用者保護等の観点から、利用者財産の管理や情報提供等、必要な規律を及ぼすとともに、利用者保護等の観点から支障を及ぼすおそれのある電子的支払手段は取り扱わないこととすべきという方向性を示した。かかる報告の内容をもとに、電子的支払手段を取り扱う仲介者に関する規制については、2022年通常国会にも法案提出がなされる予定であり、今後の法改正の内容にも注視が必要である。

3　前払式支払手段の発行の業務

(1)　前払式支払手段

前払式支払手段とは、次に掲げるいずれかのものをいう（法3条1項）。

①証票、電子機器その他の物（証票等）に記載され、または電磁的方法により記録される金額に応ずる対価を得て発行される証票等または番号、記号その他の符号（番号等）であって、発行者または発行者が指定する者（発行者等）から物品を購入し、もしくは借り受け、または役務の提供を受ける場合に、これらの代価の弁済のために提示、交付、通知その他の方法により使用することができるもの

②証票等に記載され、または電磁的方法により記録される物品または役務の数量に応ずる対価を得て発行される証票等または番号等であって、発行者等に対して、提示、交付、通知その他の方法により、当該物品の給付または当該役務の提供を請求することができるもの

前払式支払手段の発行の業務は、現在、資金決済法によって規制されているが、そのルーツは、1932年9月7日に公布され、同年10月1日から施行された商品券取締法や、1989年12月22日に公布され、1990年10月1日から施行された前払式証票規制法にある。

商品券取締法は、商品券発行者に対し、毎年2回の一定期日において商品券の未使用発行残高が一定額（100万円）を超える場合に、その額の2分の1以上の金額に相当する金銭等を供託する義務を課し（商品券取締法1条）、一方で、商品券の所有者に対して、商品券発行者の破産等の場合における当該供託物についての優先弁済権を与えて、その権利の保護を図っていた（商品券取締法2条）。

その後、約50年以上にわたって、この商品券取締法によって規制が行われてきたが、同法の対象となる商品券の範囲が必ずしも明確ではなく、供託義務の対象が金額表示の商品券に限定されているなどの問題点が指摘されてきた（実務解説27～29頁）。また、紙製の商品券、ギフト

図表1-7：前払式支払手段に関する制度整備の経緯

1932年9月	商品券取締法（1932年10月1日より施行）
1988年3月	プリペイドカード等に関する研究会
1989年12月	前払式証票規制法成立（1990年10月1日より施行）
2007年7月	決済に関する研究会
12月	決済に関する論点の中間的な整理について（座長メモ）
2008年5月	決済に関するワーキング・グループ設置
2009年1月	金融審議会金融分科会第二部会報告書
6月	資金決済法成立（2010年4月1日より施行）

商品券取締法	前払式証票規制法	資金決済法
商品券の所有者を保護	前払式証票の所有者を保護	前払式支払手段の保有者を保護
商品券を対象	金額表示・物品表示の証票等（カードを含む）を対象	左記の証票等のほか、ID等が付与される場合のID等も対象
基準日発行残高が100万円を超えている場合、発行残高の2分の1以上の供託	基準日発行残高が1000万円を超えている場合、発行残高の2分の1以上の供託	同左

券等だけではなく、1982年12月にNTTの前身である電電公社が発売して人気商品となったテレホンカードや、1985年3月にJRの前身である国鉄が発売したオレンジカードなどの磁気型プリペイドカードが普及し、1989年4月1日から適用された消費税対策になるということもあって、プリペイドカードを導入する企業が相次いで出てきた。

このような状況の中、「プリペイド・カード等に関する研究会」において新たな検討が行われ、これを受けて前払式証票規制法が制定・公布された。前払式証票規制法は、前払式証票の定義を明確化して、商品券等といわゆるプリペイドカードを統一的に取り扱うとともに、参入規制を導入し、前受金保全のための措置として商品券取締法における2分の1の供託義務を継承する（ただし、未使用残高が一定額（1000万円）を超える場合に引き上げる）ことなどを内容としていた。

その後、約20年にわたり、前払式証票規制法によって規制が行われ、EdyやSuicaといったIC型プリペイドカードも同法の下で発行されてきた。そして、情報通信技術の革新により、利用者に交付される証票等に金額等の記載または記録がないサーバ型プリペイドカードやサーバ型マネーが出現し、これらは有体物への金額等の記載または記録を前提とする前払式証票規制法の対象とならないため、その取扱いが検討課題となっていた。

このような状況を踏まえ、「決済に関する研究会」や「決済に関するワーキング・グループ」において検討が行われ、これらを受けて2009年6月に資金決済法が制定・公布された。

資金決済法において規制の対象となる前払式支払手段には、利用者に交付される証票等に金額等の記載または記録がないサーバ型プリペイドカードやサーバ型電子マネーも含み、前払式支払手段の定義上、有体物（紙、カードなどの証票等）のみならず無体物（IDなどの番号、記号その他の符号）も含まれることが明確となっている。

以上の法律の制定の経緯等の詳細については、実務解説および逐条解説などの各文献を参照されたい。

(2) 金額表示の前払式支払手段と数量表示の前払式支払手段

前記(1)の前払式支払手段の定義のうち、①に該当するものが金額表示の前払式支払手段であり、②に該当するものが数量表示（物品表示）の前払式支払手段である。

金額表示の前払式支払手段とは、売買契約等により物品の給付等を受ける場合に、その反対給付としての代金の支払いに使用することができる金券的な前払式支払手段を指している。金額そのものが記録されるものの他、金額を度その他の単位により換算して表示していると認められる場合の単位数が記録されるものを含む（法3条1項1号）。また、記録された金額に応ずる対価を得て証票等や番号等が交付（発行）されるもののほか、いったん証票等や番号等が交付された後、加算が行われるものも含む（法3条1項1号）。この加算が行われる場合も発行の一形態と

図表1-8：金額表示と数量表示

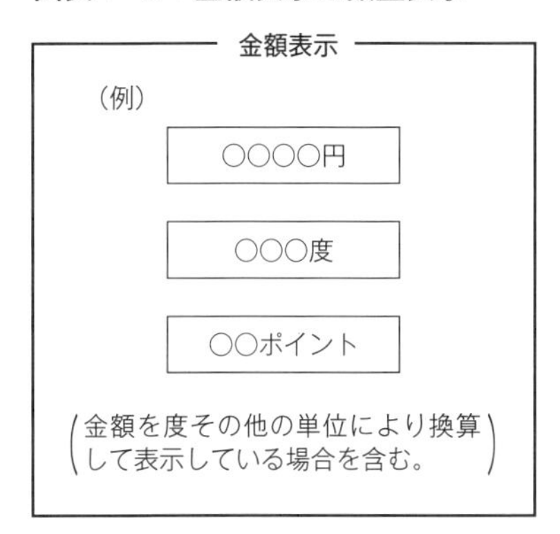

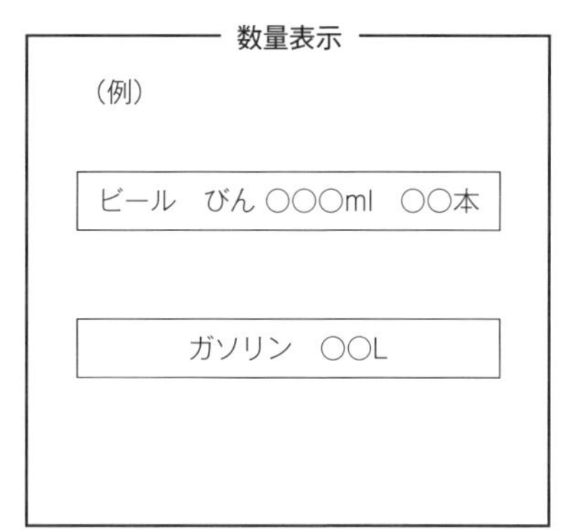

して整理されている。

数量表示（物品表示）の前払式支払手段とは、それ自体に物品の給付請求権等が表章されており、これを提示等することによって物品の給付等を請求することができる前払式支払手段を指している。物品や役務の数量が記録されるため、金額表示の前払式支払手段と対比して、数量表示や物品表示の前払式支払手段と呼ばれる。数量の加算が行われる場合も含まれることは、金額表示の前払式支払手段と同様である。

金額表示の前払式支払手段は、例えば、1000円券、3000円券などといった金額が記載された商品券やギフト券、105度数といった金額を換算した一定の単位数が記録されたテレホンカード、上限まで１円単位で入金することができるIC型プリペイドカードなどがこれに該当する。

数量表示の前払式支払手段は、例えば、ビール大びん２本や缶ビール２本と交換できるビール共通券、リットル表示のガソリン・灯油券などがこれに該当する。

金額表示の前払式支払手段も、数量表示の前払式支払手段も、同じく資金決済法の対象となる点で異ならず、その規制の内容もほぼ同様である。ただし、数量表示の前払式支払手段を発行する場合には、物品または役務の数量を金銭に換算した金額を未使用残高として把握する必要があり（法３条２項、前払府令３条）、物品または役務の１単位当たりの通常提供価格を記帳した日記帳を帳簿書類として作成・保存する必要がある（前払府令46条1項2号）ことに留意が必要である。

(3) 自家型前払式支払手段と第三者型前払式支払手段

自家型前払式支払手段とは、発行者または当該発行者と密接な関係を有する者（発行者等）から物品の購入もしくは借受けを行い、もしくは役務の提供を受ける場合に限り、これらの代価の弁済のために使用することができる前払式支払手段または発行者等に対してのみ物品の給付もしくは役務の提供を請求することができる前払式支払手段をいう（法3条4項）。

第三者型前払式支払手段とは、自家型前払式支払手段以外の前払式支払手段をいう（法3条5項）。前払式支払手段を発行する発行者以外の加盟店から物品の購入もしくは借受けを行い、もしくは役務の提供を受ける場合に、これらの代価の弁済のために使用することができる前払式支払手段や、加盟店に対して物品の給付もしくは役務の提供を請求することができる前払式支払手段がこれに該当する。

自家型前払式支払手段は、誰でも発行することができるが、基準日（毎年3月31日と9月30日）においてその未使用残高が1000万円を超えた場合には、財務（支）局長に対する届出が必要となる（法5条）。届出を行った以降は、自家型発行者として、資金決済法の適用を受けることとなる（法3条6項）。

第三者型前払式支払手段は、財務（支）局長の登録を受けた者のみが発行することができる（法7条）。登録を受けた者は第三者型発行者として、資金決済法の適用を受けることとなる（法3条7項）。

自家型発行者と第三者型発行者は、その担う機能の重要性に伴い、規制の内容が異なる。詳細は、第3章を参照されたい。

(4) 定義除外

前払式支払手段は次の3つの要件を備えるものである。

①金額・数量等の財産的価値が記載・記録されること（価値の保存）

図表1-9：自家型前払式支払手段と第三者型前払式支払手段

〈自家型前払式支払手段〉

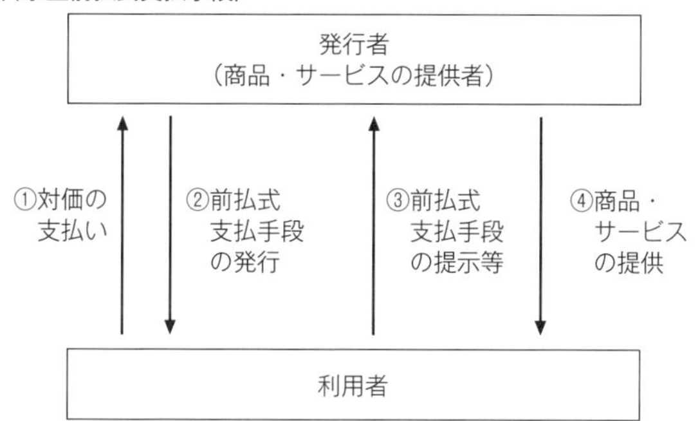

（注）発行者には当該発行者と密接な関係を有する者（法3条4項）も含まれる。

〈第三者型前払式支払手段〉

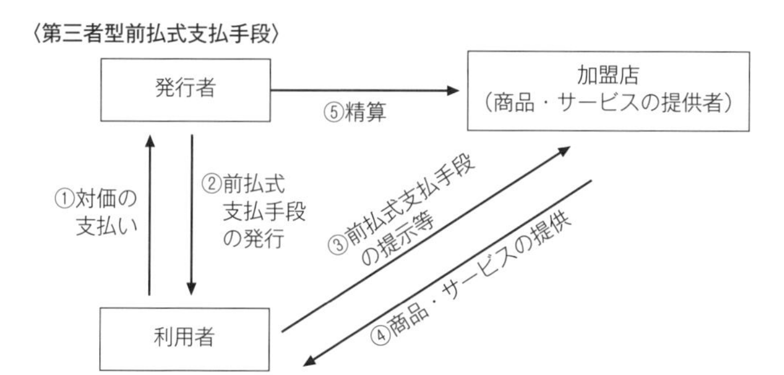

（注）加盟店のみならず発行者自身も商品・サービスを提供する場合も含まれる。

②金額・数量に応ずる対価を得て発行される証票等または番号等であること（対価発行）

③代価の弁済等に使用されること（権利行使）

これに対し、次に掲げる証票等または番号等については、定義上前払式支払手段に該当しない（前払ガイドラインⅠ－1－1）。

(i)「日銀券」、「収入印紙」、「郵便切手」、「証紙」等法律によってそれ自体が価値物としての効力を与えられているもの

法律によって支払手段としての効力が与えられており、利用者から対価を得るか否かにかかわらず発行されるものであるため、前記②の要件を満たさないと考えられる。

(ii) 「ゴルフ会員権証」、「テニス会員権証」等各種会員権（証拠証券としての性格を有するものに限る）

発行された会員権証に財産的価値が保存されておらず、あるいは保存された財産的価値に結びついていないと考えられるため、前記③の要件を満たさないと考えられる。

(iii) 「トレーディング・スタンプ」等商行為として購入する者への販売であり、当該業者が消費者への転売を予定していないもの

発行者は、実質的に利用者から対価を得ておらず、前記②の要件を満たさないと考えられる。複数の事業者が共同して発行する共通ポイントもこの類型に該当すると考えられる。

(iv) 磁気カードまたはICカード等を利用したPOS型カード

ここでいう「POS型カード」とは、銀行等のコンピュータとデパート等の小売店にあるレジスターを回線で結び、即時に資金決済（口座振替）がなされる取引に使用されるカード（キャッシュカード）を指している。このカードは、顧客の預金口座等からデパート等、預金口座等への口座振替を行うための本人確認機能を有するカードであり、前払式支払手段とは性格が異なると考えられる。

(v) 本人であることを確認する手段等で証票等または番号等自体には価値が存在せず、かつ、証票、電子機器その他の物に記録された財産的価値との結びつきがないもの

このような証票等は財産的価値が保存されておらず、あるいは保存された財産的価値に結びついていないと考えられるため、前記③の要件を満たさないと考えられる。

例えば、英会話教室の生徒証で、利用者はあらかじめ前払いした授業

を受けるためには当該生徒証を提示する必要があるが、利用者が生徒証を忘れてしまった場合でも、英会話教室が別の方法で生徒であることを確認できれば、当該利用者に授業を受けさせるものなどがこれに該当すると考えられる。

ただし、この類型については、当該証票等が財産的価値と結びついていて、当該証票等を提示することによって財産的価値との結びつきを確認しているものなのか、当該証票等が権利者本人と結びついていて、当該証票等を提示することによって本人であることを確認しているものなのかは、判断が難しい場合が多い。そのため、前払ガイドラインでは、定義から除外される類型に該当するものを次の要件のいずれも満たすものに限定している（前払ガイドラインⅠ－1－1⑴⑤）。

①記名や暗証番号等により使用者が権利者本人に限定されること

②その証票等または番号等を使用しなくても、なんらかの方法で利用者が権利者本人であることを発行者が確認すれば、物品の購入・サービス等が提供されるものであって、以下のⅰ）からⅲ）の要件をすべて満たすものであること

ⅰ）当該証票等または番号等に頼らず、帳簿等その他の手段によって権利金額や回収の金額が管理されること

ⅱ）当該証票等または番号等を使用しなくても、なんらかの方法で利用者が権利者本人であることを発行者が確認すれば、物品の購入・サービス等が提供される仕組みとなっており、利用者一般において実際そのように運用されること

ⅲ）当該証票等または番号等が「証票等または番号、記号その他の符号の提示等により権利行使ができる」など、利用者が「前払式支払手段」と判断するような表示または説明が行われないこと

例えば、借用証書、受取証書、預金証書、会員証などが該当する。

これに対し、例えば利用者がインターネット上で権利行使をするにあたり、IDとパスワードを通知する場合であって、利用者がIDとパスワードを忘れた場合にはあらかじめ登録させた秘密の質問などを回答させ

てIDやパスワードを再発行するが、権利行使の場面では必ずIDやパスワードを通知することを要求するような場合には、ⅱ）の要件を満たさないことから、この類型には該当しないと考えられる。

(vi) 証票等または番号等のうち、証票等に記載もしくは記録され、またはサーバに記録された財産的価値が証票等または番号等の使用に応じて減少するものではないもの

このような証票等や番号等は財産的価値が保存されておらず、あるいは保存された財産的価値に結びついていないと考えられるため、前記③の要件を満たさないと考えられる。

例えば、新聞や雑誌の電子配信サービスで、あらかじめ１年分の料金を前払いして購読する場合に、これらの購読の際にインターネット上で入力するIDやパスワードが発行されているが、利用者は１年間何度でも購読することが可能であり、IDやパスワードを入力するごとに財産的価値が減少するのではないものはこれに該当すると考えられる。

以上の前払式支払手段の定義除外に該当する証票等や番号等を発行する場合には、資金決済法の対象外とされ、届出や登録は不要とされている。

(5) 適用除外

次に掲げる証票等または番号等については、定義上前払式支払手段に該当するが、資金決済法の規制の適用が除外されている（法４条）。

(i) 乗車券、入場券その他これらに準ずるもの

乗車券、入場券その他これらに準ずるものであって、政令で定めるものは、適用除外となる（法４条１号）。

施行令では、次の証票等や番号等をこの類型の適用除外とする（令４条１項）。

①乗車券、乗船券および航空券

②次に掲げる施設または場所に係る入場券（通常入場券と併せて発行される遊園地その他これに類する施設の利用券を含む）

ⅰ）映画、演劇、演芸、音楽、スポーツまたは見せ物を不特定かつ多数の者に見せ、または聴かせる場所

ⅱ）競馬場、競輪場、小型自動車競争場またはモーターボート競走場

ⅲ）美術館、遊園地、動物園、博覧会の会場その他不特定かつ多数の者が入場する施設または場所でこれらに類するもの

③上記のほか、特定の施設または場所の利用に際し発行される食券その他の証票等で、当該施設または場所の利用者が通常使用することとされているもの

④上記の証票等と同等の機能を有する番号等

乗車券や入場券等は、役務提供者側の事務処理上の必要から発行されるいわば整理券的なものであり、利用者が発行者に対する与信を強く意識しないものについてまで、あえて規制対象とする必要性は低いと考えられることから、適用除外とされている。

ただし、この乗車券等を購入することができる前払式支払手段や、使用後に残高が残り次回以降も反復使用できるものは整理券的なものとはいえず、適用除外の対象とはならない。

また、サーバ型前払式支払手段も規制対象となったことに伴い、乗車券や入場券と同等の機能を有する番号等も適用除外とされている（上記④）参照）。例えば、入場券の代わりに発行される電子チケット（モバイル端末からインターネットへアクセスし、画面上に入場券の代わりになるバーコードやQRコードを表示して、コンサートや展示会の入り口で用意された端末に、画面上のバーコードやQRコードをスキャンさせることで入場できるものなど）がこれに該当する。

なお、上記④は、その発行者等が利用者に対する物品の給付または役務の提供が、発行者等の使用に係る電子計算機と利用者の使用に係る電子計算機とを接続する電気通信回線を通じて行われる場合に利用されるものを除くこととされている（令４条１項４号）。これは、仮想空間にお

いては、乗車券や入場券等を想定することが困難であると考えられること、インターネット上の仮想空間へのアクセス自体が役務提供と構成すべき場合が少なくないことから、整理券的なものとはいえず、適用除外とならないことを明確にしたものである。

(ii) 使用期間が6ヶ月内に限定されているもの

発行の日から政令で定める一定の期間内に限り使用できる前払式支払手段は、適用除外とされている（法4条2号）。この一定の期間は、6ヶ月と定められている（令4条2項）。

有効期間が短期であるものについては、一般に早期に使い切ってしまうため比較的リスクは小さいと考えられるほか、そのようなものにまで規制を及ぼした場合、サービスの提供が縮減するなどかえって利用者利便を損ねるおそれもあることから、利用者保護と利用者利便のバランスに配意し、6ヶ月内でのみ使用可能なものについては、規制の対象外としている。

一定の期間が6ヶ月と定められているのは、発行保証金の供託等の義務が原則として毎年3月31日と9月30日を基準としている都合上、有効期間が6ヶ月未満の証票等の場合、発行日によっては供託義務が生じないものが発生してしまうといったことが考慮された結果であり（実務解説67頁）、資金決済法でもこの考え方が維持されている（詳説88頁）。

なお、証票等の表示により利用者が明確に期間または期限が認識できることが必要であるが、この場合、「発行日から6ヶ月内に限り有効」と記載したのみでは足りず、発行日の日付もあわせて記載する必要がある。事実上使用期間経過後も使用できるものについては、適用除外とならない点に留意が必要である。

この類型によって資金決済法の適用除外の支払手段が発行されているケースは多い。詳細については、後記第3章4を参照されたい。

(iii) 発行体の信用力に着目して適用除外とされるもの

次の前払式支払手段は、発行体の信用力が高く、適用除外としても利用者保護に欠けることがないと考えられることから、適用除外とされている（法4条3号・4号、令4条3項）。

①国または地方公共団体が発行する前払式支払手段

②法律により直接に設立された法人、特別の法律により特別の設立行為をもって設立された法人または特別の法律により地方公共団体が設立者となって設立された法人であって、その資本金または出資の額の全部が国等からの出資によるものその他の国等に準ずるものとして政令で定める法人が発行する前払式支払手段

独立行政法人自動車技術総合機構、日本中央競馬会および日本放送協会、港務局および地方道路公社が②の法人として指定されている（令4条3項）。

ⅳ　一定の関係性に着目して適用除外とされるもの

次の前払式支払手段については、前払式支払手段の利用者が発行者の従業員である場合、組合員である場合や生徒である場合など、利用者と発行者とが生活上密接な関係にあり、利用者と発行者との間に高度な信頼関係が存するといえるような場合には、一般的に利用者保護の仕組みを適用する必要がないことから、適用除外とされている（法4条5号、令4条4項、前払府令6条～8条）。

ア　専ら発行者（密接関係者を含む）の従業員に対して発行される自家型前払式支払手段（専ら当該従業員が使用することとされているものに限る）

例えば、会社が従業員のために発行するもので、経営する社員食堂などで利用できる前払式支払手段などがこれに含まれる。

イ　専ら発行者の従業員（従業員と同一の世帯に属するものを含む）に対して発行される第三者型前払式支払手段（専ら当該従業員が使用することとされているものに限る）

例えば、会社が従業員のために発行するもので、会社と提携している保養施設やレストラン等で利用できる前払式支払手段などがこれに該当する。アと異なり、従業員の利用に限定されておらず、利用者には家族を含むこととされている。なお、アと異なり、発行者

には密接関係者を含まないこととされているため、子会社の従業員にも広く第三者型前払式支払手段を発行する場合はこの適用除外に該当しないことに留意が必要である。

ウ　次に掲げる者が発行する保健施設、福祉施設または福祉事業に係る前払式支払手段

①健康保険組合または健康保険組合連合会

②国家公務員共済組合、国家公務員共済組合連合会、地方公務員共済組合、全国市町村職員共済組合連合会または日本私立学校振興・共済事業団

③企業年金基金または企業年金連合会

④全国健康保険協会、国民健康保険組合または国民健康保険団体連合会、国民年金基金または国民年金基金連合会、石炭鉱業年金基金、独立行政法人農業者年金基金

エ　学校教育法１条に規定する学校を設置する者が専らその学生、生徒もしくは児童または職員に対して発行する前払式支払手段、同法124条に規定する専修学校を設置する者が専らその生徒または職員に対して発行する前払式支払手段、同法134条１項に規定する各種学校を設置する者が専らその生徒（前払府令７条２項に定める特殊課程を履修するものに限る）または職員に対して発行する前払式支払手段（いずれも専ら当該学生等が使用することとされているものに限る）

例えば、学校が学生等に発行するもので、カフェテラスなどで利用できる前払式支払手段などがこれに含まれる。

オ　一定の職域内に勤務する従業員または当該従業員であった者（これらの者と同一の世帯に属するものを含む）の福利厚生のための売店その他の施設に係る事業を営むものが専ら当該従業員等に対して発行する前払式支払手段（当該従業員等の福利厚生施設においてのみ使用することとされているものに限る）

例えば、会社などの一定の職域内で福利厚生施設を営む者が従業員等に対して発行する前払式支払手段であって、当該従業員等の福利厚生施設においてのみ使用することとされているものが該当する。

「一定の職域内」とは、次のものをいうとされている（前払ガイドラインⅠ－１－３(4)）。

①職場の協同意識に基づく労働者の結合体で、同一の職場をその職域とするもの

②同一職場ではないが、同一職種でかつ同一系統の結合体であるもの

③同一職種でかつ同一系統でない職場の結合体であるもの

「福利厚生施設」とは、従業員のための施設であって、社会通念上、福利厚生施設として認められるものをいい、具体的には、売店、食堂、診療所、理髪店、体育館、保養所等をいうとされている（前払ガイドラインⅠ－１－３(5)）。

カ　専ら特定の学校等の学生、生徒もしくは児童もしくは職員または当該学生等であった者（学校等関係者）の利用に供される売店その他の施設に係る事業を行うものが専ら当該学校等関係者に対して発行する前払式支払手段（当該学校等関係者に係る施設においてのみ使用することとされているものに限る）

例えば、生協カードなど、学校などで売店その他の施設を営む者が学校等関係者に対して発行する前払式支払手段であって、当該学校等関係者に係る施設においてのみ使用することとされているものがこれに該当する。

(v)　他法の規制との重畳を回避するため適用除外とされるもの

次の前払式支払手段は、他の法律の規定に基づき前受金の保全のための措置が講じられているため、他の法律の規制との重畳を回避するために適用除外とされている（法４条６号、令４条５項）。

ア　割賦販売法２条６項に規定する前払式特定取引に係る商品の引渡しもしくは役務の提供または同法１１条に規定する前払式割賦販売に係る商品の引渡しにおいて使用することとされている前払式支払手段

前払式特定取引や前払式割賦販売を行う事業者は、基準日までに商品の代金の全部または一部として受領した前受金の合計額の２分

の１に相当する額について、前受金保全措置を講じることとされている（割賦販売法18条の３、35条の３の62）。例えば、前払式特定取引として発行される友の会が発行するお買い物券は、前受金の保全のための措置が講じられているため、適用除外とされている。

イ　旅行業法２条３項に規定する旅行業務に関する取引において発行される前払式支払手段

旅行業者は、当該旅行業者の前事業年度における旅行業務に関する取引の額等に応じて、営業保証金の額を供託すべきこととされている（旅行業法７条、８条）。そこで、旅行業務によって発行されるクーポン券等は、前受金の保全のための措置が講じられているため、適用除外とされている。

ただし、その発行自体は旅行業務として行われず、当該前払式支払手段を使用する段階で初めてその所有者が旅行業務に関する取引をすることとなるもの（いわゆる旅行ギフト券）は適用除外に該当せず、資金決済法の適用を受ける（前払ガイドラインⅠ－１－３(7)）。

(vi)　利用者保護という立法趣旨に鑑み適用除外とされるもの

資金決済法が利用者保護を立法趣旨としていることから、その利用者のために商行為となる取引においてのみ使用することとされている前払式支払手段は、利用者間で使用されず事業者間でのみ使用されることから適用除外とされている（法４条７号）。

例えば、卸売業者と小売業者の間で使用される決済カードや、宅配業者と宅配物の取次者との間で使用される精算券などがこれに該当する。

以上の前払式支払手段の適用除外に該当する証票等を発行する場合には、資金決済法の対象外とされ、届出や登録は不要とされている。

(6)　出資法との関係

出資法の趣旨および内容、預り金に該当するか否かの要件は、資金移動業と出資法の関係について記述した2(8)のとおりである。

前払式支払手段は、利用者から対価を得て発行されるものであり、この対価の授受が「預り金」に該当しないかが問題となる。

この点、前払式証票規制法の制定以前のプリペイド・カード等に関する研究会では、「(プリペイド・カードが)出資法上の『預り金』に該当するかどうかは、預金と同様の経済的性質の有無にかかっており、仮にプリペイド・カードが換金性を有したとしても、それのみをもって、直ちに出資法違反となるとは断定できないものと思われる。しかし、プリペイド・カードについて、一般的換金を行うような、すなわち一般的に元本の返還が約されていると解されるような場合には、出資法違反の疑いが生じよう」と指摘されている(プリペイド・カード等に関する研究会報告書21～22頁)。

この考え方は、他の前払式支払手段にも妥当する。すなわち、前払式支払手段は、商品やサービスの代価を前払いしているものにすぎず、一般的換金を行うような例外的な場合でない限りは、元本の返還が約されているとはいえず((4)の③の要件を満たさない)、出資法違反となることはないと考えられる。資金決済法においては、前払式支払手段の払戻しは、原則として禁止されており(法20条5項)、例外的に払戻しが認められる場合は、払戻しを行っても前払式支払手段の発行の業務の健全な運営に支障が生ずるおそれがない場合に限られていることから(法20条5項ただし書)、当該規制に従って前払式支払手段の払戻しが行われていれば、原則として出資法との関係でも問題はないものと考えられる。

なお、前払式支払手段と資金移動業との関係については、前記2(3)を参照されたい。

(7) クレジットカード業務との関係

前払式支払手段(プリペイドカード)と対比される支払手段として、クレジットカードが挙げられる。前払式支払手段(プリペイドカード)もクレジットカードも、商品の給付や役務の提供に使用されるものであるという点においては共通する。カードという有体物が発行されている

図表1-10：前払式支払手段の発行の業務とクレジットカード業務との関係

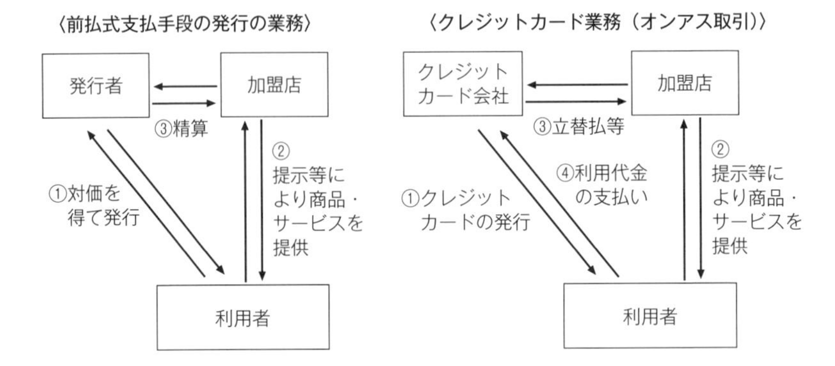

場合のみならず、IDやパスワード等の番号等が発行されるものもその定義に含むことも同様である。これに対し、利用者が事業者に対して信用を供与してあらかじめ前払いを行うのか、事業者が利用者に対して信用を供与して加盟店に対して先に商品代金等を支払い、利用者が事業者に対して後払いを行うのか（事業者が後からこれを回収するのか）といった点で違いがある。

クレジットカード業務はすべてが規制の対象となっているものではない。クレジットカードの利用から２ヶ月を超えて決済が終了するものについては、原則として割賦販売法に規定する包括信用購入あっせんに該当し、包括信用購入あっせん業者としての登録が必要である（割賦販売法２条３項、31条）。ただし、クレジットカードにおいては、通常、１回払いのほかに複数回の分割払いやボーナス一括払いなどのサービスを提供していることなどから、事業者は基本的にこの登録を受けて、クレジットカード業務を営んでいる。

あるサービスが前払式支払手段の発行の業務に位置づけられるものなのか、クレジットカード業務に位置づけられるものなのかについては、①商品やサービスの提供に先立って前払いが行われているのか、商品やサービスの提供に先立って前払いは行われておらず、当該商品やサービスの提供を受けた後に利用者が後払いを行うのか、②利用者が事業者に対して信用を与えているのか、事業者が利用者に対して信用を与えているのかなどによって区別されることとなるが、判断が難しい場合がある。

例えば、モバイル端末のコンテンツを利用する際の支払手段として利用できるIDやパスワードが発行されているケースで、利用者がこのIDにチャージを行うと通信代金と合わせて後日課金されるというサービスがある。この場合に、利用者はコンテンツの利用の前に「チャージ」という行為を行っているのか否かを確認する必要がある（コンテンツの利用時点と、利用者からチャージ代金を回収した時点や事業者にチャージ代金が入金された時点との先後関係を確認するのではない）。コンテンツの利用の前に「チャージ」が行われていれば、実際の代金の回収時点にかかわらず、利用者はその時点で債務を負担しているから「対価」の支払いがあったといえ、前払式支払手段の発行の業務に該当しうるのに対し、コンテンツの利用後に「チャージ」が行われ、利用したコンテンツのみの代金が請求されているとすれば、クレジットカード業務に該当しうることとなると考えられる。

(8) デジタルアイテムとの関係

デジタルデータで作られたキャラクターやアイテムは、デジタルアイテムとして総称される。例えば、ゲームの分野においては、様々なデジタルアイテムが存在し、当該デジタルアイテムを利用して、ゲーム内で一定の利用をしたり、一定の効果を発生させたりすることができる。トレーディングカードのように、デジタルアイテムを用いることでゲームが可能となったり、それ自体が取引可能なデジタルアイテムもある。

昨今注目されているNFT（Non-Fungible Token：非代替性トークン）は、ブロックチェーン上のデジタルデータが参加者間の相互検証によってコピーや改ざんが困難であることに着目し、デジタル空間でデジタルアイテムのやり取りを可能にするためのデジタルデータ（トークン）である。

こうしたデジタルアイテムと前払式支払手段の関係性については、当該デジタルアイテムの取得をもって商品・サービスの提供を受けたのか、それとも当該デジタルアイテムが商品・サービスの対価の弁済に使用できるものであるかを明確に判断することができない場合もあるため、その峻別は論点となり、2017年９月15日付金融庁における法令適用事前確認手続の回答で示された考え方を参照して判断されることとなる。すなわち、一次コンテンツ（一のネットワークゲーム内において、現金またはネットワークゲーム外の現金同等物を対価として発行された法３条４項の自家型前払式支払手段に該当するゲーム内コンテンツをいう。以下同じ）を使用することによって取得可能な一次コンテンツ以外のゲーム内コンテンツ（当該手続における照会書別紙２の２．⑵に記載された「対象コンテンツの特殊性」を客観的仕様として有するもの）は、ネットワークゲームごとに、その利用者に対して、当該ネットワークゲーム内に存在する対象コンテンツの取得をもってこれに係る商品・サービスの提供がなされたものとし、前払式支払手段に該当しない旨を利用者に周知し、利用者がこれに同意する仕組みを設けることによって、前払式支払手段には該当しないものとされている。

ただし、ネットワークゲームの客観的な仕様に照らして、前払式支払手段に明確に該当すると考えられるもの（例えば、一次コンテンツを統合したものなど、実質的に一次コンテンツと同じ性質を有するもの）は除くとされている点に留意が必要である。

Q3 ゲーム内通貨とゲーム内アイテムの峻別はどのようにすべきか。

A3 ゲーム内通貨やゲーム内アイテムについても、①価値の保存、②対価発行、③権利行使の３要件を満たすかによって、前払式支払手段に該当するか否かを判断することとなる。直接課金によって購入でき、ゲーム内のショップで他のアイテム等と交換できるゲーム内通貨は、基本的に前払式支払手段に該当すると考えられる。ゲーム内通貨と引き換えに交換されるゲーム内アイテムについては、様々なものがあるが、例えばゲームの利用で得られる無償アイテムは、②対価発行性を欠くと考えられるし、永続的に利用できるキャラクターについては、③権利行使性を欠くこととなる。具体的には、一般社団法人コンピュータエンターテインメント協会（CESA）、一般社団法人モバイル・コンテンツ・フォーラム（MCF）、一般社団法人日本オンラインゲーム協会（JOGA）の３団体が、ガイドラインや事例集を公表しており、その内容を参照されたい。

ブロックチェーンゲームにおけるゲーム内コンテンツの前払式支払手段該当性についても、従来型オンラインゲームと同様に考えることができ、基本的には上記の議論が妥当すると考えられる。ただし、当該ゲーム内コンテンツがゲーム内において決済（代価の弁済）のために利用できず、権利行使性を有さない場合であっても、ブロックチェーンゲームの提供者自らが別に提供するサービスや、第三者と提携・協働して提供するサービスにおいて決済機能を有する場合には、権利行使性を有するとして、前払式支払手段に該当する可能性がある点に留意が必要である。また、ブロックチェーンゲームにおけるゲーム内コンテンツが不特定の者との間で売買が可能とされたり、不特定の者に対して代価の弁済のために使用が可能となったりするなど、暗号資産との交換が相互に可能となる場合には、暗号資産に該当する可能性がある点にも留意が必要である。

4　暗号資産交換業

(1)　暗号資産

暗号資産とは、次に掲げるいずれかのものをいう（法２条５項）。

①物品を購入し、もしくは借り受け、または役務の提供を受ける場合に、これらの代価の弁済のために不特定の者に対して使用することができ、かつ、不特定の者を相手方として購入および売却を行うことができる財産的価値（電子機器その他の物に電子的方法により記録されているものに限り、本邦通貨および外国通貨ならびに通貨建資産を除く）であって、電子情報処理組織を用いて移転することができるもの

②不特定の者を相手方として、①に掲げるものと相互に交換を行うことができる財産的価値であって、電子情報処理組織を用いて移転することができるもの

(2)　暗号資産のメルクマール

この点、暗号資産ガイドラインでは、暗号資産の該当性等については、その利用形態等に応じ、最終的には個別具体的に判断することに留意するとしたうえで、以下のメルクマールを示している（暗号資産ガイドラインⅠ－１－１）。改正資金決済法の下で仮想通貨を暗号資産と呼びかえることとなったが、その定義に変更はなく、暗号資産の該当性も同じメルクマールで判断していくこととされている。

①法２条５項１号に規定する暗号資産（以下「１号暗号資産」という）の該当性に関して、「代価の弁済のために不特定の者に対して使用することができる」ことを判断するに当たり、例えば、「ブロックチェーン等のネットワークを通じて不特定の者の間で移転可能な仕組みを有しているか」、「発行者と店舗等との間の契約等により、代価の弁済のために暗号資産を使用可能な店舗等が限定されていないか」、「発行者が使用可能な店舗等を管理していないか」等につい

て、申請者から詳細な説明を求めることとする

②１号暗号資産の該当性に関して、「不特定の者を相手方として購入及び売却を行うことができる」ことを判断するに当たり、例えば、「ブロックチェーン等のネットワークを通じて不特定の者の間で移転可能な仕組みを有しているか」、「発行者による制限なく、本邦通貨又は外国通貨との交換を行うことができるか」、「本邦通貨又は外国通貨との交換市場が存在するか」等について、申請者から詳細な説明を求めることとする

③法２条５項２号に規定する暗号資産の該当性に関して、「不特定の者を相手方として前号に掲げるものと相互に交換を行うことができる」ことを判断するに当たり、例えば、「ブロックチェーン等のネットワークを通じて不特定の者の間で移転可能な仕組みを有しているか」、「発行者による制限なく、１号暗号資産との交換を行うことができるか」、「１号暗号資産との交換市場が存在するか」、「１号暗号資産を用いて購入又は売却できる商品・権利等にとどまらず、当該暗号資産と同等の経済的機能を有するか」等について、申請者から詳細な説明を求めることとする

以上の法令上の定義およびガイドライン上のメルクマールによれば、暗号資産の認定の手順は、次頁の図表１－11のとおりとなる。

⑶　法定通貨との違い

通貨とは、経済学では、交換価値、価値尺度、価値保蔵の機能を有するものをいう。また、法令用語としての通貨は、通用の貨幣、すなわち一般に通用力のある支払手段をいう。

法定通貨は、法律によって強制通用力のあるものを指し（民法402条）、通貨の単位及び貨幣の発行等に関する法律における「通貨」は、貨幣と銀行券をいうとされている（民法２条３項）。本邦通貨は日本円を単位とする通貨をいい、外国通貨は日本円を単位とする通貨以外の通貨をいう。

前記⑴のとおり、暗号資産の定義からは、本邦通貨および外国通貨は

図表 1-11：暗号資産の認定の手順

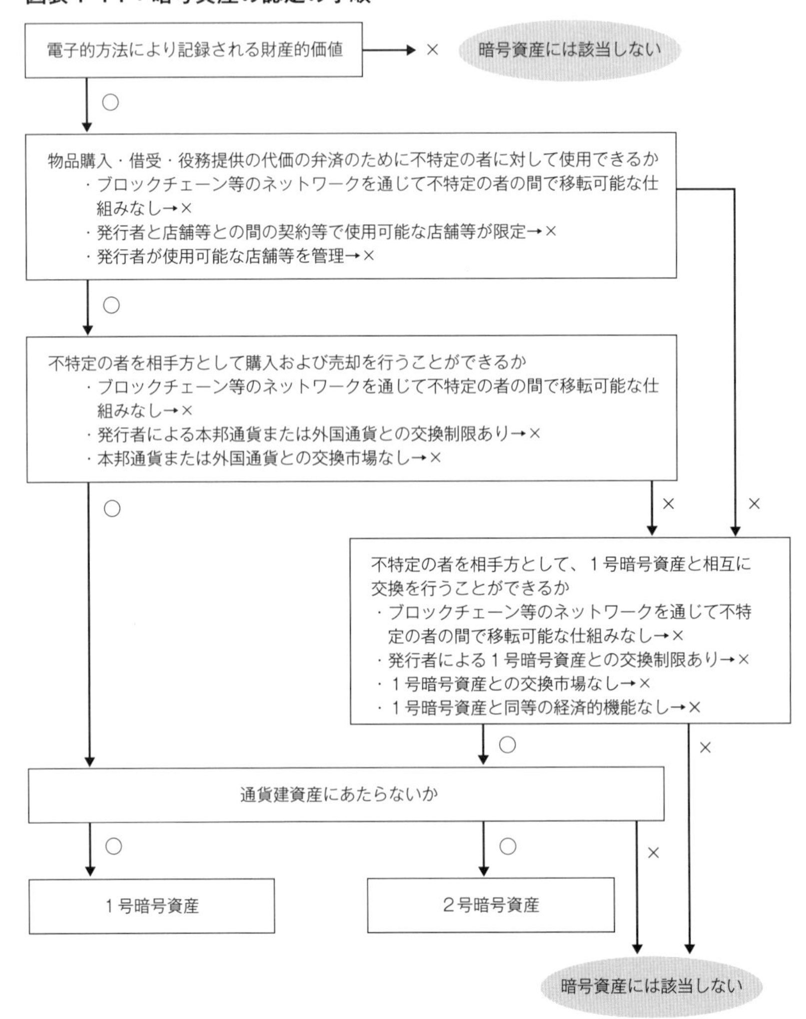

除かれている（法2条5項）。暗号資産は、不特定の者に対して使用できるものであることを要件としており、一種の通貨的な機能を持つ財産的価値を意味しているが、一般的には、法定通貨とは異なり、強制通用力までは有しない。暗号資産で支払いを行おうとしても、当然には通用力

はなく、債権者がこれを拒否した場合には弁済の効力が生じないため、交換価値があるとまでいえないという点が法定通貨との違いとして挙げられる。暗号資産を保有する利用者が、弁済を行う際に暗号資産を提示して代金を支払うとの意思を表示し、債権者がこれを受容した場合には、弁済（債務の履行。民法482条）の効力が発生すると考えられる。

また、暗号資産によっては、価格の変動幅が大きく、価値が保蔵されているといえないことも法定通貨との違いである。

⑷ 通貨建資産との違い

通貨建資産とは、本邦通貨もしくは外国通貨をもって表示され、または本邦通貨もしくは外国通貨をもって債務の履行、払戻しその他これらに準ずるものが行われることとされている資産をいう（法２条６項）。この場合において、通貨建資産をもって債務の履行等が行われることとされている資産は、通貨建資産とみなすとされている（法２条６項）。

前記⑴のとおり、暗号資産の定義から、通貨建資産も除かれている。通貨建資産には、国債、地方債、預金通貨、企業が発行する債券などが含まれ、これらは暗号資産には該当しない。

暗号資産ガイドラインでは、通貨建資産の該当性に関して、「本邦通貨若しくは外国通貨をもって債務の履行、払戻しその他これらに準ずるもの」であることを判断するに当たり、「発行者及びその関係者（以下「発行者等」という。）と利用者との間の契約等により、発行者等が当該利用者に対して法定通貨をもって払い戻す等の義務を負っているか」等について、申請者から詳細な説明を求めることとするとされている（暗号資産ガイドラインⅠ－１－１④）。

なお、通貨建資産に該当する場合には、法２条５項に規定する暗号資産には該当しないものの、当該資産の内容やその事業者が行う取引の内容によっては、前払式支払手段や為替取引その他法令上の規定に該当する可能性がある点に留意が必要とされている（暗号資産ガイドラインⅠ－１－１④（注））。

⑸　出資法との関係

出資法は、前記2⑻のとおり私人が業として預り金の受入れを行うことを禁じている（出資法2条1項）。しかし、この預り金禁止規制は、「業として預り金をするにつき他の法律に特別の規定のある者を除く」としており、資金決済法上、利用者の金銭の管理をすることが認められている暗号資産交換業者は、例外的に暗号資産の売買等に付随して金銭の受入れを行うことが認められているものと考えられる（法2条7項3号）。

もっとも、暗号資産交換業者は、「その行う前2号に掲げる行為に関して」利用者の金銭の管理ができるにすぎず、例えば、暗号資産の売買等とは無関係に利用者の金銭を預かることはできないと考えられる。

⑹　前払式支払手段の発行の業務との関係

前払式支払手段とは、前記3⑴のとおり、利用者から対価を得て発行される証票等または番号等であって、発行者または発行者が指定する者から物品の購入等を受ける場合にこれらの代価の弁済のために使用することができるもの、あるいは物品の給付等を請求することができるものをいう。前払型の電子マネーやゲーム内通貨がこれに該当する。

暗号資産は、発行者が存在せず、中央で一元的に管理するサーバがなく、ネットワークの参加者間で電子的に移転するものである点で前払式支払手段とは異なる。もっとも、暗号資産でも、発行者が存在し、当該発行者が発行するものもあり、発行者の有無のみによって前払式支払手段か暗号資産かが区別されるものではない。資金決済法上の暗号資産の定義に照らすと、不特定の者によってその価値が承認されているか否かがより重要なメルクマールとなっており、前払式支払手段は、前払式支払手段の使用先が発行者または発行者が指定する者に限られているため、「不特定の者を相手方として」という暗号資産の要件を満たさないと考えられる。また、通貨をもって表示され、業務廃止時には通貨で払い戻される前払式支払手段については、通貨建資産の定義にも該当し、暗号資産の要件を満たさないと考えられる。

この点、暗号資産ガイドラインでも、前払式支払手段発行者が発行するいわゆる「プリペイドカード」や、ポイントサービスにおける「ポイント」は、これらの発行者と店舗等との関係では、前記の代価の弁済のために不特定の者に対して使用できるかとの要件や、不特定の者を相手方として購入および売却を行うことができるかとの要件を満たさず、暗号資産には該当しないとされている（暗号資産ガイドラインⅠ－１－１②（注））。

(7) 資金移動業との関係

暗号資産を資金移動の手段として利用する場合、為替取引に該当するかどうか（銀行免許や資金移動業者の登録が必要かどうか）が問題となる。

為替取引の定義は、「顧客から、隔地者間で直接現金を輸送せずに資金を移動する仕組みを利用して資金を移動することを内容とする依頼を受けて、これを引き受けること、又はこれを引き受けて遂行すること」とされている（最三小決平成13年３月12日）。

ここでいう「資金」は、金銭および金銭に容易に変わるものを指し、預金や外国通貨がこれに該当すると考えられる。加えて、価値が変動するものや換金が容易ではないものは「資金」に該当しないものの、必ず一定の金額に換金されるものや、事実上、金銭、預金、外貨にリンクしているものは「資金」に該当すると解される。

暗号資産は、金銭との交換が可能であるが、現在のところ、外為法上の支払手段として指定されておらず、価値が変動するために必ず一定の金額に換金されるとはいえない。このため、現在のところ、暗号資産は「資金」には該当せず、暗号資産をそのまま移転するサービスを行ったとしても、ただちに為替取引の定義に該当するわけではないと考えられる。例えば、ビットコインの場合には、ウォレットを提供する事業者は、利用者が指定したアドレスにビットコインを引き渡す必要があるが、このような引渡行為だけでは為替取引の定義に該当しないと考えられる。ただし、金銭を預かり、暗号資産に交換した上で海外にある自社の拠点や提携会社に送付して換金し、それをもって資金移動を達成しようとする場合は、暗号資産を送金手段として一定の仕組みを構築するものであり、為替取引の定義に該当する可能性があると考えられる。

また、暗号資産交換業者がその業務に関して利用者から預かった金銭を、利用者の依頼で他の利用者のアカウントに移動するような場合にも、資金移動を引き受けているものとして、為替取引の定義に該当しうると考えられる。

暗号資産ガイドラインでも、暗号資産の交換等を行うものが、金銭の移動を行うことを内容とする依頼を受けて、これを引き受けること、またはこれを引き受けて遂行する場合には、為替取引を行っているとして、法37条に基づく資金移動業者の登録が必要となりうるとしている(暗号資産ガイドラインI－1－2－2④)。

⑻ 金融商品取引業との関係

暗号資産を取り扱う事業者は、先物取引、レバレッジ取引、FX取引、信用取引等(以下「先物取引等」という)、暗号資産に関連して様々な取引を提供することがある。

2016年改正法の下では、仮想通貨を用いた先物取引等の取引において、決済時に取引の目的となっている仮想通貨の現物の受け渡しを行う取引と、当該取引の目的となっている仮想通貨の現物の受け渡しを行わず、反対売買等を行うことにより、金銭または当該取引において決済手段とされている仮想通貨の授受のみによって決済することができる取引(差金決済取引)が存在するところ、このうち差金決済取引については、法の適用を受ける仮想通貨の交換等には該当しないとされてきた。また、仮想通貨は金融商品取引法で規制を受ける「金融商品」には指定されていなかったため、証拠金を差し入れてポジションのみを売買する取引で、決済時に反対売買等を行ってポジションの解消を行い、金銭等によって差金決済が行われるような取引については、資金決済法も金融商品取引法も適用を受けないこととされていた。

もっとも、2019年改正法の下では、金融商品取引法が改正され、金融商品の定義に暗号資産を追加して、暗号資産を原資産とするデリバティブ取引を規制の対象とすることとした。また、暗号資産を原資産とするデリバティブ取引を業として行う場合においては、金融商品取引業の登録、業務の内容および方法の変更に係る事前の届出等に関する規定を整備した。金融商品取引業者等が行う暗号資産デリバティブ取引に関連する業務に関して、説明義務等の規定も整備した。

これにより、差金決済取引のうち金融商品取引法２条20項に規定するデリバティブ取引に該当する場合は、金融商品取引法の規制対象となる。一方、利用者の暗号資産の管理を行うときを除き、暗号資産交換業の登録を要しない（暗号資産ガイドラインⅠ－１－２－２⑤）。

また、新規に発行する暗号資産の売出しを行い、資金調達を行う取引は、イニシャル・コイン・オファリング（ICO）などといわれてきたが、2019年改正法の下では、収益分配を受ける権利等であって、電子情報処理組織を用いて移転することができる財産的価値に表示されるものは、電子記録移転権利とし、原則として第１項有価証券として、有価証券届出書等による開示制度の対象とするとともに、電子記録移転権利の売買等を業として行うことを第１種金融商品取引業に係る規制の対象とすることとした。なお、ブロックチェーン上で発行されるトークンを用いて資金調達を行う場合の電子記録移転権利は、一般的に流通性が高いと考えられることから第１項有価証券として上記の規制の対象とすることとされているが、ブロックチェーンを利用しているとしても多くの投資家に流通する蓋然性がない場合もあり得るため、流通性その他の事情を勘案して、内閣府令で電子記録移転権利から除外されている。

以上の金融商品取引法上の電子記録移転権利に該当する場合には、資金決済法上の暗号資産の定義から除外されるため（暗号資産の定義を定める法２条５項参照）、金融商品取引法と資金決済法が重畳適用されることはない。

これに対し、収益分配を受ける権利等ではなく、電子記録移転権利に該当しないようなものは、引き続き暗号資産に該当する可能性があり、前述のメルクマールに従って、暗号資産の定義に該当するか否かが検討される。暗号資産について発行者がいるような場合でも、直ちに暗号資産に該当しないとされるものではないが、発行者や発行者から委託を受けた者が、発行済の暗号資産のすべてについて法定通貨による買取りを保証するような場合には、通貨建資産に該当し、暗号資産に該当しないうえ、出資法等の他の規制が適用される可能性があるため、留意が必要である（2017年パブコメ34頁No. 38、39）。

さらに、2019年改正法では、収益分配を受ける権利（いわゆる従来からの集団投資スキーム持分）を有する者が暗号資産等を出資した場合も、暗号資産等を金銭とみなして金融商品取引法の適用があることを明確化している。暗号資産で出資された場合でも、金銭が出資された場合と同様、その経済効果に実質的な違いはないと考えられるためである。

(9) 貸金業との関係

先物取引等であって、暗号資産の現物の受け渡しを行う取引については、法の適用を受ける暗号資産の交換等に該当しうる。また、暗号資産を用いた信用取引等を行うに際して、暗号資産交換業者が利用者に対する金銭の貸付けを行うとき（信用買いの場合）は、当該暗号資産交換業者は貸金業の登録を受ける必要があることに留意が必要である（暗号資産ガイドラインⅡ－２－２－２－１（注））。なお、信用取引に伴って、暗号資産交換業者が利用者に対して暗号資産の貸し付けを行い、暗号資産で返済を受けるような場合（信用売りの場合）には、貸金業の登録を受ける必要はないと考えられるが、暗号資産を貸し付けて金銭で返済させるような場合には、貸金業の登録が必要となる場合もありうる。

5　収納代行サービス

⑴　収納代行サービス

収納代行サービスとは、商品・サービスの利用による代金の支払いにおいて、商品・サービスの提供者（債権者）の依頼を受けた事業者が、利用者から代金を受け取り、これを商品・サービスの提供者に渡すサービスである。電気・ガスの利用料金の収納に用いられたり、電子商取引のプラットフォーマーが当該プラットフォーム上での取引代金を受領するために用いられている。商品を購入した利用者の自宅等へ商品を搬送する際に、商品を搬送する運送業者が、商品の販売者（債権者）の依頼を受けて、利用者から商品代金を受け取り、これを商品の販売者に引き渡す代金引換サービスや、ある事業者が提供した商品・サービスの利用料金の回収を、他の事業者が代行する回収代行サービスなども類似のサービスとして存在する。

⑵　為替取引との関係

収納代行サービスは、資金決済法が制定される前から営まれてきたサービスであり、資金決済法が制定される際にも、金融審議会第二部会で議論が行われたが、2009年の制度整備の段階では対象外とされ、将来の課題とすることが適当とされた。

すなわち、収納代行サービスは、資金決済法の制定時の商品・サービスの提供者（債権者）への支払人（債務者）が行う支払いの受取りであり、その後、事業者が受け取った資金を商品・サービスの提供者へ送付することは別の行為であって、為替取引に該当しないと説明する考え方（金融審第二部会報告書２～３頁、金融審第二部会WG報告11～15頁参照）や、事業者に受領権限が与えられていることからすれば、利用者が事業者に利用代金等の支払いを行った段階で支払人の債務は消滅することから事業者が破綻等した場合であっても、事業者と商品・サービスの提供者との間の債権債務関係が残るだけであり、支払人の二重払いの防止が図られているから、制度整備は不要であるとする考え方（同上）があった。

その後、資金決済法の制定から10年が経過し、改めて金融審議会の下で収納代行サービスについての規制の必要性が議論された。この間、金融審金融制度SG基本的な考え方でも言及されたとおり、割り勘アプリといった収納代行の形式をとりながら、実質的に個人間送金を行う新たなサービスも確認された。

金融審決済仲介法制WG報告では、収納代行サービスのうち、①債権者が事業者や国・地方公共団体であり、かつ、②債務者が収納代行業者に支払いをした時点で債務の弁済が終了し、債務者に二重支払の危険がないことが契約上明らかである場合には、既に一定の利用者保護は図られていると考えることが可能であるとして、引き続き為替取引に関する規制を適用する必要性は高くないとしつつ、債権者が個人であり、個人間の債権債務関係の発生事由に関与していない事業者が、単に資金のやり取りを仲介している収納代行サービスについては、利用者である個人が、サービス提供者に対して信用リスクを抱えるおそれがあり、利用者保護を確保する必要性は高いことから、資金決済法等の為替取引に関する規制の適用対象となることを明確化するとした。

これを受けて、2020年改正法では、収納代行サービスのうち、為替取引に該当するものの要件が示され（法２条の２、資金移動府令１条の２）、受取人が個人となる収納代行サービスについては、いわゆるエスクローサービスに該当せず、かつ、受取人が有する金銭債権の発生原因である「契約の成立に不可欠な関与」を行うようなプラットフォーム事業者が行う決済サービスにも該当しないものは、為替取引に該当するとされた。

詳細については、第５章１を参照されたい。

6　ポイントサービス

(1)　ポイントサービス

利用者が事業者から商品やサービスの提供を受ける際に、景品やおまけとしてのポイントが付与されるサービスがある。現在、このポイントサービスはあらゆる業界で行われており、小売、クレジットカード、航空、通信等、様々な業種の企業が販売促進や顧客囲い込み等のためにポイントを発行している。

図表1-12：ポイントサービス

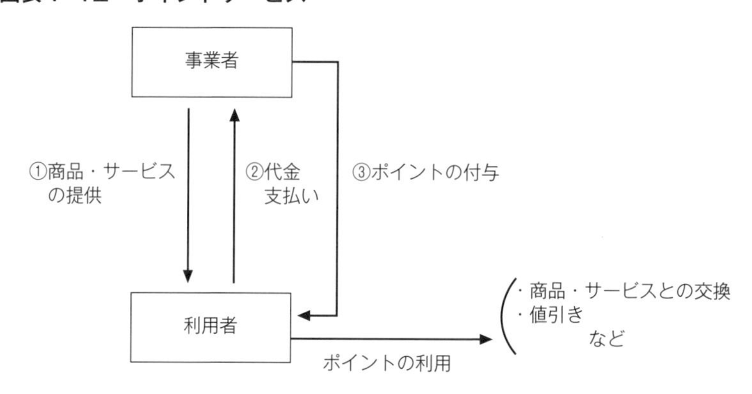

ポイントと前払式支払手段は、その利用場面においては、商品やサービスの代価の支払いの際に充当できたり、商品やサービスの提供を求めたりすることができる点で類似する。しかし、前払式支払手段は、通常利用者が現金などによって購入するため、事業者が利用者からその対価を得るものであるのに対し、ポイントは、事業者が販売促進費や広告宣伝費などを負担して発行するものであって、利用者には景品やおまけとして付与されるものであるという点で違いがある。

ポイントサービスについては、金融審議会第二部会において、これを規制対象とすべきであるという意見と、規制対象とすべきではないという意見が挙げられたが、最終的には、共通した認識を得ることが困難であった事項として、性急に制度整備を図ることなく、将来の課題とすることが適当とされている（金融審第二部会報告書２～３頁）。

そのため、事業者が、利用者から対価を受けることなく、景品やおまけとして付与するポイントサービスについては、現在のところ、前払式支払手段には該当せず、資金決済法の規制対象外の業務として営まれている。

これに対し、「ポイント」と称していても、事業者が利用者から対価を受け取って発行するポイントサービスについては、その名称にかかわらず、前払式支払手段に該当し、資金決済法の適用を受けることとなるため留意が必要である。

金融審金融制度SG基本的な考え方では、ポイントサービスについても検討が行われた。ポイントの発行目的は、顧客の囲込みや販売促進に加え、近年、加盟店間の相互送客や利用者情報の取得などに広がってきているとの指摘があるが、他方、ポイントの発行残高と一定の関係を有すると考えられるポイントに係る引当金が、近年極端に増加しているような兆候は、必ずしも見いだせないこと、ポイント同士の交換について、前記の金融審議会において議論が行われた当時と比較して、新たに交換が可能となったものもあれば、交換が不可能となったものもあることが確認されることから、現時点において、ポイントサービスに関して、金融分野における制度整備が直ちに必要な状況にはないと考えられるとされた。

⑵　前払式支払手段の発行の業務との関係

資金決済法３条１項の「対価」とは、必ずしも現金に限られず、財産的価値があるものはすべて含まれると解されていることから（新逐条解説68頁）、ポイントが「対価」を得て発行されているものか否かについては、難しい問題がある。しかし、どのような場合に「対価」を得て発行されたかどうかについては、社会通念に照らして判断されることと考えられ、通常であれば、利用者が「対価」を払ったと認識するかどうかがメルクマールとなると考えられる。

例えば、ポイントがある事業者の取引に付随して景品やおまけとして提供される場合、事業者は、景品表示法の規制を遵守して、取引価額のうちの一定の範囲内（取引価額が1000円未満であれば200円、1000円以上であれば10分の2）で提供する必要が生じるが（一般消費者に対する景品類の提供に関する事項の制限1項）、このような金額の範囲内で提供されるポイントは、社会通念に照らして、通常景品やおまけとして付与されるもので、利用者は、このポイントに対して「対価」を払ったとは認識しないものと考えられる。

資金移動業

1　総論

(1)　第1種資金移動業、第2種資金移動業、第3種資金移動業の選択

資金移動業は、銀行等以外の者が為替取引を業として営むことであり、資金移動業の登録を受けて行う者が資金移動業者である（法2条2項、3項）。

資金決済法の制定時には、資金移動業者が営むことができる資金移動業は、少額として政令で定められる金額（100万円）以下の為替取引とされてきたが、資金移動業者が取り扱っている送金の額は件数ベースで1件あたり数万円以下に集中している実態や、上限を超える送金について利用者ニーズの存在が明らかとなったため、2020年改正法により、資金移動業を第1種、第2種、第3種の種別に分け、資金移動業の種別に応じた規制内容とする改正が行われた。

第1種資金移動業とは、資金移動業のうち、第2種資金移動業および第3種資金移動業以外のものをいうとされている（法36条の2第1項）。第1種資金移動業には、特に金額の制限は設けられていない。

第2種資金移動業とは、資金移動業のうち、少額として政令で定める額（100万円に相当する額）以下の資金の移動に係る為替取引のみを業として営むこと（第3種資金移動業を除く）をいうとされている（法36条の2第2項、令12条の2第1項）。

第３種資金移動業とは、資金移動業のうち、特に少額として政令で定める額（５万円に相当する額）以下の資金の移動に係る為替取引のみを業として営むことをいうとされている（法36条の２第３項、令12条の２第２項）。

自らが提供しようとする送金サービスにおける取扱金額をもとに、資金移動業の種別によって規制内容が異なるため、当該規制の内容を勘案して、第１種資金移動業、第２種資金移動業、第３種資金移動業のいずれで営むかを決定する必要がある。

(2) 登録を行うことができる主体・認可を受けることができる主体

資金移動業を営むためには、所管の財務（支）局長の登録を受けることが必要である（法37条）。加えて、資金移動業者は、第１種資金移動業を営もうとするときは、業務実施計画を定めて、金融庁長官の認可を受けることが必要である（法40条の２第１項）。

登録を行うことができるのは、会社法に基づき設立された株式会社か、一定の要件を満たす外国資金移動業者に限られる（法40条１項１号）。認可を受けることができる主体は、資金移動業者である。

(i) 株式会社

資金移動業は、当該事業者の経済的信用をもって、隔地者間の資金移動を引き受けるものであることから、組織的な仕組みが必要とされている。個人の場合は、死亡により業務の継続が困難となり、人格なき社団の場合は、責任財産が不明確で、権利関係が複雑となる場合もありうることから、利用者保護の観点から、個人事業者が資金移動業者を営むことは認められていない。また、法人の中でも、株式会社であることが必要とされているのは、多様な資金調達手段による弾力的かつ機動的な業務運営や、会社法に基づくコーポレート・ガバナンス機能の活用による効率的な業務運営が期待できるためである。

株式会社であれば、業種業態を問わず、資金移動業を営むことが可能である。資金移動業を専業で営む会社でなければ登録を受けることができないわけではなく、資金移動業者には兼業も認められていることから、例えば、情報通信業、運輸業・郵便業、卸売業・小売業、製造業、貸金業・クレジットカード業、不動産業・物品賃貸業、宿泊・飲食サービス業など様々な業務を営む株式会社が資金移動業に参入することが可能である。

これに対し、銀行（銀行持株会社、長期信用銀行、協同組織金融機関、商工中央金庫を含む）が資金移動業を営むことは予定されていない。銀行はもともと為替取引を銀行業として営むことが可能であるから（銀行法４条１項、２条２項２号)、資金移動業者の登録を受けるまでもなく、為替取引を営むことが可能である。資金移動業の定義上も、「銀行等以外の者が為替取引を業として営むことをいう。」と規定されており（法２条２項)、銀行等は資金移動業者の登録を受けることはできない（法37条)。もっとも、銀行は、資金移動業者の受託者として、資金移動業の一部（為替取引の代理や媒介）を担うことは可能である（整備府令１条、銀行法施行規則13条２号の２)。

銀行業以外の金融業（保険業、金融商品取引業、信託業）を営む株式会社については、資金移動業者の登録を得て、為替取引を営むことが可能である。もっとも、各業法（保険業法、金融商品取引法、信託法）に基づく兼業の承認等が必要となる場合があるため、留意が必要である（逐条解説336〜339頁)。

Q4 銀行の子会社が資金移動業を行うことはできるか。また、銀行の子会社であるクレジットカード会社やローン会社が、資金移動業をあわせて行うことはできるか。

A4 銀行が子会社とすることができる会社は、銀行法が定めるものに限定されているが（銀行法16条の２第１項)、資金移動業その他内閣府令で定める業務を専ら営むもの（資金移動専門会社）を子会社とすることは認められている（銀行法16条の２第１項２号の２)。

したがって、銀行の子会社は資金移動業を行うことができる。

また、この資金移動専門会社は、「専門」といっても、資金移動業を専業で営む会社である必要はなく、資金移動業以外にも、銀行グループのために銀行法施行規則17条の3第1項各号に掲げる業務を営むことや、同条第2項各号に掲げる業務を営むことができることとされている（銀行法施行規則17条の2第1項）。

したがって、例えば、銀行の子会社であるクレジットカード会社やローン会社も、新たに資金移動業の登録を受ければ、クレジットカード事業やローン事業とあわせて資金移動業を行うことができる。

(ii) 外国資金移動業者

外国資金移動業者とは、資金決済法に相当する外国の法令の規定により、当該外国において、資金決済法に基づく資金移動業者の登録と同種類の登録（当該登録に類する許可その他の行政処分を含む）を受けて為替取引を業として営む者をいう（法2条4項）。

外国においても、為替取引（送金サービス）を営むためには、登録等が必要とされる場合が多い。仮に外国の法令の規定に基づき、当該外国において、同種の登録等を行って為替取引を営む事業者については、日本において会社法に基づき改めて株式会社を設立しなくても、当該事業者自身に資金移動業者の登録を認めることがふさわしいと考えられることから、外国資金移動業者も登録を行うことができることとされている。

ただし、外国資金移動業者が登録を行うためには、一定の要件を満たす必要があり、①国内に営業所を有する外国会社であること、②国内における代表者（国内に住所を有するものに限る）を置くことが必要である（法40条1項1号・2号）。

外国の銀行については、日本で外国銀行支店を設置して銀行法上の銀行免許を受けている外国銀行であれば、前記(i)の銀行と同様、資金移動業の登録を受けることはできない（銀行法47条1項、4条1項）。

これに対し、日本で銀行免許を受けていない外国銀行が、日本で預金の受入れ等を行わず、資金移動業のみを行おうとする場合、資金移動業者としての登録を受けることが可能である。外国銀行は、通常、外国の法令の規定に基づき、為替取引を営むことについて免許等を受けていると考えられることから、そのような場合には、外国資金移動業者として登録を行うことができることとなる。

外国資金移動業者は、資金移動業者の登録を受けると、外国資金移動業者以外の登録業者と同じく、資金決済法上の「資金移動業者」として取り扱われる（法37条）。営むことができる為替取引の内容も、遵守すべき規制の内容も同一である。

なお、資金決済法では、資金移動業者の登録を受けていない外国資金移動業者が、法令に別段の定めがある場合を除き、国内にある者に対して、為替取引の勧誘を行うことを禁止している（法63条）。資金決済法が、「為替取引の勧誘」を行うことだけを禁止しているのは、資金移動業者の登録を受けていない外国資金移動業者に限らず、資格のない者が「為替取引」自体を行うことが、銀行法によって禁止されているためである（銀行法4条1項、61条1号）。

法令に別段の定めがある場合とは、銀行免許を受けた外国銀行が為替取引の勧誘を行う場合や、所属外国銀行が外国銀行代理業務に係る業務として為替取引の勧誘を行う場合、外国銀行が駐在員事務所を設け、銀行の業務に関連を有する業務として為替取引の勧誘を行う場合などがこれにあたるとされている（新逐条解説268頁）。

どのような行為が「勧誘」にあたるかについては、資金移動ガイドラインにその解釈および留意点が示されているため、参照されたい。ホームページ等のウェブサイトに為替取引に関する広告等を掲載する行為については、原則として、「勧誘」行為に該当するが、①日本国内にある者が当該サービスの対象とされていない旨の文言が明記されていること（担保文言）、②日本国内にある者との間の為替取引を防止するための措置が講じられていること（取引防止措置等）をはじめとして、日本国内にある者との為替取引につながらないような合理的な措置が講じられている限り、日本国内にある者に向けた「勧誘」には該当しないとされている（資金移動ガイドラインⅠ－３－２）。

Q5 外国資金移動業者に該当する外国の事業者には、どのような者があるか。

A5 例えば、米国においては、各州レベルで送金業者法（Money Transmitter Law、Money Services Act等）が制定されているが、これに基づき送金サービスを営むことについて免許（license）を受けている事業者は、外国資金移動業者に該当する。また、EUにおいては、決済サービス指令（Payment Services Directive2（PSD2）：DIRECTIVE（EU）2015/2366）に基づき、加盟国で国内整備がなされているが、これに基づき送金サービスを営むことについて免許（authorisation）を受けている事業者は、外国資金移動業者に該当する。

(3) 登録手続・認可手続

(i) 登録手続

資金移動業者の登録を受けようとする者は、登録申請書に必要書類を添付して、財務（支）局に提出して、登録申請を行う（法38条）。

登録申請書は、株式会社の場合には資金移動府令別紙様式第1号、外国資金移動業者の場合には同府令別紙様式第2号を使用し、法38条1項各号および資金移動府令5条に定める事項を記載したうえで、法38条2項および資金移動府令6条に定める添付書類を提出する。

財務（支）局において、登録申請があったときには、法40条1項各号に定める登録の拒否事由に該当しないかを審査し、申請者が登録拒否事由に該当する場合を除き、登録がなされる（法39条1項）。

登録拒否事由は以下のとおりである。

ア　株式会社または外国資金移動業者（国内に営業所を有する外国会社に限る）でないもの

前記(2)(i)および(ii)のとおり、資金移動業者は、会社法に基づき設立された株式会社か、外国資金移動業者であって、国内に営業所を有する外国会社でなければならない。

イ　外国資金移動業者にあっては、国内における代表者（国内に住所を有するものに限る）のない法人

前記(2)(ii)のとおり、外国資金移動業者については、国内における代表者を定めなければならない。当該代表者は、国内に住所を有することが必要である。

ウ　資金移動業を適正かつ確実に遂行するために必要と認められる財産的基礎を有しない法人

資金移動業者が、資金移動業を行うにあたっては、資産保全義務を履行し、システムを開発・維持等するための財力が必要となるため、財産的基礎を有することが必要とされている。

資金移動業においては、兼業が認められており資本金の額が必ずしも資金移動業のみの財産的基礎を有するものとは推認できないことや、事業者が提供するサービスの規模や態様が様々であり、当該業務の内容および方法ごとに求められる財産的基礎も様々であることなどから、一律に資本金の額等を求める資本金規制は設けられていない（新逐条解説182頁）。

登録審査にあたっては、登録申請書および添付書類（最終の貸借対照表および損益計算書、事業開始後３事業年度における資金移動業に係る収支の見込みを記載した書面、資金移動業に関する社内規則等）をもとに、ヒアリングおよび調査等によって検証することとされている。特に以下の点が留意点とされているため、登録申請にあたってはこれらを説明することが必要である（資金移動ガイドラインⅧ－２－１(2)④）。

①登録申請者が法に基づく履行保証金の供託等の義務を履行するに足る財産的基礎を有しているか

②利用者に対する資金の授受を円滑に行うに足る態勢を有しているか

③収支見通しについて、競合者の参入、システムの陳腐化等、環境の悪化に伴う対応方策が確立しており、その場合でも一定の収益を見込めるような計画となっているか。なお、資金移動業

において損失が生じた場合に、登録申請者が他に営んでいる事業による収益等によって填補がなされる等、資金移動業の継続可能性に影響を及ぼすと考えられる特段の事情がある場合には、当該事情を考慮するものとする

なお、資金移動業開始後に、上記で申請された内容と乖離が生じた場合や、財務（支）局において、経営実態を確認した結果、財産的基礎を有しない疑いがあると認められた場合には、後記⑽(iii)のとおり、ヒアリングや報告書の提出が求められる可能性があるため、留意が必要である（資金移動ガイドラインⅧ－２－３⑴①および②）。

エ　資金移動業を適正かつ確実に遂行する体制の整備が行われていない法人

資金移動業者において資金移動業を適正かつ確実に遂行するために必要な社内体制は、第３章１⑻に記載するとおりである。

オ　資金決済法第３章の規定を遵守するために必要な体制の整備が行われていない法人

資金移動業者において必要な法令遵守体制は、第３章１⑻に記載するとおりである。

カ　他の資金移動業者が現に用いている商号と同一の商号または他の資金移動業者と誤認されるおそれのある商号を用いようとする法人

他の資金移動業者と同一または類似の商号を使用する法人は、資金移動業の利用者からみて事業者の区別ができず、利用者保護に欠けるおそれがあることから、登録が認められない。資金移動業者登録簿については、財務（支）局において公衆縦覧されているが、金融庁のウェブサイト（https://www.fsa.go.jp/menkyo/menkyo.html）にも、登録されている資金移動業者の商号が掲載されているため、登録申請にあたっては、同一または類似の商号を有する資金移動業者がいないかを確認する必要がある。

キ　過去５年間に、資金移動業の登録、資金清算業の免許を取り消されたり、資金決済法、銀行法等に相当する外国の法令の規定により同種の登録、免許を取り消されたことがある法人

過去に為替取引を営む事業者として不適格とされた法人は、登録

が認められない。

ク　過去５年間に、資金決済法、銀行法等、出資法またはこれらに相当する外国の法令に違反し、罰金の刑またはこれに相当する外国の刑に処せられたことがある法人

過去に為替取引に関する法令に違反し、法令遵守に問題があると考えられる法人は、登録が認められない。

ケ　他に行う事業が公益に反する法人

資金移動業者は、兼業が可能であるが、他に行う事業が公益に反する場合には、資金移動業者としての信頼性を確保することができないことから、登録が認められない。

「公益に反する事業」とは、違法事業のみならず社会的に不当と認められる事業も含み、例えば、暴力団をはじめとする反社会的勢力と関係する事業や、その事業内容が社会的に批判を受け、または受けるおそれがあるものなどを指すと解されている（新逐条解説185～186頁）。

コ　取締役等に不適格者がいる法人

資金移動業を行う上で、不適格な者が業務の執行やその執行を監査することを防止するため、取締役等に不適格者がいる法人は、登録が認められない。

登録が行われたときは、財務（支）局長からその旨が登録申請者に通知される（法39条２項、資金移動府令７条）。登録が拒否されたときは、財務（支）局長から、その理由とともに、登録申請者に通知される（法40条２項、資金移動府令９条）。

登録された資金移動業者については、その本店の所在地を管轄する財務（支）局に資金移動業者登録簿が備え置かれ、公衆の縦覧に供される（法39条１項・３項、資金移動府令８条）。

登録簿には、登録申請書のうち、資金移動府令別紙様式第１号第２面から第12面まで、または同別紙様式第２号第２面から第13面までが綴られる（資金移動ガイドラインⅧ－２－１(7)）。

資金移動業者が、登録審査において、システムに関する事項や営業秘

密・企業密に関する事項を開示する際には、財務（支）局と協議の上、登録申請書ではなく添付書類として提出するなどの対応をする必要がある場合も考えられる。

(ii) 認可手続

第1種資金移動業の認可を受けようとする者は、上記の登録手続に加えて、第1種資金移動業の認可を受けるための手続を経なければならない。資金移動業者は、第1種資金移動業を営もうとするときは、資金移動府令別紙様式第9号の2により作成した認可申請書に、同府令別紙様式第9号の3により作成した業務実施計画と、当該業務実施計画に関し参考となる事項を記載した書類を添付して、金融庁長官に提出する（資金移動府令9条の2）。

金融庁において、認可申請があったときには、その審査を行い、金融庁長官の認可を行う（法40条の2第1項）。金融庁長官は、その必要の限度において、第1項の認可に条件を付し、およびこれを変更することができる（法40条の2第3項）。

第1種資金移動業には取扱金額に上限がないが、業務実施計画を定める際に、為替取引により移動させる資金の額の上限額を定める場合にあっては、上限額を記載することとされており（法40条の2第1項1号）、上限額に応じた審査が行われる（資金移動ガイドラインⅧ－2－2(2)①）。例えば、取扱金額を200万円とする場合と1億円とする場合と100億円とする場合とで求められる態勢には自ずから差が生じることとなり、業務実施計画の内容に応じて、その合理性や適切性、遂行可能性の確認が行われることとなる。また、厳格な滞留規制をどのように遵守するかについても審査が行われる（資金移動ガイドラインⅧ－2－2(2)②）。

(iii) スケジュール

事業者が、財務（支）局長に対して登録申請や認可申請を行ってから、当該申請に対する処分（登録や認可または登録拒否）がなされるまでにかかる標準処理期間は、2ヶ月とされている（資金移動府令42条1

項)。

しかし、この期間には、①当該申請を補正するために要する期間、②申請者が当該申請の内容を変更するために要する期間、③申請者が当該申請に係る審査に必要と認められる資料を追加するために要する期間は含まれない（資金移動府令42条3項)。

登録審査や認可審査においては、登録申請書や添付書類について、補正、内容変更、資料追加を求められることが往々にしてあり、それによって申請から登録までに2ヶ月以上の期間がかかることは通例である。

したがって、事業者としては、サービス開始希望日から逆算して、余裕を持って準備を行うとともに、申請にあたっては、なるべく後日大幅な指摘を受けることのないよう、提供するサービス内容やサービスの実施方法を十分検討の上で確定し、利害関係者（委託先等）ともよく条件等を詰めた上で契約を締結することが望ましい。全体の内容について弁護士・税理士等の必要なチェックを経て、登録申請を行うことがスケジュール管理の上で望ましいと考えられる。

⑷　サービスの立案・策定

事業者が、資金移動業に参入しようとする場合、まず利用者に対して提供するサービスの内容を検討することとなる。提供するサービスの内容については、まさに事業者のアイデアと創意工夫によって、様々なものが考えられる。

為替取引（決済サービス）の利用・提供可能性については、他の多くのビジネス書で述べられているところであり、ここでは特に言及することはしないが、資金移動業者が遵守すべき規制との関係で、とりわけ検討しておくべき内容を以下に列記しておく。

(i)　サービス提供の場所

資金決済法上、資金移動業者がサービスを提供する場所に関する制限はない。そこで、事業者は、店舗に来店する利用者に対して、店舗型の送金サービスを提供するのか、ATMを利用する利用者に対して、端末型の送金サービスを提供するのか、モバイル端末やインターネットを利用する利用者に対して、インターネット上で送金サービスを提供するのかを検討する必要がある。いずれを組み合わせて提供することも可能である。

(ii) サービス提供の範囲

資金決済法上、日本国内で資金移動業の登録を行えば、日本国内の利用者に対して為替取引を提供することができるが、その提供範囲は、日本国内に限定してもよいし、海外送金を可能としてもかまわない。国外で免許等を受ける必要がある場合には、別途これを取得することが必要である。

そこで、事業者は、その送金サービスによって提供するのは、国内送金だけか、海外送金も可能とするのか、海外送金を行う場合には、どの国に対して送金することを可能とするか、インターネット上の送金サービスについては、事業者のアプリやウェブサイト利用者間でのみ送金を可能とするのか、他の利用者にも送金を可能とするのか等について検討する必要がある。

(iii) 送金資金の受取方法

資金決済法上、送金人から送金資金をどのようにして受け取るか（送金資金の受取方法）についても制限はない。

送金資金の受取方法については、店舗等において現金で受け取る方法、ATMで現金またはカードで振り込ませる方法、銀行の預金口座から振り込ませる方法や、口座振替によってチャージする方法など様々な方法が考えられるが、事業者は、いずれの方法（あるいは複数の方法）で利用者から送金資金を受け取ることができることとするかを検討する必要がある。

前払式支払手段の利用による送金資金の入金ができるかについては、論点である。

前払式支払手段は、商品やサービスの代価の弁済等のために使用できるものとされ（法３条１項）、前払式支払手段の払戻しは原則として禁止されている（法20条５項）。前払式支払手段発行者が、資金移動業者を加盟店として位置づけ、利用者が資金移動業者に対して負担する送金資金の支払債務や手数料等の支払債務の弁済として利用することを認めたとしても、前払式支払手段の利用方法として認められると考えられるが、前払式支払手段をもって入金された資金が、資金移動業者のサービスによって出金されると、実質的に前払式支払手段の払戻しにつながりかねないことから、実務上、資金移動業者において前払式支払手段により入金された資金は、決済のみに使用することが求められる。

また、クレジットカードの利用による送金資金の入金についても、同様の論点がある。

クレジットカードは、クレジットカード会社が商品やサービスの代価の弁済を利用者に代わって行い、その代金を後日利用者に請求するものである（割賦販売法２条３項）。換金を目的とするクレジットカードの利用（クレジットカードのショッピング枠の現金化）は、貸金業法の潜脱や消費者の債務負担を助長するおそれがあることから、クレジットカードの利用規約によって禁じられている。クレジットカードによって入金された資金が、資金移動業者のサービスによって出金されると、実質的にクレジットカードのショッピング枠の現金化につながりかねないことから、実務上、資金移動業者においてクレジットカードにより入金された資金は、決済のみに使用することが求められる。

なお、送金資金の受取方法として銀行、決済代行会社等（以下「決済取引事業者」という）からの入金を認めることとした場合、すべての決済取引事業者が必ずしも資金移動業者の委託先となるわけではないと考えられる。すなわち、決済取引事業者によって入金が行われる場合、通常は、決済取引を行う利用者からの委託を受けて、決済取引事業者が支払いを行うものと考えられるから、送金資金の入金が利用者側の行為と整理できる限り、決済取引事業者が常に資金移動業者から資金移動業の一部を受託していると考えなければならないわけではない。決済取引事業者によって送金資金が支払われるものの、決済取引事業者が資金移動業の一部を受託しない場合には、決済取引事業者を資金移動業者の委託先とする必要はないと考えられる。ただし、当該決済取引事業者が資金移動業の一部を受託する場合（例えば、銀行等の窓口で送金の申込みを受け付ける場合や、資金移動業者から代理受領権を受けている場合など）には、資金移動業者の委託先となる場合があると考えられる。

(iv) 受取人への引渡方法

資金決済法上、受取人に対してどのようにして送金資金を引き渡すかについても制限はない。

受取人の引渡方法については、店舗等において現金で引き渡す方法、受取人が開設する銀行口座へ振り込む方法など様々な方法が考えられるが、事業者は、受取人に対していずれの方法（あるいは複数の方法）で送金資金を引き渡すこととするかを検討する必要がある。また、特に受取人が国内であらかじめ円貨を入金しておき、海外において外貨で受け取ることができることとする場合には、入金時、受取時または別の時点のいつの時点で外貨両替を行うかも検討する必要がある。

さらに、事業者は、受取人に送金資金そのものを引き渡すのみならず、受取人に送金資金の代わりに物品やサービスを提供することも考えられる。

(v) 会員登録の要否

資金移動業者は、利用者に対し、１回限りの送金サービスを提供することも、利用者との間で継続的契約を締結し、反復継続的に送金サービスを提供することも可能である（資金移動府令29条１項１号・２号）。

そこで、事業者は、利用者に会員登録をさせて、継続的な契約関係に立って、送金サービスを提供するのか（会員限定サービス）、会員登録などをさせずに、取引を望む利用者に、１回ごとの送金サービスを提供するのか（会員非限定サービス）、会員登録させる場合には、カードやID・パスワード等を発行するのか等を検討することが必要である。

ⅵ　口座保有の可否

出資法２条は、私人が業として預り金を行うことを禁止しているが、資金移動業者が利用者に対して送金を行う際に、利用することができる送金口座を開設することは可能と考えられている（2010年パブコメNo. 145、146）。

そこで、事業者は、利用者に送金サービスに関して残高管理や送金指図を行うことができる口座（アカウント）を保有させるのか、そのような口座（アカウント）は保有させず、１回ごとの送金サービスを提供するのかを検討することができる。

なお、利用者からあらかじめ口座（アカウント）に金銭を預かっておき、将来の送金にあてることができるかについては、第１種資金移動業においては厳格な滞留規制があり、送金指図を受ける前に資金を預かることができないことから認められない。一方、第２種資金移動業および第３種資金移動業においては、送金資金が現在または将来の具体的な送金依頼と結びついている場合には、当該資金の受入れは、出資法２条２項で禁止される「預り金」には該当しないと考えられる。

ただし、資金移動業者は、銀行と異なり預金の受入れはできず（銀行法２条２項）、送金とは無関係に資金を預かったり、送金用口座と称して長期間金銭を預かり利息を付すなど、その実態によっては実質的に「預り金」に該当する場合もあるため、個別事例ごとに預り金ガイドライン２－１－１⑵に掲げる要件に照らし合わせながら、「預り金」に該当するか否かを判断することが必要である（2010年パブコメNo. 145、146）。

なお、主として第２種資金移動業において、口座（アカウント）に資金が滞留している場合の考え方については、後記３⑵を参照されたい。

ⅶ　取扱金額や取扱件数

第２種資金移動業者が取り扱うことのできる為替取引は、100万円に相当する額以下の資金の移動に係る為替取引に、第３種資金移動業者が取り扱うことのできる為替取引は、５万円に相当する額以下の資金の移動に係る為替取引に限定されている（法36条の2、令12条の2）。この上限額は、1回の送金指図によって移動する資金の額にかかるものであり、手数料やその他の費用等の額は含まれない。外貨については、円貨に換算して当該金額に相当する額以下の取引である必要がある。

これに対し、資金決済法は、一定の期間（1日、1ヶ月、1年等）に取り扱うことのできる上限額や上限件数等を定めるものではない。

そこで、事業者は、利用者が1回の送金指図で送金することができる金額はいくらまでとするか、1日に送金することができる上限額や上限件数を設けるか、あるいは、一定の期間（1ヶ月や1年）ごとに上限額や上限件数は設けるのかを検討する必要がある。

なお、後記3⑴のとおり、為替取引の上限額は、1回の送金指図によって移動する資金の額に係るものであることから、複数の送金取引を想定して前もって口座に入金する場合の入金額や、複数の送金取引等の結果累積した口座残高、新たな送金指図を伴わない口座からの引出額については、いずれも上限規制がかかるものではないと考えられる。

以上のサービスの内容に応じて、図表2－1のとおり、利用者との間で締結する利用約款等の内容、利用者に対して提供すべき情報の内容、受取証書の交付の要否、備えるべき帳簿書類の内容、マネー・ローンダリング規制の遵守態勢等が異なることとなる。

ⅷ　サービスの実施方法の策定

事業者が、資金移動業に参入しようとする場合、サービスの内容の検討と並行して、当該サービスを実施するための方法を検討することとなる。

ア　送金システム

サービス提供にあたり、最も重要となるのが送金システムの内容である。日々、適正かつ確実に、利用者から送金資金を受け取り、受取人に対して送金資金の払出しを行うためには、システム上、送金データが確実に記録され、安全性・信頼性をもって保持されるこ

図表2-1：サービスの内容ごとの主な行為規制

	①営業店で現金を受け付けて、1回限りの為替取引を行うサービス	②インターネット等で口座開設・IDパスワードを付与して継続的為替取引を行うサービス	③証書・カードを発行して為替取引を行うサービス
情報安全管理措置	○	○	○
委託業務の適正・確実な遂行確保の措置	○（委託先があれば）	○（委託先があれば）	○（委託先があれば）
銀行等が行う為替取引との誤認防止措置	○（窓口掲示も必要）	○	○（営業店があれば窓口掲示も必要）
情報提供義務	○（指図者に対して、標準履行期間、手数料等、苦情相談に応ずる営業所の所在地・連絡先、為替レート等を明示）	○（契約の相手方に対して、左記に加えて、取り扱う為替取引の額の上限額、契約期間、中途解約時の取扱い等を明示）	○（1回限りの為替取引か、反復継続的取引かで判断。なお、為替証書等に必要事項を表示してもよい）
受取証書の交付義務	○	△（送金資金を業者の預貯金口座に振り込ませる場合は利用者の請求がない限り不要）	△（為替証書等にあたる場合は不要。また、送金資金を業者の預貯金口座に振り込ませる場合は利用者の請求がない限り不要）
その他利用者保護を図るための措置	・犯罪行為に利用された場合の取引停止措置	・犯罪行為に利用された場合の取引停止措置 ・インターネット上の誤認防止措置、指図確認訂正措置	・犯罪行為に利用された場合の取引停止措置
社内規則等	○	○	○
取引時確認義務	10万円超の現金の受払いにつき取引時確認が必要	反復継続的契約の締結時に取引時確認が必要	1回限りの為替取引か、反復継続的取引かで判断
疑わしい取引の届出	○	○	○

とが不可欠である。

事業者が送金システムを自前で開発する場合のほか、他社が開発した送金システムを利用する場合もある。送金システムの運用や保守を委託先に委ねる場合もある。

イ　代理店の要否

事業者が送金人から送金資金を店舗で受け取る場合、自前の店舗で受け取る場合のほか、他の事業者が営む店舗を代理店として、送金資金の受取りを委託先に委ねる場合もある。

受取人に対して、送金資金を店舗で払い出す場面においても、代理店を利用するか否かを検討する必要がある。

ウ　その他委託先の要否

資金決済法においては、資金移動業者が委託業務の適正かつ確実な遂行を確保するために必要な措置を講じることが求められるが(法50条)、そのような措置を講じることができる限り、委託先の選定について特段の制限はない。

前記アやイに挙げた場合のほか、カードの印刷・発券業務、モニタリング業務、両替業務等を委託先に委ねることは可能である。事業者は、自らが提供しようとするサービス内容に応じて、どの場面で委託先を必要とするのかを検討する必要がある。

エ　資産保全の履行

資金移動業者は、その利用者に対して負う債務の全額と同額以上の資産を供託等によって保全することが義務づけられる（法43条)。

そこで、事業者は、まず、自らが提供しようとするサービス内容に応じて、どの時点からどの時点まで、利用者に対して債務を負担することとなるのかについて確定することが必要である。また、後記(7)(vi)のとおり、資金保全方法は複数あるから、当該債務に対して、どのような方法で資産保全を行うかについて検討する必要がある。

オ　苦情処理・金融ADR

資金移動業者には、金融ADR制度の適用があるため、苦情処理措置および紛争解決措置を講じる必要がある（法51条の4）。

事業者は、自らが提供しようとするサービス内容に応じて、どのような苦情処理措置および紛争解決措置を講じるかについて検討する必要がある。

以上のサービスの実施方法に応じて、情報の安全管理措置の内容、委託先に対する指導等の措置の内容、資産保全のための態勢、苦情処理措置および紛争解決措置の内容等が異なることとなる。

⑸ 利用約款の策定

資金移動業者が営むことができるサービスの内容は様々なものが考えられ、資金移動業者は、サービスの内容に応じて利用約款を策定する必要がある。

本書では、モデル例として、第２種資金移動業者が、国内において店舗型送金サービス（営業店および代理店で現金を授受するもの。会員登録や口座保有などは行わず、１回限りの送金サービスを受けることを想定する）を提供する場合の利用約款を示すこととし、各項目について解説を行う。

●● 記載例 ── 送金サービス規定 ●●

〇〇送金サービス規定

第１条（適用範囲）

本規定は、当社の提供する〇〇送金サービス（以下「本サービス」といいます）に関する取扱いについて定めるものです。お客様は、本規定の内容を十分に理解し、本規定にご同意いただいた上で、本サービスをご利用いただくものとします。

第２条（本サービスの内容）

当社は、本規定に従って、日本国内において、お客様の送金依頼に基づき、お客様が指定する受取人に対し、お客様が指定する金額の送金を行います。

第３条（送金依頼）

１．お客様は、本サービスを利用しようとするときは、当社所定の送金依頼書に必要事項を正確に記入の上、当社の営業店または代理店の窓口に提出するものとします。

2. お客様は、前項の送金依頼書の提出とともに、当社に対し、送金資金および次条に定める手数料を現金で支払うものとします。

3. 10万円以上の送金を依頼するお客様は、第1項の送金依頼書の提出とともに、当社所定の本人確認書類を提出するものとします。

4. 当社がお客様から送金資金および次条に定める手数料を受領し、お客様からの送金依頼を承諾したときは、当社とお客様との間に送金委託契約が成立するものとします。

5. 当社は、お客様の送金の依頼を、当社の営業店または代理店の窓口の営業時間内に限り受け付けます。

6. お客様が当社に依頼することができる送金金額は、1回のご依頼で100万円を超えない額とします。

第4条（手数料）

1. 本サービスの利用にあたっては、当社所定の手数料をお支払いいただきます。

2. 送金に係る手数料は、1回当たり100円とします。

3. 第8条に基づき組戻しがなされた場合であっても、前項の送金に係る手数料は返還しないものとします。

第5条（受取証書の発行）

1. 当社は、第3条第4項に基づき送金委託契約が成立したときは、お客様の送金依頼の内容と送金金額等を記載した受取証書をお客様に交付します。

2. 受取証書には、取引番号が記載されます。これは受取人が送金資金を受け取るためのパスワードになりますので、大切に保管してください。受取人が、送金資金を受け取る際に、この取引番号を当社の営業店または代理店の窓口において通知していただくものとします。

第6条（送金資金の支払い）

1. 当社は、お客様の指定する受取人が、当社の営業店または代理店の窓口に来店し、お客様の送金依頼にかかる取引番号を通知したときは、お客様から指定された金額を当該受取人に対して支払うものとします。

2. ご依頼いただいた送金については、約10分後から受取人に対して支払可能となります。なお、受取人に対して支払いを行う営業店または代理店の営業時間、規制上の要件、天候および電気通信回線の状況、その他の事情等によって制限を受ける場合があります。

第７条（取引内容の照会）

1．お客様は、送金依頼後に受取人に送金資金が支払われていない場合など、本サービスに関して疑義があるときは、速やかに、お近くの当社の営業店もしくは代理店または当社のご相談窓口にお問い合わせ下さい。

2．お客様の送金依頼につき、関係機関から照会がある場合など必要があるときは、送金依頼の内容をお客様に照会することがあります。この場合、お客様は、速やかに回答してください。当社からの照会に対して、相当の期間内に回答がなかった場合または不適切な回答があった場合には、受取人に対して送金資金を支払うことができない場合があります。また、そのために生じた損害について当社は責任を負いません。

第８条（組戻し）

1．お客様が、送金委託契約の成立後にその依頼を取りやめることを希望する場合には、当社の営業店または代理店の窓口においてその組戻しの依頼を受け付けます。ただし、お客様から組戻しのご依頼をいただいた時点で、既に受取人による払出しが完了している場合には、組戻しの依頼を受け付けることはできません。

2．お客様は、組戻しをしようとするときは、当社所定の組戻依頼書に必要事項を正確に記入の上、当社の営業店または代理店の窓口に提出するものとします。この場合、当社は、お客様に当社所定の本人確認書類の提出を求め、お客様の本人確認をさせていただきます。

第９条（個人情報の取扱い）

1．当社は、当社の個人情報保護規定に従い、お客様の個人情報を取り扱います。

2．本サービスの利用に関し、当社は、本サービスの提供に必要な範囲で、お客様および受取人の情報を、当社の委託先、代理人その他の第三者に提供することができるものとします。

3．当社は、法令、裁判手続その他の法的手続または監督官庁等に対し、お客様または受取人の情報の提出を求められた場合は、その要求に従うことができるものとします。

4．ご提出いただいた個人情報に関しては、お客様は、当社が保管する個人情報の開示要求を行うことができます。開示をご希望のお客様は、当社のご相談窓口までご連絡下さい。

第10条（反社会的勢力の排除）

1．お客様は、自らおよびお客様の指定する受取人が、現在、暴力団、暴力団員、暴力団員でなくなった時から５年を経過しない者、暴力団準構成員、暴力団関係企業、総会屋等、社会運動等標ぼうゴロまたは特殊知能暴力集団等、その他これらに準ずる者（以下これらを「暴力団員等」といいます）に該当しないこと、および次の各号のいずれにも該当しないことを表明し、かつ将来にわたっても該当しないことを確約します。

⑴　暴力団員等が経営を支配していると認められる関係を有すること

⑵　暴力団員等が経営に実質的に関与していると認められる関係を有すること

⑶　自己、自社もしくは第三者の不正の利益を図る目的または第三者に損害を加える目的をもってするなど、不当に暴力団員等を利用していると認められる関係を有すること

⑷　暴力団員等に対して資金等を提供し、または便宜を供与するなどの関与をしていると認められる関係を有すること

⑸　役員または経営に実質的に関与している者が暴力団員等と社会的に非難されるべき関係を有すること

2．お客様は、自らまたは第三者を利用して次の各号の一にでも該当する行為を行わないことを確約します。

⑴　暴力的な要求行為

⑵　法的な責任を超えた不当な要求行為

⑶　取引に関して、脅迫的な言動をし、または暴力を用いる行為

⑷　風説を流布し、偽計を用いまたは威力を用いて当社の信用を毀損し、または当社の業務を妨害する行為

⑸　その他前各号に準ずる行為

第11条（本サービスの中止または中断）

当社は、システムの保守、通信回線もしくは通信手段、コンピュータの障害などによるシステムの中止または中断の必要があると認めたときは、お客様に事前に通知することなく、本サービスの提供を中止または中断することができるものとします。そのためにお客様に生じた損害について当社は責任を負いません。

第12条（本サービスの停止）

当社は、お客様が次の各号に該当すると判断した場合、事前に通知することなく、お客様による本サービスの提供を停止することができるものとします。そのためにお客様に生じた損害について当社は責任を負いません。

⑴　お客様に法令や本規約に違反する行為があったとき

(2) お客様が第10条第1項各号のいずれかに該当し、もしくは同条第2項各号のいずれかに該当する行為をし、または同条第1項の規定に基づく表明・確約に関して虚偽の申告をしたことが判明したとき
(3) お客様の送金依頼の内容が、法令その他一切の取締法規に違反するとき
(4) 本サービスが法令や公序良俗に反する行為に利用され、またはそのおそれがあるとき
(5) お客様の所在が不明となったとき
(6) 当社が求めた情報や資料の提供にご回答いただけないとき
(7) 本サービスのご利用がマネー・ローンダリング、テロ資金供与、暴力団員等または経済制裁対象者との取引またはそのおそれがあると当社が認めたとき
(8) お客様の相続の開始があったとき
(9) 前各号に掲げるほか、当社が本サービスの停止を必要とする相当の事由が生じたと判断したとき

第13条（免責規定）
1．災害・事変・戦争等の不可抗力、法令による制限、政府または裁判所等の公的機関の措置その他当社以外の責めに帰すべき事由により、送金ができなかったときは、そのためにお客様に生じた損害について当社は責任を負いません。
2．当社は、お客様に対して交付した受取証書に記載の取引番号を通知して送金資金の支払いを求められた場合には、当該受取人を真正な受取人であると判断して取り扱うこととします。お客様に受取人名の間違い、お客様と受取人または第三者との間における送金の原因関係についての争い、取引番号の盗用その他の事故等の事情があった場合でも、そのためにお客様に生じた損害について当社は責任を負いません。

第14条（本規定の変更または廃止等）
1．本規定および本サービスの内容（ご利用時間、限度額および手数料等を含みます）は、経済情勢の変化その他合理的理由があるときは、当社の判断により変更または廃止することがあります。また、かかる変更または廃止のために、本サービスの全部または一部の利用を停止することがあります。
2．前項の変更または廃止、あるいは利用の停止により生じた損害については、当社は責任を負いません。
3．本規定または本サービスの内容を変更または廃止したときは、当社の営業店および代理店の店頭にて掲示することにより告知します。

第15条（譲渡・質入れ等の禁止）
本規定によるお客様の契約上の地位その他本サービスにかかる一切の権利は、譲渡、貸与、質入れその他第三者の権利を設定すること、または第三者に利用させることはできません。

第16条（管轄）
本規定または本サービスに関して訴訟の必要が生じた場合は、東京地方裁判所を第一審の専属的合意管轄裁判所とします。

【本サービスに関するご相談窓口】
○○－○○○○－○○○○（連絡先）

(i) 送金委託契約の法的性格

資金移動業において営むことができる「為替取引」について、資金決済法上定義はないが、銀行法２条２項２号に定める「為替取引」と同義であるとされている。

最高裁決定では、銀行法２条２項２号にいう「為替取引を行うこと」とは、「顧客から、隔地者間で直接現金を輸送せずに資金を移動する仕組みを利用して資金を移動することを内容とする依頼を受けて、これを引き受けること、又はこれを引き受けて遂行することをいう」とされている（最三小決平成13年３月12日）。

上記の為替取引の定義によれば、本利用約款のように、資金移動業者が直接現金を輸送するのではない形で資金を移動する仕組み（送金依頼後、現金を輸送せずに約10分後から取引番号の通知を受けて支払う仕組み）を構築し、顧客（送金依頼人）から、隔地にいる受取人に対して、当該仕組みを利用して資金を移動することを内容とする依頼を受けて、これを引き受けることは、まさに資金移動業に該当することとなる。

本利用約款で想定する送金委託契約は、送金依頼人が受取人に対して資金の送付（送金）を依頼することを内容としており、順為替の１つである。

銀行が行う送金の法律関係については、依頼人と仕向銀行との関係は、受取人に送金資金の支払いを委託する委任契約であり、仕向銀行と被仕向銀行との関係も、為替取引契約に基づく委任関係であるが、被仕向銀行と受取人との関係は、被仕向銀行は仕向銀行の計算において受取人に支払う権限をもつだけにとどまり、受取人に対して直接に義務を負うものではないと解する考え方が有力である（小山銀行法140頁）。判例も、電信送金契約について、特段の事情のない限り、第三者のためにする契約であるとはいえず、受取人に対して送金の支払いをする義務を負うものではないとしている（最一小判昭和43年12月5日民集22巻13号2876頁、判例タイムズ230号179頁）。

資金移動業者が行う送金についても、上記と同様に解するとすれば、送金依頼人と資金移動業者との間で締結される送金委託契約は、受取人に対して送金資金の支払いを委託することを内容とする委任契約であると整理することができる。

なお、銀行が行う振込に関する契約解釈についてであるが、利用者保護の観点から、委任契約説を前提としつつも責任範囲を入金記帳までとする考え方や、受取人の預金口座への入金記帳による振込の完了を債務の内容とする請負契約と捉える考え方もある（資金決済に関する諸問題118～119頁）。また、契約内容は当事者間の合意により決定されることから、受取人との関係でも、第三者のためにする契約と構成して直接に義務を負うこととすることも考えられる。いずれにしても、資金移動業者の責任範囲を明確とするために、利用約款の中で、債務の内容を明らかにしておくことが望ましい。

本利用約款においては、資金移動業者は、受取人に送金資金を受け取るまでの間、送金依頼人に対して義務を負うが、受取人との関係では直接に義務を負うものではないとの考え方を前提としている。そして、本利用規約は、本サービスに関する取扱いについて定めるものとした上で（記載例第１条）、本サービスの内容の中で、「お客様の送金依頼に基づき、お客様が指定する受取人に対し、お客様が指定する金額の送金を行います。」として、送金依頼人に対する債務の内容を明確化することとしている（記載例第２条）。

本利用約款は、送金依頼人が送金を依頼する際に同意されれば足り、受取人に必ずしも同意してもらう必要はない（記載例第１条）。もっとも、受取人が今度は送金依頼人となって送金を依頼する場合には、本利用約款に同意してもらう必要があることは当然である。

(ii) 送金依頼に関する規定

送金依頼人から送金依頼を受ける場合には、当該送金依頼の内容を明確にしてもらう必要がある。また、送金事務の大量処理を行うためには、あらかじめ送金依頼の手続を定めておき、この手続に則って送金依頼人から送金依頼を受けることが不可欠である。

本利用約款においては、まず所定の送金依頼書に必要事項を正確に記入させ、資金移動業者の営業店または代理店（以下「店舗」という）の窓口に提出させることを予定している（記載例第３条第１項）。

送金依頼書には、送金依頼人の情報（氏名、住所、電話番号、生年月日、職業、取引目的等）を記入させるとともに、受取人の情報（氏名、住所等）および送金金額を正確に記入させることが必要である。

また、本利用約款では、送金依頼にあたり、必要となる手続として送金資金および手数料の支払いをあわせて規定している（記載例第３条第２項）。

取引時確認が必要となる場合には確認書類を提出（記載例第３条第３項）させることも必要である。店舗において10万円以上の現金の受払いが行われる場合、犯罪収益移転防止法上、取引時確認が必要となる（犯罪収益移転防止法４条、犯罪収益移転防止法施行令７条１項１号ツ）。そのため、本利用約款では、10万円以上の送金を依頼する送金依頼人に対して、確認書類の提出を義務づけている。

取引時確認を行う店舗では、送金依頼書に記載された送金依頼人の情報（氏名、住所および生年月日）と、確認書類に記載された内容を突合して取引時確認を行うとともに、確認記録を作成しなければならない（犯罪収益移転防止法４条、６条）。

送金依頼を受け付ける窓口の営業時間や、上限額がある場合にはこれらも規定する（記載例第３条第５項・第６項）。

法令上、第２種資金移動業者が取り扱うことができる１回の送金額は、100万円以下とされている（令12条の２第１項）。この金額以下の取引であれば、第２種資金移動業者が提供するサービスの内容として、上限額をいくらと設定するかは自由である。

これらの手順によって、送金依頼が行われた場合、通常、資金移動業者において、当該送金依頼人からの送金依頼を受けてかまわないかどうかについて、システムを用いてチェックを行うこととなる。例えば、反社会的勢力に該当する可能性がある者や過去に疑わしい取引を行った者でないかなどを確認する。その上で、資金移動業者がその送金依頼を承諾したときに、送金委託契約が成立する（記載例第３条第４項）。

(iii) 送金資金の受取方法に関する規定

資金移動業においては、送金依頼人から送金資金を後払いによって受け取ることも妨げられるものではないが、資金移動業者は、送金依頼を受けるにあたり、送金依頼人からあらかじめ送金資金を前払いしてもらうケースが現実的には多いと考えられる。

この送金資金については、委任事務を処理するための費用と考えられ、送金依頼人に対して、前払いを求めるためには、受任者である資金移動業者があらかじめ請求することが必要である（民法649条）。

本利用約款においては、送金資金は、店舗の窓口に現金を交付することとさせることとしているが（記載例第３条第１項・第２項）、前記(4)(iii)のとおり、様々な方法で入金させることが可能であると考えられる。

送金依頼書の提出と同時に送金資金の受け取りが確認できない場合には、いつの時点で、送金委託契約を成立させることとするかを明確に規定しておくことが必要と考えられる。ただし、送金委託契約に基づく債務（未達債務）の発生時点は、遅くとも資金移動業者（その業務委託先を含む）が利用者から資金を受領した時点とする必要があることに留意が必要である（資金移動ガイドラインⅡ－２－２－２－１④（注２））。

⒤ 手数料に関する規定

民法上、委任契約においては、特約がなければ、委任者に対して報酬を請求することができず、報酬を受けるべき場合には、委任事務を履行した後でなければこれを請求することができないとされている（民法648条１項・２項）。

したがって、資金移動業者が、送金依頼人から送金依頼を受けるにあたり、送金業務に対する対価としての手数料を受け取るためには、利用約款において、手数料がかかること（記載例第４条第１項・第２項）とともに、あらかじめこれを収受すること（記載例第３条第１項・第２項）を規定しておく必要がある。

また、民法上、委任事務がその履行の途中で終了したときは、受任者は、既にした履行の割合に応じて報酬を請求することができるとされている（民法648条３項）。

後記⒱のとおり、組戻しが行われる場合には、委任事務が完了する前に終了することとなるが、いったん受け取った送金業務の手数料の帰属を利用約款に定めておくことにより、既に受け取った送金手数料を返還しないとすることが可能である。

⒱ 受取証書の発行に関する規定

資金移動業者は、その行う為替取引に関し、資金移動業の利用者から金銭その他の資金を受領したときは、原則として、遅滞なく、①資金移動業者の商号および登録番号、②当該利用者から受領した資金の額、③受領年月日を記載した受取証書を交付しなければならない（資金移動府令30条１項）。

本利用約款では、対面取引で、窓口において現金の受領を行うことから、上記事項を記載した書面を交付することとしている（記載例第５条第１項）。これに対し、所定の方法で利用者の承諾を得た場合には、受取証書を電磁的方法により交付することも認められている（資金移動府令30条３項～８項）。非対面取引の場合には有用である。

なお、実務上は、受取人として窓口に来た人を、送金依頼人が指定した受取人と同一であることを確保するため、受取証書に取引番号やパスワード等を付与して、受取人が送金依頼人から交付を受けた受取証書を窓口で提示することや、送金依頼人から通知された取引番号やパスワードを窓口で通知することにより、資金を受け取ることができることとすることがある。このような場合には、送金資金の受取方法をあらかじめ定めておき、受取証書や取引番号・パスワード等の厳重な管理を求めることが必要である（記載例第５条第２項）。

ⅵ　送金資金の支払方法に関する規定

送金資金の支払いに関して、所定の手続を要する場合には、これをあらかじめ規定しておくことが必要である。本利用約款においては、前記ⅴのように、取引番号の提示を要求することから、かかる提示があった場合にのみ送金資金を引き渡す旨の規定としている（記載例第６条第１項）。

また、資金移動業者は、標準履行期間をあらかじめ利用者に対して説明する必要があるが、この点に関する規定も設けている（記載例第６条第２項）。利用者が不測の損害を被ることのないように、原則どおり履行することができない場合も明示しておくことも必要と考えられる。

ⅶ　組戻しに関する規定

前記ⅰのとおり、本利用約款において、送金依頼人と資金移動業者との間で締結される送金委託契約は、受取人に送金資金の支払いを委託することを内容とする委任契約であると整理した場合、受取人が送金資金を受け取った段階で委任事務が完了するものと考えられるところ、委任契約は委任事務の完了まではいつでも解除できることから（民法651条）、受取人が送金資金を受領するまでは、送金依頼人は送金委託契約を解除することにより送金依頼を撤回できるのが原則である（電子決済と法263～264頁参照）。

組戻しは、現在銀行の内国為替実務において、振込依頼人が一度取り組んだ振込依頼契約に係る意思表示を事後的に取り消す場合の手続として用意されているものである（資金決済に関する諸問題139頁）。しかし、依頼の撤回や取消と同義であり、用語はこれに限られるものではない。

本利用約款では、受取人による払出しが完了するまでは、組戻しの依頼を受け付ける旨の規定を置いている（記載例第８条第１項）。また、撤回の旨の意思表示を確認するためにも、必要な手続を規定している（記載例第８条第２項）。

これに対し、現地の支払金融機関に資金の払出しを委託するような場合には、必ずしも資金移動業者の内部手続によることのみでは、組戻しに応じることが困難となることも考えられる。このような場合には、組戻しに応じられる期限を設けることや、当該支払金融機関の承諾があった場合に限り組戻しが可能となる旨の規定を設けることも考えられる。

ⅷ　個人情報の取扱いに関する規定

資金移動業者においては、後記⑻ⅴのとおり、個人情報を適切に取り扱う措置を講じることが義務づけられている。本利用約款では、別途個人情報保護規定を策定している事業者が、本サービスにおいてもこれが適用されることを確認し、開示等の必要な手順を定める内容としている（記載例第９条）。なお、本利用約款では、個人情報を第三者に提供することがある旨の条項を設けているが、後記⑻ⅴのとおり、第三者提供に関しては、個人情報保護法に基づく例外を除き、利用約款とは別に、書面で同意を得る必要がある点に留意が必要である。

ⅸ　反社会的勢力への対応に関する規定

資金移動業者においては、後記⑻ⅲのとおり、反社会的勢力への対応を行う必要がある。あらかじめ、為替取引を行おうとする利用者が反社会的勢力に該当しないかどうかについては、資金移動業者においてこれを確認する必要がある。また、仮に為替取引を受け付けてしまった場合であっても、為替取引が完了する前に、反社会的勢力との関連が疑われることが判明した場合には、本サービスを停止することができるようにしておく必要がある（記載例第10条）。

⑽ サービスの中止・中断・停止

資金移動業においては、システムの維持・メンテナンスが不可欠である。そのため、システムの保守、通信回線もしくは通信手段、コンピュータの障害などによるシステムの中止または中断の必要があると認めたときは、サービスを一時中止または中断することができる旨の規定をあらかじめ設けておくことが考えられる。

また、利用者に対する資金移動業の提供が、法令等に違反するおそれがある場合などには、これを停止する必要がある場合がある。利用者にとっての予測可能性を担保するためにも、あらかじめ一定の事由を定めておき、停止することができる旨の規定を設けておくことが考えられる（記載例第11条）。

⑾ 免責規定

資金移動業を行うにあたっては、災害・事変・戦争等の不可抗力、法令による制限、政府または裁判所等の公的機関の措置等、資金移動業者の責めによらない事由によって、送金ができない場合もありうることから、あらかじめ免責規定を設けておくことが考えられる。

また、利用者側の理由（受取人名の間違い、受取人または第三者との間における送金の原因関係についての争い、取引番号の盗用その他の事故等の事情があった場合）により、利用者の意図しない送金がなされてしまう場合もありうることから、考えられるケースについて免責規定を設けておくことが考えられる（記載例第13条）。

もっとも、資金移動業の利用者が「消費者」に該当する場合には、消費者契約法の適用を受けることから、事業者の損害賠償の責任を一方的に減免する条項は無効とされる可能性がある（消費者契約法８条１項）。

⑿ 改廃規定

利用規約の内容を変更する場合に備えて、あらかじめ改廃規定を設けておくことは必要である（記載例第14条）。

ただし、本利用約款のように、１回ごとの送金サービスにおいては、個々の送金サービスの利用ごとに利用者から当該時点での約款への同意を得ることが予定されているから（記載例第1条）、約款の変更後に送金サービスを利用する場合には、変更後の約款の内容が適用されると考えられ、基本的に問題は少ない。

これに対し、継続的契約を前提とする送金サービスにおいて、利用者との間で契約内容となっている約款をどのように改廃するかについては、第3章2(1)(xi)を参照されたい。

(xiii) 海外送金を行う場合の規定

海外送金を行う事業者は、国内送金を行う事業者が遵守すべき規制に加えて、犯罪収益移転防止法上の外国為替取引に係る通知義務（後記(8)(xii)ウ）や、外為法（後記(8)(xiii)ア）および国外送金調書法（同イ）といった規制を遵守する必要がある。

もっとも、通常、送金依頼手続の際にこれらの必要事項の確認や必要書類の徴求を行うため、利用約款の規定は、国内送金を行う場合の規定と基本的に同様である。

海外送金を行う場合に特有の規定としては、①外国為替関連規定に違反する者の利用制限、②取り扱う外貨の種類、適用される為替レートの計算方法および外貨転換の基準時点、③準拠法の規定などが挙げられる。④海外で委託先を利用して払出しを行う場合の手続を定める規定も有用である。

Q6 利用約款をもって、利用者との契約内容とするにあたり、留意点はあるか。

A6 約款による契約も契約である以上、約款の拘束力の根拠は契約当事者の意思に求められる。利用者に約款の内容を具体的に認識可能な程度に約款が開示され、その状態において約款を契約内容とすることが当事者間で合意されて初めて、約款は契約内容になると考えられる。

この点、民法では、定型約款を利用して契約を成立させるためには、(i)①定型約款を契約の内容とする旨の合意をした場合、または、②定型約款準備者があらかじめその定型約款を契約の内容とする旨を相手方に表示していた場合のいずれかの場合において、(ii)契約の当事者において取引を行う旨の合意（定型取引合意）がされたことを要するとし、これらの要件を満たす場合には、定型約款に記載された個別の内容について認識していなくとも定型約款の個別の条項について合意をしたものとみなす旨の規定が設けられている（民法548条の2第1項）。

(6) 業務フローの決定

以上の利用規約の策定と並行して、資金移動業者においては、利用者との間でいずれの時点で契約を締結するか、利用者に対し必要な説明をどの時点でどのように行うか、取引時確認はどの時点でどのように行うか等、業務フローを決定する必要がある。

資金移動業者は、多数の営業所および委託先においても資金移動業を行わせることがあるが、この場合には一律に業務フローを定め、これを周知することが必要である。業務フローの例は図表２－２のとおりである。

この他、店舗での窓口対応については、事務マニュアルを作成して、従業員等にこれを遵守させることも有用である。

(7) 資産保全義務の範囲と資産保全方法

(i) 概説

資金移動業者には、その利用者に対して負う債務の全額と同額以上の資産を供託等によって保全することが義務づけられている（法43条）。

万が一、資金移動業者が破綻した場合には、その利用者は、あらかじめ保全された資産の中から、優先的に弁済を受けることができる（法59条）。

銀行は、他業禁止規制や自己資本比率規制が課せられており、これによって、その経営の健全性の確保が図られることとなる。また、預金保険法等によって、銀行が利用者に対して負う債務の履行は、銀行界全体が支払う保険料によって保全されるという仕組みがとられている。

これに対し、資金移動業者は、銀行と異なり、兼業も認められているし、委託先を利用することも自由である。その代わりに、資金移動業者

図表2-2：業務フロー例

〈送金処理フロー：送金を受け付ける〉

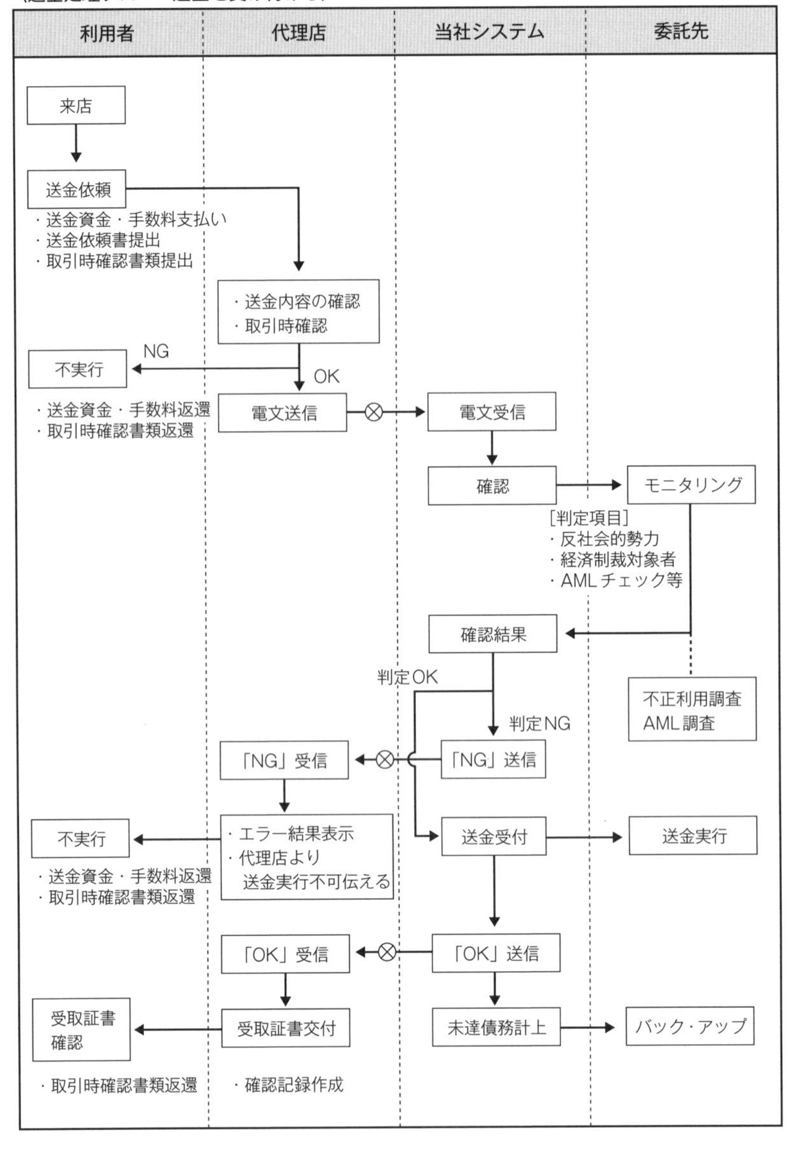

図表2-3：資金移動業者の資産保全義務

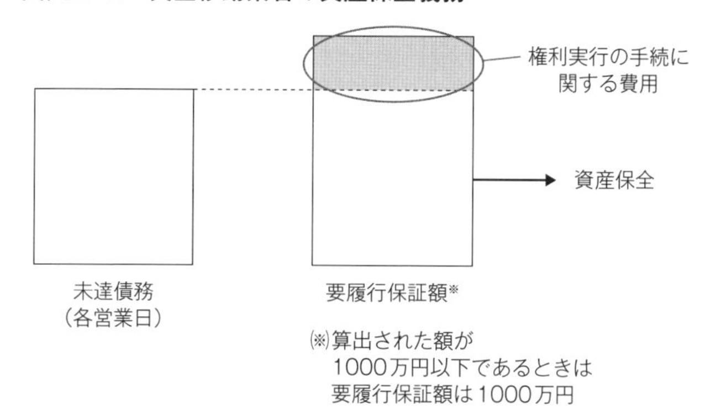

については、滞留している送金資金に見合う資産について、供託等によって保全義務が課せられ、倒産隔離が図られている。資金移動業者に対する行為規制のうち、最も重要な義務がこの資産保全義務であるといっても過言ではない。これによって、資金移動業者の破綻によって生じる社会的・経済的影響が限定的なものとなり、利用者保護が図られるという仕組みとなっている。

資金移動業者の資産保全義務の範囲（要履行保証額）は、次のように算出される（法43条2項）。資金移動業者は、営業日ごとに、一定の算出時点を決めて、その時点での未達債務の額および要履行保証額をあらかじめ定めた算出方法により算出して、把握しなければならない（資金移動府令11条）。

①各営業日における未達債務の額＋②権利の実行の手続に関する費用の額＝要履行保証額

以下、具体的に詳述する。

(ii) 未達債務の額の算出（原則）

未達債務の額とは、原則として、各営業日における未達債務算出時点

図表2-4：未達債務の計上

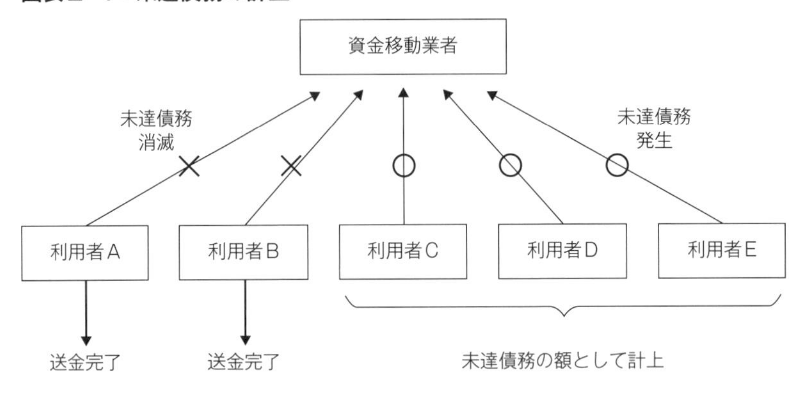

において、資金移動業者が利用者に対して負担する為替取引に係る債務の額である（資金移動府令11条3項）。

例えば、店舗型の送金サービスを提供する資金移動業者が、月曜日から土曜日まで、午前9時から午後5時まで営業を行い、午後7時に未達債務を算出することとした場合、午後7時時点で、それまでに送金人から受け取り、受取人にまだ払い出していない（債務を負担したままとなっている）送金資金の額が、未達債務の額となる。

営業日ごとに未達債務の額は洗い替えをする必要があり、これにより、例えば、月曜日に1億円であったものが、火曜日には8000万円となり、水曜日には1億2000万円と変動することが予想される。なお、上記の例でいえば、営業日ではない日曜日には、未達債務の額を算出する必要はない。

資金移動業者は、未達債務について、利用約款等の内容に基づき、いつの時点をもって発生・移転・消滅を認識するかという考え方を整理し、社内規定や事務マニュアル等で明らかにしておく必要がある。

ア　未達債務の発生

未達債務は、原則として、資金移動業者が送金人から依頼を受けて、送金人に対して送金債務を負担する時点で発生する。

利用約款では、多くの場合、送金人から依頼を受けただけでは送金債務を負担せず、送金人から送金資金を受け取った時点で送金債務を負担するとされるケースが多い。その場合には、送金資金の受取時点が送金債務の負担時点となる。

資金移動ガイドラインでは、未達債務の発生に関しては、遅くとも資金移動業者（その業務委託先を含む）が利用者から資金を受領した時点においては未達債務の発生を認識する必要があるとされている（資金移動ガイドラインⅡ－２－２－２－１④（注２））。

したがって、委託先が送金資金を受領しても、本社に到着するまでは送金債務を負担しないとか、受取人に対して引き渡す直前まで送金債務を負担しないというような利用約款の定めは適切な定めとはいえない。

イ　未達債務の移転

送金人に対して送金債務を負担することにより発生した未達債務は、その後送金人の指示に従い、受取人に対して送金債務を負担することとなった場合には、受取人に対して負債する未達債務として認識することができる。

未達債務の移転には、資金移動業者自身が、受取人に対する送金債務を負担する場合と、他の資金移動業者が受取人に対して送金債務を負担する場合の２つの場合が考えられる。資金移動ガイドライン上は、いずれも未達債務の移転という用語が使用されているが、前者の場合には、送金人に対する送金債務を消滅させて、新たに受取人に対する送金債務を発生させることと実質的に同一であり、後者の場合には、送金人に対する送金債務を消滅させて、他の資金移動業者が受取人に対する送金債務を発生させることと実質的に同一である。

いずれの場合も、資金移動業者または他の資金移動業者が、受取人に対して未達債務を負担することが前提となるため、資金移動業者と受取人との間で、または他の資金移動業者と受取人との間で、為替取引に関する債務負担にかかる合意（利用約款等の締結）があることが必要となる（資金移動ガイドラインⅡ－２－２－２－１④

図表2-5：未達債務の移転

〈資金移動業者自身が受取人に対する送金債務を負担する場合〉

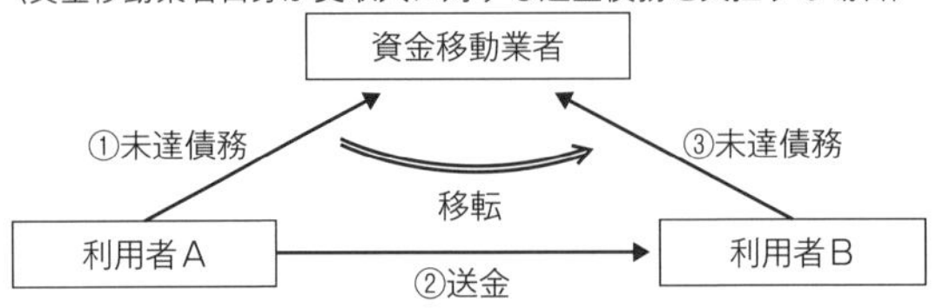

〈他の資金移動業者が受取人に対する送金債務を負担する場合〉

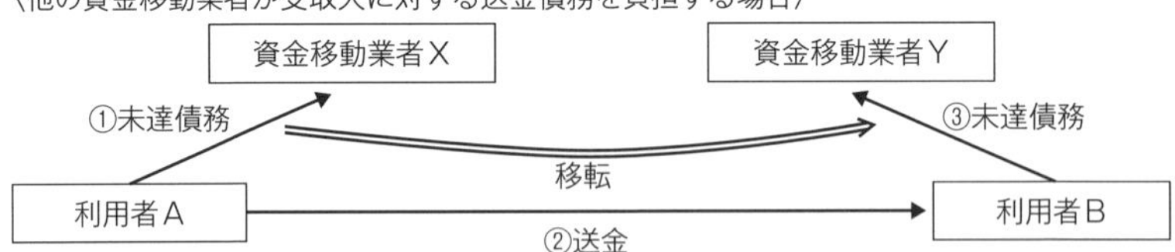

(注3) ニ、(注6))。具体的には、受取人も資金移動業者や他の資金移動業者と送金サービスに関する利用約款等を締結して口座を保有するケースなどが考えられる。

これに対し、資金移動業者が委託先に対して送金資金の払出しを委託するものの、委託先が独立して受取人に対して債務負担をするのではない場合には、未達債務の移転は起こらないこととなる。この場合には、未達債務が消滅する時点まで、原則どおり、資金移動業者が送金人に対して未達債務を負担することとなる。

ウ　未達債務の消滅

資金移動業者は、現実に受取人が資金を受け取るまでは、送金人に対して債務を負担することとなる。受取人が現実に資金を受け取ったといえる場合は、下記の4つの場合とされている（資金移動ガイドラインⅡ－2－2－2－1④（注3））。

①受取人に現金を交付する

②受取人の銀行預金口座に着金する

③受取人が資金移動業者から物品を購入し、役務の提供を受ける場合の代金支払いに充当する

④受取人から当該資金の第三者への送金指図を受ける

図表2-6：未達債務の消滅か移転か

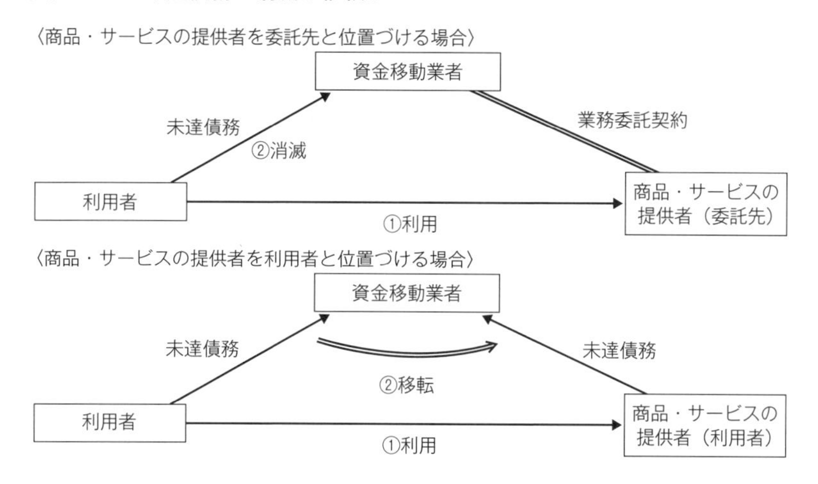

上記②の場合、未達債務の消滅を認識するためには、原則として受取人に対する債務が資金移動業者から当該受取人が預金口座を有する銀行等に移転することが必要であり、資金移動業者が当該受取人が預金口座を有する銀行等に送金指図を行った時点で未達債務の消滅を認識することは適切ではないことに留意することとされている。一方、資金移動業者が銀行等に対して送金指図を行った後、受取人の預金口座に当該資金が着金するまでの期間として合理的に見積もった期間が経過した時点で、未達債務の消滅を認識することを妨げるものではない（資金移動ガイドラインⅡ－２－２－２－１④（注４））。例えば、内国為替取引で全銀システムを利用する場合、遅くとも翌営業日には資金が着金することから、翌営業日に未達債務の消滅を認識することができる。外国為替取引では、送金国や提携する金融機関等によって資金が着金するまでの期間を合理的に見積もる必要がある。

また、上記③の受取人が資金移動業者から物品を購入し、役務の提供を受ける場合の代金支払いに充当した場合には、資金移動業者が送金人に対して負担していた未達債務は消滅するが、受取人が資金移動業者以外の者（店舗）から商品を購入し、サービスの提供を受ける場合の代金支払いに充当した場合には、利用者が資金移動業者は、当該店舗に対して、資金を引き渡すべき債務を負担することとなる（当該店舗に対して未達債務が移転する）。これに対し、当該店舗が、資金移動業者の委託先であった場合には、利用者が資金移動業者から物品を購入し、役務の提供を受けた時点で、未達債務は消滅することとなる。資金移動業者が提供するサービスにおいて、商品やサービスの代金支払いに充当することができることとする場合には、当該商品やサービスを提供する者の位置づけをどのように考えるかが重要なポイントである。

また、前記④の受取人から当該資金の第三者への送金指図を受けた場合には、資金移動業者が送金人に対して負担していた未達債務は消滅するが、資金移動業者は、新たな送金指図を行った受取人を送金人として、新たに未達債務を負担することとなる。

Q7 資金移動業者が外国通貨で受け取ることができる送金サービスを提供する場合、未達債務の額はどのように算出すればよいか。

A7 外国通貨で受け取ることができる送金サービスを提供する場合、①利用者に対しては円貨建てで送金債務を負担し、受取人に対して送金資金を引き渡す際に両替を行って引き渡すケースと、②利用者から送金資金を受領した際に両替を行うなどして、利用者に対して外貨建てで送金債務を負担するケースがある。①の場合には、利用者に対して円貨建てで送金債務を負担しているため、円貨建てで負担した債務の額の合計額をそのまま未達債務の額とすれば足りる。②の場合には、利用者に対して外貨建てで送金債務を負担しているため、外国通貨ごとに送金債務の額の合計額を算出し、各営業日における外国為替の売買相場により、外国通貨で表示された合計額を円貨で表示された金額へ換算する必要がある（資金移動府令11条5項）。

この換算は、利用者に対して掲示している為替レートによるのではなく、未達債務を算出する営業日における対利用者直物電信売相場と対利用者直物電信買相場の仲値により、当該仲値は、原則として資金移動業者の主たる取引金融機関のものによることになるが、合理的なものを継続して使用している場合には、これによることができる（資金移動ガイドラインⅠ－２－２－２－１①（注１））。

ⅲ　未達債務の額の算出（例外）

前記ⅱの未達債務の額の計算にあたっては、３つの例外的な方法が認められている。

ア　国内外の利用者に対してサービスを提供する場合

未達債務の額は、国内にある利用者に対して負担する債務の額と国外にある利用者に対して債務の額を区分できる場合には、国内にある利用者に対して負担する債務の額を未達債務の額とすることが認められている（資金移動府令11条３項）。

例えば、国内外でサービスを展開する資金移動業者が、利用約款上、送金人に対して、送金資金を受取人に対して送金する旨の債務を負担する場合、国内にいる送金人から依頼を受けた送金資金を未達債務と計上すれば足り、国外にいる送金人から依頼を受けた送金資金を未達債務に計上しないことができる。

ただし、上記の取扱いが認められるためには、国内にある利用者と国外にある利用者とを明確に区分できることが必要とされており、具体的には、ⅰ）利用者ごとに、住所（国内か国外か）が確認できていること、ⅱ）区分の基準が明確であること、ⅲ）帳簿書類上も当該基準に従った区分が行われていることが必要とされている（資金移動ガイドラインⅡ－２－２－２－１④（注５））。

例えば、送金人から徴求した本人確認書類などに基づいて居住地が確認でき、帳簿書類上も国内に居住する利用者から依頼を受けた取引と、国外に居住する利用者から依頼を受けた取引とが区分管理されていることなどが求められると考えられる。

イ　反対債権を有する場合

資金移動業者が、利用者に対して為替取引に関する債務を負担すると同時に、当該利用者に対して為替取引に関する債権を有する場合には、利用者ごとに当該債務の額から当該債権の額を控除して、未達債務の額を算出することが認められている（資金移動府令11条４項１号）。

例えば、資金移動業者が利用者の送金資金を立て替えて送金し、後日請求するような場合、資金移動業者は、利用者から送金指図があったときに為替取引に関する債務を負担するが、一方で送金資金相当額の為替取引に関する債権も有することとなる。このような場合、利用者はまだ資金移動業者に対して資金を引き渡しておらず、万が一資金移動業者が破綻しても、利用者が害されるおそれはないことから、当該資金の額を資産保全義務の範囲から控除することが認められている。

なお、資金移動業者が為替取引に関する債務の額から控除することができるのは、「為替取引に関する債権」の額であって、資金移動業者が別途貸金業などを営んでいる場合に、当該貸付債権の額を控除したりすることはできない。

また、控除額については、利用者ごとに算定する必要があり、利用者全体の為替取引に関する債務の合計額から為替取引に関する債権の合計額を控除することでは足りず、図表２－７のように計算する必要がある。

このような計算方法を行うため、この例外規定を用いる資金移動業者は、通常備えるべき帳簿書類のほかに、各営業日における資金移動業の利用者ごとの為替取引に関し負担する債務の額および当該為替取引に関し有する債権の額の記録を備える必要がある（資金移

図表2-7：未達債務と反対債権の控除方法（例）

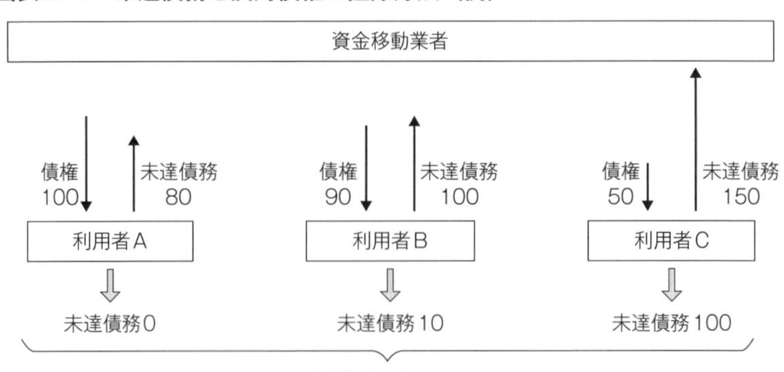

動府令33条1項5号)。

ウ　第1種資金移動業を営む場合で、履行完了額算出時点を定めた場合

資金移動業者が第1種資金移動業を営む場合であって、未達債務算出時点から供託期限までの間で履行完了額算出時点を定めた場合、当該履行完了額算出時点を未達債務算出時点とみなして算出した額を上回る額については、当該額を控除して未達債務の額を算出することが認められている(資金移動府令11条4項2号)。

これは、第1種資金移動業では、厳格に資金滞留が制限されており、未達債務算出時点において未達債務の額として算出された金額も、供託期限までには履行が完了して未達債務が消滅している場合が考えられる。このような場合に備えて、資金移動業者は、未達債務算出時点から供託期限までの間に、履行完了額算出時点を定めることができ、この時点を未達債務算出時点とみなして算出した額を上回る額(すなわち未達債務算出時点から履行完了額算出時点までに債務消滅した額)は、当該額を控除して未達債務の額を算出することができる。

この例外規定を用いる資金移動業者は、通常備えるべき帳簿書類のほかに、履行完了額算出時点を未達債務算出時点とみなして資金移動府令11条3項の規定により算出した額および同条4項2号に定める額の記録を備える必要がある(資金移動府令33条1項6号)。

(iv)　権利実行の手続費用

資金移動業者は、その利用者に対して負う債務の全額と同額以上の資産を供託等によって保全することが必要とされているところ、万が一、資金移動業者が破綻した場合に、利用者が資金移動業者に預けた資金の全額の弁済を受けることができるよう、権利実行の手続に関する費用もあわせて保全することとされている(法43条2項)。

この権利実行の手続に関する費用は、次の区分に応じて、それぞれ算出した額とされている(資金移動府令11条6項)。

①未達債務の額が1億円以下であるとき　当該未達債務の額の5%

②未達債務の額が１億円を超えるとき　当該未達債務の額から１億円を控除した額の１％に、500万円を加えた額

例えば、未達債務の額が5000万円であるときは、権利実行の手続費用は250万円となり、未達債務の額が３億円であるときは、権利実行の手続費用は700万円となる。

これらの手続費用は、財務（支）局がこれを先取することができ（令19条９項）、権利実行の手続が終了し、残余があれば、資金移動業者がその残余を取り戻すことができる（令17条１項２号）。

⑸　要履行保証額

要履行保証額とは、前記⑵⑶によって算出した未達債務の額に、前記⑷によって算出した権利実行の手続費用の額を加えた金額である。

ただし、未達債務の額と権利実行の手続費用の額の合計額が、資金決済法施行令で定める最低要履行保証額（1000万円）以下であるときは、1000万円を要履行保証額として保全する必要がある（令14条）。

これにより、事業開始後十分な資産保全がなされる前に廃業した場合などに利用者が害されることが防止されることとなる。

⑹　資産保全方法

ア　資産保全方法の種類

資金移動業者は、資産保全方法として、次の①、②または③の方法の中から選択することができる。2020年改正法により、資金移動業者は、①、②、③の方法をいずれも併用することが認められている（法43条～45条）。

①供託所へ履行保証金等を供託する方法（供託）

②金融機関等との間で履行保証金保全契約を締結することにより、当該履行保証金保全契約で保全される金額について履行保証金の供託に代える方法（金融機関保証）

③信託会社等との間で履行保証金信託契約を締結することにより、当該履行保証金信託契約に基づき信託される金額について

履行保証金の供託に代える方法（信託）

資金移動業者は、上記①の方法による場合、第1種資金移動業については各営業日の要履行保証額以上の額を、第2種資金移動業および第3種資金移動業については1週間以内で資金移動業者が定める期間の中で要履行保証額の最高額以上の額を、履行保証金として、第1種資金移動業では2営業日以内に、第2種資金移動業および第3種資金移動業では3営業日以内に、その本店（外国資金移動業者である資金移動業者については国内における主たる営業所）の最寄りの供託所に供託しなければならない（法43条1項1号・2号、資金移動府令11条1項・2号）。

また、資金移動業者は、上記②や③の方法による場合、①の方法によって供託すべき要供託額の全部または一部を保全契約の締結や信託によって代えることができる（法44条、45条）。

なお、第3種資金移動業の資産保全義務の特則については後記4⑶を参照されたい。

イ　資産保全方法①――供託

資産保全方法としてまず定められているのが供託所へ履行保証金等を供託する方法である。この方法による場合、要供託額以上の額の金銭または有価証券を現実に用意して、供託所に供託する必要がある。

供託金には、利息を付けることが規定されており（供託法3条）、利率は2019年10月から年0.0012％とされている（2021年8月時点）。供託金の利息は、原則として、元金と同時に払い渡されるが、履行保証金のような営業保証のための供託の場合には、利息のみを単独で払い渡すことができる。この場合、供託金受入の翌月から1年経過するごとに1年分の利息を請求することができるが、請求することができるようになった日から5年間のうちに利息を請求しなければ、時効により権利が消滅するため、留意が必要である。

⒜　供託の手順

要供託額の算定期間を1週間と定めている資金移動業者が供託に

図表2-8：供託による資産保全

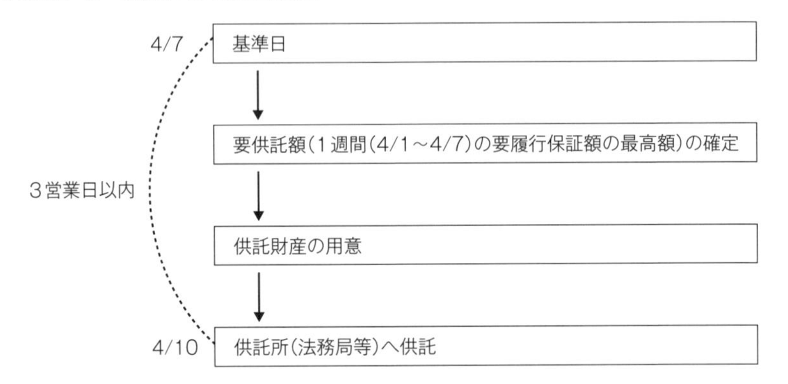

より資産保全を行おうとする場合、図表2－8のようなタイミングで供託を行う必要がある。

資金決済法43条1項2号は、「資金移動業者が定める期間ごとに……供託」しなければならないと定めているから、要供託額の算定期間を1週間と定めている資金移動業者は、1週間ごとに供託をし直す必要があるようにも思われる。

しかしながら、ある週の要供託額が、前週までに供託した履行保証金の金額以下であるときは、資金移動業者に新たに供託義務は生じない（2010年パブコメNo. 93）。また、ある週の要供託額が、前週までに供託した履行保証金の金額を上回るときは、当該上回る金額だけ供託すれば足りるものと考えられる。実務上は、頻繁におとずれる供託期限ごとの供託手続の煩雑さを避けるために、一定期間に必要となる要供託額を想定して、少し多めに履行保証金を供託しておき、要供託額が履行保証金の金額を上回ることがないかを確認するという取扱いが行われている。

(b) 供託財産

供託ができる財産は、金銭が原則であるが、金銭以外の債券（国債証券、地方債証券、政府保証債券、金融庁長官の指定する社債券その他の債券）も供託することができる（法43条3項、資金移動府令12

条)。

金融庁長官の指定する社債券その他の債券については、平成22年3月1日金融庁告示第21号「資金移動業者に関する内閣府令第12条第4号の規定に基づき、金融庁長官の指定する社債券その他の債券を定める件」において指定されている。

同告示においては、多数の種類の社債券が列記されているが、会社法に基づき発行される無担保の社債券についても、上場会社が発行するものに限り（供託を行う資金移動業者またはその密接関係者が発行する社債券や破綻した会社の社債券を除く)、供託することが可能とされている（告示1条43号)。上場会社が発行する社債券であれば、他の列記されている社債券と同様、一定の信用力があるといえること、しかし、供託を行う資金移動業者やそのグループ企業が発行する社債券については、当該資金移動業者が破綻した場合には無価値となることが予想され、信用力の補完とはならないことから、上記のような定めがなされている。

なお、社債等振替法により、社債も振替制度の対象とされ、この振替制度の下では、その権利の帰属が振替機関の振替口座簿の記載または記録により定まることとなっているが、これらは供託可能財産とはならない点に留意が必要である。現在のところ供託ができる振替債は、振替国債のみであり（資金移動府令12条1号参照)、振替社債によって資産保全しようとするときは、後述の信託の方法を用いるほかない。

債券を履行保証金に充てる場合、当該債券の評価額は、図表2－9に掲げる債券の区分に応じて決定される（資金移動府令13条1項)。評価額は当該債券の時価の変動によって影響を受けないので、計算は容易である。割引の方法により発行した債券については、額面金額の計算方法が規定されている（資金移動府令13条2項・3項)。

図表2-9：履行保証金に充てることができる債券の種類および評価額

債券の種類	評価額
国債証券（振替国債）	額面金額（振替口座簿に記載または記録された金額）
地方債証券	額面金額100円につき90円として計算した額
政府保証債券	額面金額100円につき95円として計算した額
社債券	額面金額100円につき80円として計算した額

(c)　供託所

供託所は、全国に311箇所（2020年11月24日現在。内訳は、法務局8庁、地方法務局42庁、支局261庁）ある。資金移動業者は、本店の最寄りの供託所（外国資金移動業者である資金移動業者については、国内における主たる営業所の最寄りの供託所）に供託をする必要がある（法43条1項）。

上記供託所のうち、現金取扱庁は、法務局および地方法務局の各本局、東京法務局八王子支局および福岡法務局北九州支局の合計52庁であり、その他の供託所においては、金銭の受入れの事務は取り扱っていないので、日本銀行またはその代理店に納めるものとされている（https://www.moj.go.jp/MINJI/minji07.html）。

なお、法務省オンライン申請システムを用いたオンラインによる供託手続も可能である（https://www.moj.go.jp/MINJI/minji67.html）。

(d)　保管替えの手続

本店の所在地について変更があったため、その最寄りの供託所に変更があったときは、次のような手続が必要となる。

①金銭のみをもって履行保証金を供託している場合

履行保証金を供託している供託所に対し、費用を予納して、所在地変更後の本店の最寄りの供託所への履行保証金の保管替えを請求しなければならない（履行保証金規則3条1項）。

②債券または債券および金銭をもって履行保証金を供託している場合

履行保証金と同額の履行保証金を所在地変更後の本店の最寄りの供託所に供託しなければならない（履行保証金規則３条２項）。

(e) 取戻しの手続

資金移動業者が、履行保証金を取り戻すためには、財務（支）局長の承認が必要である。資金移動業者が、財務（支）局長の承認を受けて履行保証金を取り戻すことができる場合および取戻し可能額は、図表２－10のとおり限定されている。

履行保証金の取戻しを行うためには、財務（支）局長の承認を受けることが必要である（令17条１項）。

具体的には、履行保証金規則様式第１に従い、取戻しの事由および取戻しをしようとする供託物の内容を記載した履行保証金取戻承認申請書を財務（支）局長に提出し、同様式第２に従い作成される履行保証金取戻承認書の交付を受けて、供託物払渡請求書にこの履行保証金取戻承認書を添付して、履行保証金の取戻しを行う（履行

図表2-10：履行保証金を取り戻すことができる場合および取戻し可能額

取り戻すことができる場合	根拠条文	取戻し可能額
要供託額がその直前の基準日における履行保証金の額と保全金額および信託財産の額の合計額を下回る場合	法47条１号 令17条１項１号	履行保証金の額の範囲内において、下回る額に達するまでの額
資金移動業の全部または一部について権利実行の手続が終了した場合	法47条２号 令17条１項２号および３号	権利実行の手続が終了した資金移動業の履行保証金の額から権利実行の手続に要した費用を控除した残額
①廃止しようとする資金移動業として行う為替取引の債務の履行をしたとき ②資金移動業者がその責めに帰することができない事由により、債務の履行をすることができない場合であって、公告を行い30日経過しても申出がないとき	法47条３号 令17条２項１号および２号	廃止した資金移動業の履行保証金の額

保証金規則１条１項・２項、２条)。

なお、当然のことながら、取戻しを求める履行保証金について権利実行の手続が行われている間は、当該履行保証金は利用者への還付にあてられるものであるから、これを取り戻すことができない(令17条４項)。

ウ　資産保全方法②――履行保証金保全契約

資金移動業者は、一定の要件を満たす銀行等その他政令で定める者（以下「金融機関等」という）との間で履行保証金保全契約を締結したときは、保全金額（当該履行保証金保全契約において供託されることとなっている金額）について供託をしないことができる（法44条)。

資産保全方法のうち、履行保証金保全契約を締結した場合には、銀行等に対して保証料を支払えば足り、要供託額全額の金銭や有価証券を用意することがないため、資産効率がよいという点で利点がある。保証料については、資金移動業者の信用力等に応じて、銀行等と資金移動業者との間の交渉によって決定される。

(a)　履行保証金保全契約の相手方

履行保証金保全契約は、政令で定める要件を満たす金融機関等との間で締結することができる（法44条)。

図表２-11：履行保証金保全契約による資産保全

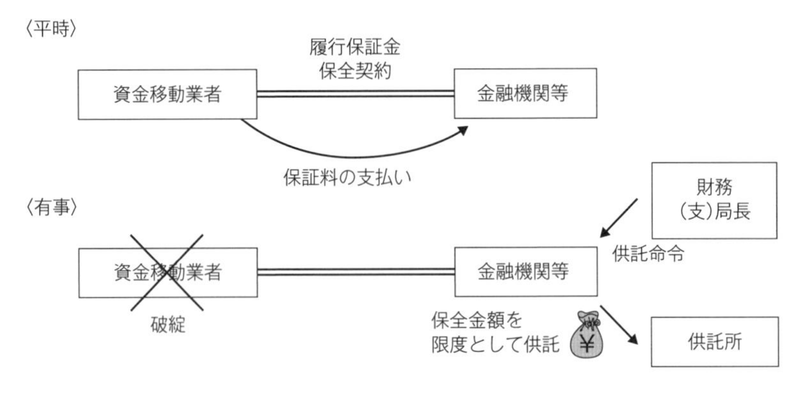

具体的には、図表２－12の者が履行保証金保全契約の相手方となることができる。

(b)　履行保証金保全契約の内容

履行保証金保全契約の仕組みは、履行保証金保全契約を締結した金融機関等は、資金移動業者が万一破綻した場合等に備えて保全金額を定めて保証を行い、当該破綻等が起こった場合には、財務（支）局長は、金融機関等に対して、保全金額を上限として供託命令を行うので（法46条）、これに応じて金融機関等は供託を行うというものである。

履行保証金保全契約は、資金移動業者と金融機関等との間で締結されるものであって、財務（支）局や利用者が契約当事者となるものではない。

履行保証金保全契約の内容となるべき事項は、以下の事項である

図表2-12：履行保証金保全契約の相手方と要件

<table>
<tr><th>相手方</th><th>要件</th></tr>
<tr><td>銀行、長期信用銀行、信用金庫連合会、信用金庫</td><td rowspan="4">各金融機関等の種類に応じて、自己資本比率が資金移動府令15条で定める比率を満たすこと</td></tr>
<tr><td>労働金庫、労働金庫連合会、信用協同組合、協同組合連合会、農業協同組合、農業協同組合連合会、漁業協同組合、漁業協同組合連合会、水産加工業協同組合、水産加工業協同組合連合会</td></tr>
<tr><td>農林中央金庫</td></tr>
<tr><td>株式会社商工組合中央金庫</td></tr>
<tr><td>外国銀行支店</td><td>外国銀行支店に係る外国銀行が外国において適用される自己資本比率規制を満たしていること</td></tr>
<tr><td>保険会社</td><td rowspan="3">最終の業務及び財産の状況に関する説明書類における保険金等の支払能力の充実の状況を示す比率が200％以上であること</td></tr>
<tr><td>外国保険会社等</td></tr>
<tr><td>引受社員</td></tr>
</table>

（令15条、資金移動府令14条の２）。

①履行保証金保全契約の対象とする資金移動業の種別

②当該履行保証金保全契約の相手方が法46条の規定による供託命令を受けたときは、当該相手方が当該資金移動業者のために財務（支）局長の供託命令に係る額の履行保証金が遅滞なく供託されるものであること

③資金移動府令14条の２各号に定める場合を除き、当該履行保証金保全契約の全部または一部を解除することができないこと

上記が法令上の要件となっているが、実務上は、これ以外に、金融機関等による証明書（資金移動業者が財務（支）局長へ提出する支払保証委託契約締結証明書）の発行、資金移動業者の通知義務、金融機関等の保証債務の履行、償還の範囲、事前求償、充当の方法や差引計算、費用の負担、合意管轄等の各条項が設けられることが多い。

(c)　履行保証金保全契約の届出

資金移動業者が、履行保証金保全契約を締結したときは、資金移動府令別紙様式第11号により作成した履行保証金保全契約届出書に、履行保証金保全契約に係る契約書の写しを添付して、財務（支）局長に提出しなければならない（資金移動府令14条）。

(d)　履行保証金保全契約の解除

資金移動業者が、履行保証金保全契約の全部または一部を解除することができる場合およびその範囲は、図表２－13のとおり限定されている。

資金移動業者は、履行保証金保全契約の全部を解除しようとするときは、資金移動府令別紙様式第12号により作成した履行保証金保全契約解除届出書を提出する（資金移動府令17条）。

エ　資産保全方法③――信託

資金移動業者は、信託会社等との間で履行保証金信託契約を締結したときは、当該履行保証金信託契約に基づき信託財産が信託されている間、当該信託財産の額について供託しないことができる（法

図表2-13：履行保証金保全契約を解除することができる場合とその範囲

解除ができる場合	根拠条文	解除できる範囲
要供託額がその直前の基準日における履行保証金等合計額（供託されている履行保証金の額、保全金額および信託財産の額の合計額をいう）を下回る場合	資金移動府令14条の2第1号	保全金額の範囲内において、その下回る額に達するまでの額に係る履行保証金保全契約の全部または一部
資金移動業の全部または一部について権利実行手続が終了した場合	資金移動府令14条の2第2号および3号	履行保証金保全契約の全部または一部
①全部または一部を廃止しようとする資金移動業として行う為替取引の債務の履行を完了したとき ②資金移動業者がその責めに帰することができない事由により、債務の履行をすることができない場合であって、公告を行い30日を経過しても申出がないとき	資金移動府令14条の2第4号および5号	履行保証金保全契約の全部または一部

45条1項)。

このように、信託による資産保全は、要履行保証額全額の金銭や有価証券等を現実に信託財産とする必要があるが、供託の場合と比べて、信託財産の種類は拡充されている。

なお、従前は、資産保全方法として信託を用いる場合には、他の資産保全方法と併用することができず、要履行保証額の全額を信託する必要があったが、2020年改正法で保全方法の柔軟化が図られ、算定頻度が他の保全方法と統一され、供託、保全契約、信託契約のいずれも併用することが認められた。

(a) 履行保証金信託契約の相手方

履行保証金信託契約は、信託会社等との間で締結することができる（法45条1項)。

信託会社等とは、信託業法3条の免許を受けた信託会社、信託業

図表2-14：履行保証金信託契約による資産保全

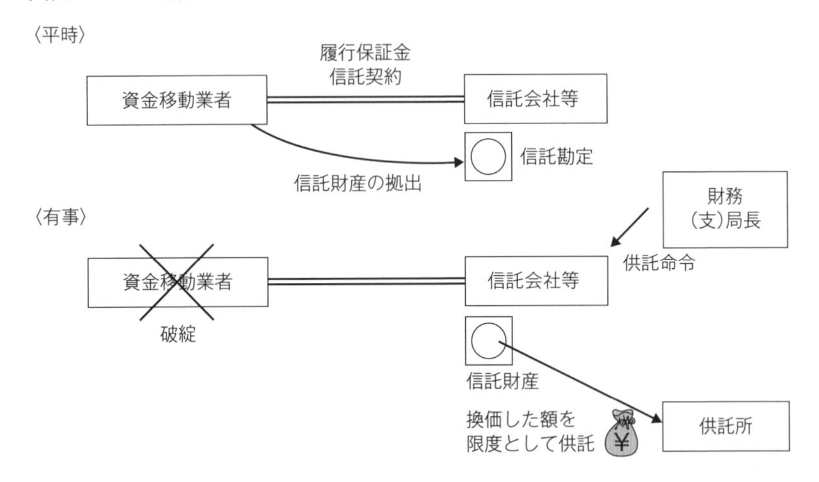

法53条1項の免許を受けた外国信託会社、または兼営法1条1項の認可を受けた金融機関（信託銀行）を指す（法2条16項）。

これに対し、信託業法で信託業が認められる管理型信託会社（信託業法2条4項）は、信託会社等には含まれず、履行保証金信託契約の相手方として認められていない。

(b) 履行保証金信託契約の内容

履行保証金信託契約の仕組みは、履行保証金信託契約を締結した信託会社等は、資金移動業者から信託財産の預託を受け、万一資金移動業者に破綻等が起こった場合に、財務（支）局長は、信託会社等に対して、信託金額を上限として供託命令を行い（法46条）、これに応じて信託会社等は、信託財産を換価して供託を行うというものである。

履行保証金信託契約は、資金移動業者と信託会社等との間で締結されるものであって、財務（支）局が契約当事者となるものではない。

履行保証金信託契約の内容となるべき事項は、以下の事項である（法45条2項、資金移動府令19条）。

＊当事者等に関する事項

①履行保証金信託契約を締結する資金移動業者（以下「信託契約資金移動業者」という）が行う為替取引の利用者を受益者とすること（法45条２項１号）

②受益者代理人を置いていること（法45条２項２号）

③信託契約資金移動業者を委託者とし、信託会社等を受託者とし、かつ、当該信託契約資金移動業者がその行う為替取引の利用者のうち国内にある利用者（国内と国外を区分できない場合にはすべての利用者）を信託財産の元本の受益者とすること（資金移動府令19条１号）

④複数の履行保証金信託契約を締結する場合にあっては、当該複数の履行保証金信託契約について同一の受益者代理人を選任すること（資金移動府令19条２号）

⑤信託契約資金移動業者が信託会社等または受益者代理人に支払うべき報酬その他一切の費用および当該信託会社等が信託財産の換価に要する費用が信託財産の元本以外の財産をもって充てられること（資金移動府令19条13号）

＊信託財産の内容、運用および評価額等に関する事項

⑥履行保証金信託契約に基づき信託される信託財産の運用を行う場合にあっては、その運用が次に掲げる方法によること（資金移動府令19条５号）

・国債証券その他金融庁長官の指定する債券の保有
・銀行等に対する預貯金
・コール資金の貸付け、受託者である信託業務を営む金融機関に対する銀行勘定貸、兼営法６条の規定により元本の補填の契約をした金銭信託

⑦信託契約資金移動業者が信託財産を債券とし、または履行保証金信託契約に基づき信託される信託財産を債券の保有の方法により運用する場合には、信託会社等または信託契約資金移動業者がその評価額を資金移動府令21条に規定する方法により算

定すること（資金移動府令19条6号）

⑧履行保証金信託契約が信託業務を営む金融機関への金銭信託契約で元本補塡がある場合には、その信託財産の元本の評価額を当該金銭信託契約の元本額とすること（資金移動府令19条7号）

＊履行保証金信託契約の解除に関する事項

⑨次に掲げる場合以外の場合には、履行保証金信託契約の全部または一部の解除を行うことができないこと（資金移動府令19条8号）

・要供託額がその直前の基準日における履行保証金等合計額を下回る場合

・履行保証金信託契約に基づき信託されている信託財産を当該履行保証金信託契約に係る種別の資金移動業に係る他の履行保証金信託契約に基づき信託される信託財産として信託することを目的として履行保証金信託契約の解除を行う場合

・資金移動業の全部または一部について権利実行の手続が終了した場合

・全部または一部を廃止しようとする資金移動業として行う為替取引の債務の履行を完了したとき、または資金移動業者がその責めに帰することができない事由により、債務の履行をすることができない場合であって、公告を行い30日を経過しても申出がないとき

⑩⑨の解除に係る信託財産を信託契約資金移動業者に帰属させるものであること（資金移動府令19条9号）

＊有事の場合に関する事項

⑪信託契約資金移動業者が次に掲げる要件に該当することとなった場合には、信託会社等に対して信託財産の運用の指図を行わないこと（資金移動府令19条3号）

・法56条1項または2項の規定により登録を取り消されたとき

・破産手続開始の申立て等（法2条18項）が行われたとき

・資金移動業の全部の廃止をし、または廃止の公告をしたとき
・法56条1項の規定による業務停止命令を受けたとき
・金融庁長官が供託命令を発したとき

⑫⑪の場合には、受益者および受益者代理人が信託会社等に対して受益債権を行使することができないこと（資金移動府令19条4号）

⑬信託会社等が法46条の供託命令に応じて、信託財産を換価し、財務（支）局長が指定する供託所に供託をすること（法45条2項3号、資金移動府令19条10号）

⑭⑬の場合には、当該履行保証金信託契約を終了することができること（資金移動府令19条11号）

⑮⑭の場合で、当該履行保証金信託契約の全部が終了したときの残余財産を信託契約資金移動業者に帰属させることができること（資金移動府令19条12号）

上記が法令上の要件となっているが、実務上は、これ以外に、財務（支）局長の承認取得手続、信託財産の具体的な運用および指図の方法、信託財産に関する公示、信託財産に関する計算期日および計算方法、信託契約資金移動業者の通知義務、信託会社等の善管注意義務、合意管轄等の各条項が設けられることが多い。

Q8 信託会社等は、信託報酬を元本以外の部分から収受することができるか。

A8 信託報酬は、信託財産の元本以外の財産をもって充てられることとされており、信託財産を運用した結果生じた収益から信託報酬を収受することは可能である（資金移動府令19条13号、2010年パブコメNo.38)。ただし、収益が元本に組み入れられて元本と一体となった後は、当該収益部分が元本部分と金額的に区分できる場合であっても、当該収益部分から信託報酬を収受することはできないと考えられる。

(c)　履行保証金信託契約の届出

資金移動業者が、履行保証金信託契約を締結したときは、資金移動府令別紙13号により作成した履行保証金信託契約届出書に、履行保証金信託契約に係る契約書の写しを添付して、財務（支）局長に提出しなければならない（資金移動府令18条）。

(d)　信託財産

信託財産とできる財産は、金銭のほか、預貯金（法２条17項に定める銀行等に対するものに限る）および債券（国債証券、地方債証券、政府保証債券、金融商品取引法施行令２条の11に規定する債券、外国の発行する債券のうち一定の要件をみたすもの、金融庁長官の指定する社債券その他の債券）に限られている（法45条３項、資金移動府令20条）。

金銭については、円貨のみならず、外貨を信託財産とすることができる。また、預貯金は、法２条17項に定める銀行等に対するものであればよく、外貨預金を信託財産とすることもできる（2010年パブコメNo. 114）。

金融商品取引法施行令２条の11に規定する債券は、外国または外国の者の発行する証券または証書で金融商品取引法２条１項１号から９号までまたは12号から16号に掲げる証券または証書の性質を有するもの（貸付債権信託受益権等を除く）のうち、日本国の加盟する条約により設立された機関が発行する債券で、当該条約によりその本邦内における募集または売出しにつき日本国政府の同意を要することとされているものである。例えば、国際復興開発銀行（世界銀行）の債券がこれにあたる。

外国の発行する債券のうち、証券情報等の提供又は公表に関する内閣府令13条３号に掲げる場合に該当するものも信託財産として認められる。具体的には、ａ）発行国や発行案件等に関する信頼性のある情報がインターネット等で容易に入手可能であり、かつ、発行国でコンスタントに相当量の国債発行が行われ、十分な国債流通市場があり、そこでの売買価格等に関する情報が日本から容易に入手可能であること、b）日本国内で十分な流通市場があり、投資家は国内での売却可能額が信頼性の高い形で分かり、かつ、実際いつでも売却可能であるといった要件を満たすものを指す（池田唯一ほか『逐条解説2009年金融商品取引法改正』（商事法務、2009）189頁）。例えば、米国債等の外国国債がこれにあたるが、具体的には、日本証券業協会に確認することが必要である。

金融庁長官の指定する社債券その他の債券については、平成22年3月1日金融庁告示第23号「資金移動業者に関する内閣府令第20条第2項第6号の規定に基づき、金融庁長官の指定する社債券その他の債券を定める件」において指定されている。

同告示においては、多数の種類の社債券が列記されており、この種類は、供託財産とすることができる社債券と同様である（(vi)イ(b)参照）。もっとも、振替債もすべて信託財産とすることができる点において、信託財産として認められる債券の種類は、供託財産として認められる債券の種類と比べて多いということができる（資金移動府令20条2項本文）。

いったん履行保証金信託契約に基づき信託された信託財産は信託会社等において運用を行うことが認められている。ただし、その運用方法は安全性の高いものに限定されている（⑥）。

具体的には、信託財産として認められている債券の保有や銀行等に対する預貯金は同様に可能である（資金移動府令19条5号イ・ロ）。その他の方法として、コール資金の貸付け、受託者である信託銀行に対する銀行勘定貸、兼営法6条の規定により元本補填の契約をした金銭信託の方法が認められている（同号ハ）。

債券を信託財産とする場合または運用方法として債券を保有する場合、当該債券の評価額は、次の各号に掲げる債券の区分に応じて決定される（資金移動府令21条）。時価が変動すれば、評価額に影響を及ぼすこととなるため、資金移動業者または信託会社等において、営業日ごとに洗い替えが必要である（⑦）。

図表2-15：信託財産または運用方法として保有ができる債券の種類と評価額

債券の種類（振替債を含む）	評価額
国債証券	時価×100分の100
地方債証券	時価×100分の90
政府保証債券	時価×100分の95
外国の条約に基づき設立された機関の債券	時価×100分の90
外国国債	時価×100分の85
社債券	時価×100分の80

(e) 履行保証金信託契約の解除

前記(b)のとおり、履行保証金信託契約を解除することができる場合は、契約上限定されている（⑨）。

資金移動業者は、履行保証金信託契約の全部を解除しようとするときは、資金移動府令別紙様式第14号により作成した履行保証金信託契約解除届出書を提出する（資金移動府令21条の２）。

(8) 社内体制の整備

資金移動業者は、法令等を遵守して、適正かつ確実に業務運営を行うため、適切な社内体制の整備を行うことが必要である。登録審査との関係でも、資金移動業を適正かつ確実に遂行する体制の整備が行われているか否か（法40条１項４号）、資金決済法第３章の規定を遵守するために必要な体制の整備が行われているか否か（法40条１項５号）等が要件となっているため、登録申請書および添付書類をもとに、ヒアリングおよび調査等により検証がなされることとなる。資金移動業を適法・適正かつ確実に行うためには、資金移動ガイドラインの内容にも配意しつつ、当該資金移動業者が行おうとする資金移動業の業態および規模等に照らして、最適な社内体制を整備することが求められる。

一方で、既に他業を行っている会社であれば、他業において構築された社内体制を前提に、特に資金移動業に求められる体制を付加的・重点的に構築することが可能であるし、上場会社等において内部統制システムを構築している場合には、これらを活用することも可能である。

以下、個別に考え方を説明し、主として業務開始までに必要な対応について指摘していきたい。資金移動業開始後は、策定した社内規則等に従って社内体制を実施し、検証を行い、必要に応じて改善していくことが必要である。なお、紙幅の関係上、資金移動ガイドラインのすべてに触れることは困難であるため、適宜、資金移動ガイドラインの該当箇所を確認されたい。

(i) 経営管理

資金移動業は、資金決済システムの一翼を担う業務であり、資金決済システムの安全性、効率性および利便性の確保のためには未達債務の保全および資金移動の履行が確実に行われる必要がある。また、業務運営態勢の維持・向上にあたっては、経営に対する規律付けが有効に機能し、適切な経営管理が行われることが重要である。

また、資金移動業者は、専業規定がなく、業態や規模等が多岐にわたることもあることから、その実態を踏まえて適切な経営管理が求められる。

経営陣には、業務推進や利益拡大といった業績面のみならず、法令等遵守や適切な業務運営を確保するため、内部管理部門および内部監査部門の機能強化など、内部管理体制の確立・整備に関する事項を経営上の最重要課題の１つとして位置づけ、その実践のための具体的な方針の策定および周知徹底について、誠実かつ率先して取り組むことなどが求められる（資金移動ガイドラインⅡ－１－１）。

内部管理部門は、法務部やコンプライアンス部といった部署が担うことが多く、内部監査部門は、被監査部門から独立した検査部、監査部といった部署が担うことが多い。内部管理部門は、業務運営全般に関し、法令および社内規則等に則った適切な業務を遂行するための適切なモニタリング・検証を行う。内部監査部門が行う監査は、内部管理部門が営業部門に対して行うモニタリング・検証および改善策の策定とは別に行われ、内部管理部門の業務の適切性についてもあわせて監査を行う必要がある。

なお、資金移動業者の規模等により、独立した内部監査部門の監査を受けることが難しい場合には、外部監査を導入することも可能である。

いずれも重大な問題等を確認したときは、経営陣に対し適切に報告が行われ、改善策の策定・実施が行われることが必要である。

CHECK 業務開始までに必要な対応

- □ 対応部署の決定
- □ 内部管理規定の策定
- □ 内部監査規定や監査計画の策定
- □ 上記規定等の承認・周知徹底

(ii) 法令等遵守（コンプライアンス）態勢

資金移動業者は、適法・適正かつ確実な業務運営を確保する観点から、資金移動業の規模および特性に応じた社内規則等を定め、不断の見直しを行うとともに、役職員に対して社内教育を行うほか、その遵守状況を検証することが求められる（資金移動ガイドラインⅡ－２－１－１）。

法令等遵守態勢の整備のためには、コンプライアンス基本方針のほか、更に具体的な実践計画（コンプライアンス・プログラム）や行動規範（倫理規程、コンプライアンス・マニュアル）等の策定を行い、これらを周知徹底するとともに、研修・教育体制の構築も必要である。

CHECK 業務開始までに必要な対応

- □ 対応部署の決定
- □ コンプライアンス基本方針の策定
- □ コンプライアンス・プログラムの策定
- □ コンプライアンス・マニュアル等の策定
- □ 上記規定の承認・周知徹底
- □ 研修・教育

(iii) 反社会的勢力への対応

資金移動業者に対する公共の信頼を維持し、資金移動業者の業務の適切性のため、経営陣には、断固たる態度で反社会的勢力との関係を遮断し、排除していくことが求められる（資金移動ガイドラインⅡ－１－１④）。

「企業が反社会的勢力による被害を防止するための指針について」（2007年６月19日犯罪対策閣僚会議幹事会申合せ）に基づき、既に上場会社においては、有価証券上場規程により反社会的勢力への対応が義務づけられており、反社会的勢力への対応についての基本方針の策定や公表は進んでいるところである。不当要求がなされた場合の対応をあらかじめ定め、経営陣も含めて組織として適切に対応することも重要である。

これらに加えて、資金移動ガイドラインでは、反社会的勢力との取引を未然に防止するための適切な事前審査の実施や、契約書や取引約款に反社会的勢力排除条項を導入すること、反社会的勢力との関係遮断を徹底する観点から既存の契約の適切な事後検証の実施、反社会的勢力との取引が判明した場合の取引解消に向けた取組みなどが求められている（資金移動ガイドラインⅡ－２－１－３－１）。

資金移動業者としては、反社会的勢力対応部署において、反社会的勢力に関する情報を一元的に管理・蓄積し、当該情報を集約したデータベースを構築する等の方法により、利用者との契約締結時や送金実行時、当該資金移動業者における株主の属性判断等を行う際に活用する態勢を構築する必要がある。

CHECK 業務開始までに必要な対応

- □ 対応部署の決定
- □ 反社会的勢力への対応についての基本方針の策定
- □ 反社会的勢力への対応に関する規定の策定
- □ 上記規定の承認・公表・周知徹底
- □ 委託先との契約書・利用約款への反社会的勢力排除条項の導入
- □ 反社会的勢力に関する情報を集約したデータベース等の構築

□　事前審査・事後検証態勢の構築
□　研修・教育

(iv)　システムリスク管理

資金移動業者は、業務の性質上、多様なサービスやシステムと連携した高度・複雑な情報システムを有していることが多く、さらにコンピュータのネットワーク化の拡大に伴い、重要情報に対する不正アクセス、漏洩等のリスクが大きくなっている。システムが安全かつ安定的に稼働することは、資金決済システムおよび資金移動業者に対する信頼性を確保するための大前提であり、そのため、資金移動業者は、資金移動業に係る情報の漏洩、滅失または毀損の防止その他の当該情報の安全管理のために必要な措置を講じなければならないとされている（法49条）。ここで管理を求められる情報は、個人情報に限らず、金額情報や取引情報といった資金移動業に係る情報のすべてを含む。

また、資金移動業者のIT戦略は、近年の金融を巡る環境変化も勘案すると、今や資金移動業者のビジネスモデルを左右する重要課題となっており、資金移動業者において経営戦略とIT戦略を一体的に考えていく必要性が増している。こうした観点から、資金移動業者の規模や特性に応じて、経営者がリーダーシップを発揮し、ITと経営戦略を連携させ、企業価値の創出を実現するための仕組みである「ITガバナンス」を適切に機能させることが極めて重要であるとされている。

内閣府令では、「資金移動業者は、その業務の内容及び方法に応じ、資金移動業に係る電子情報処理組織の管理を十分に行うための措置を講じなければならない」（資金移動府令24条）との規定があるのみであるが、具体的には、資金移動ガイドラインⅡ－２－３－１に詳細な内容が規定されている。主な着眼点として挙げられているのは、役職員がシステムリスクに対する十分な認識を持つこと、システムリスク管理態勢、システムリスク評価、情報セキュリティ管理、サイバーセキュリティ管理、システム企画・開発・運用管理、システム監査、外部委託管理、コンティンジェンシープラン、障害発生時の対応の各項目である。

セキュリティの水準は、事業者の提供するサービスの実態に即して判断されるものとされ、その業務の規模や対応に応じて、適正かつ確実に資金移動サービスを提供するためのシステムが整備されていればよいこととされている。金融情報システムセンター（FISC）は、「金融機関等コンピュータシステムの安全対策基準」（以下「FISC基準」という）を定めているが、資金移動業者が全銀システム等の銀行間のネットワークに直接参加するような場合を除けば、必ずしもFISC基準やこれと同程度のシステム基準としなくてもよい。もっとも、顧客チャネルの多様化による大量取引の発生や、ネットワークの拡充によるシステム障害等の影響の複雑化・広範化など、外部環境の変化によりリスクが多様化していること、年々サイバー攻撃が高度化・巧妙化し、不正・不祥事件や、サイバーセキュリティに係る事故・犯罪も発生していることから、求められるシステムリスク管理態勢のレベルが年々引き上がっている点に留意が必要である。

CHECK 業務開始までに必要な対応

- □ 対応部署の決定
- □ システムリスク管理基本方針
- □ システムリスク管理規定の策定
- □ コンティンジェンシープランの策定
- □ 障害発生時の対応計画の策定
- □ 上記規定の承認・周知徹底

⑸ 利用者情報管理

利用者情報管理については、資金移動府令24条の他に、個人利用者情報の安全管理措置（資金移動府令25条）および特別の非公開情報の取扱い（資金移動府令26条）の規定があり、資金移動ガイドラインには利用者に関する情報管理態勢が定められている（資金移動ガイドラインⅡ－2－2－3）。また、資金移動業者は、個人情報保護法、個人情報保護ガイドラインおよび個人情報保護実務指針を遵守する必要がある。

利用者に関する情報の取扱いについては、具体的な取扱基準を定めたうえで役職員に周知徹底を図ること、利用者に関する情報へのアクセス管理の徹底、内部関係者による利用者に関する情報の持ち出しの防止に係る対策、外部からの不正アクセスの防御等情報管理システムの堅牢化などの対策を含め、利用者に関する情報の管理状況を適時・適切に検証できる態勢となっていることが必要である。また、特定職員に集中する権限等の分散や、幅広い権限等を有する職員への管理・けん制の強化を図る等、利用者に関する情報を利用した不正行為を防止するための適切な措置等を図る必要がある。

利用者情報について、入手時点での同意の取得方法には留意が必要となる。

資金移動業において利用者情報の第三者提供を行う場合には、原則として本人の同意が必要であり（令和２年改正後個人情報保護法27条)、金融分野における個人情報取扱事業者については、この同意は原則として書面（電子的記録を含む）によることが必要である（個人情報保護ガイドライン３条、11条)。

そして、当該書面における記載を通じて、ａ）個人データを提供する第三者、ｂ）提供を受けた第三者における利用目的、ｃ）第三者に提供される情報の内容を本人に認識させた上で、同意を得ることが必要である（個人情報保護ガイドライン11条１項)。あらかじめ作成された同意書面を用いる場合には、文字の大きさおよび文章の表現を変えること等により、個人情報の取扱いに関する条項が他と明確に区別され、本人に理解されることが望ましく、または、あらかじめ作成された同意書面に確認欄を設け本人がチェックを行うこと等、本人の意思が明確に反映できる方法により確認を行うことが望ましいものとされている（個人情報保護ガイドライン３条、資金移動ガイドラインⅡ－２－２－３－１⑵⑤)。

外国にある第三者への業務委託や業務提携を行う場合には、当該外国における個人情報の保護に関する制度、当該第三者が講ずる個人情報の保護のための措置について確認を行ったうえで業務委託や業務提携に関し適切な個人情報の管理を行う態勢整備が必要となる（資金移動ガイドラインⅡ－２－２－３－１⑵④)。

また、資金移動業において機微（センシティブ）情報を取得する場合には、取得、利用および第三者提供の各行為について、本人の同意が必要である（個人情報保護ガイドライン５条）。

機微（センシティブ）情報とは、個人情報保護法２条３項に定める要配慮個人情報（人種、信条、社会的身分、病歴、犯罪の経歴、犯罪により害を被った事実等）、労働組合への加盟、門地、本籍地、保健医療および性生活に関する情報を指す（個人情報保護ガイドライン５条）。

国籍や出生地については、国籍に限っては機微情報にあたらないと解する余地もあると考えられるが、一定の使途においてのみ機微情報に該当しないと解する考え方もあることなどから（個人情報保護ガイドラインパブコメNo. 126、174）、実務上は、いずれも機微（センシティブ）情報に該当するとして、本人の同意を得て取得するか、そもそも取得しない（塗りつぶすまたは塗りつぶしたものを提出してもらう）こととしているケースが多い。

入手した利用者情報は、あらかじめ定めた規定に従い、不正アクセス、不正持出し等を防止し、情報の漏洩、滅失または毀損を防止しなければならない。利用者の情報の漏洩等が発生した場合には、二次被害等の発生防止の観点から、対象となった利用者への連絡、当局への報告および公表が迅速かつ適切に行われる体制の整備が必要である。

CHECK 業務開始までに必要な対応

- □ 対応部署の決定
- □ 個人情報保護規定・安全管理措置等の策定
- □ 上記規定の承認・周知徹底
- □ 個人情報を取り扱う役職員から個人情報管理に関する誓約書を徴求
- □ 研修・教育

(vi) 事務リスク管理・帳簿書類

資金移動業者の役職員が正確な事務を怠ること、あるいは事故・不正等を起こすことにより、資金移動業者が損失を被ることを防止するため、事務リスクに係る内部管理態勢を適切に整備することが求められる

（資金移動ガイドラインⅡ－２－３－２）。

具体的には、資金移動業者が行う業務のどこに事務リスクが発生するかを洗い出し、これを軽減するための具体的な方策（規定や事務マニュアル等の作成、事務担当部署や内部管理部門または内部監査部門によるチェック）が必要となる。

資金移動業者の役職員による事故や不正等が起きた場合には、不祥事件の届出も必要となる（後記⑽ⅳ参照）。

また、資金移動業に関する帳簿書類は、資金移動業者の業務ならびに未達債務の額および資産保全の状況を示すものであり、当該帳簿書類の記載内容をもとに資産保全がなされることから、利用者の利益の保護のために法令で作成・保存が義務づけられるものである。

作成・保存が義務づけられる帳簿書類の内容は、後記⑽ⅱのとおりであるが、これらの帳簿書類の作成については、社内規則等を定め、役職員が社内規則等に基づき適切な取扱いを行うよう、社内研修等により周知徹底を図る必要がある（資金移動ガイドラインⅡ－２－２－２－１①）。また、帳簿書類の記載内容の正確性について、内部監査部門等、帳簿作成部門以外の部門において検証を行うことや（同③）、帳簿書類を電磁的に作成している場合にはバック・アップを行うなど、データが毀損した場合に速やかに利用者ごとの未達債務の額を把握・復元できる態勢を整備していることが必要である（同②）。

CHECK 業務開始までに必要な対応

- □ 対応部署の決定
- □ 事務リスク管理規定、事務マニュアルの策定
- □ 帳簿管理規定の策定
- □ 上記規定の承認・周知徹底

ⅶ 情報提供・顧客説明

資金移動業者は、内閣府令で定めるところにより、資金移動業の利用者の保護を図り、および資金移動業の適正かつ確実な遂行を確保するために必要な措置を講じなければならない（法51条）。

上記法の委任を受けて、内閣府令では、次のような措置を講じることが必要とされている。

ア　銀行等が行う為替取引との誤認防止のための説明（資金移動府令28条）

資金移動業については、銀行等による為替取引とは別の利用が想定されているものの、同じ為替取引であることから、利用者にとっては銀行等による為替取引との区別がつきにくく、資金移動業者のサービスの内容が十分に理解されないとすれば、利用者に不測の損害が生じる可能性がある。例えば、銀行等が行う為替取引については、銀行等の破綻に際して預金保険法等に基づき決済債務として全額保護されるが（預金保険法69条の２等）、資金移動業者が行う為替取引については、破綻等に備えて100％資産保全が義務づけられているものの、実際の権利実行の手続において利用者の資産が全額保護されるかについては保証されていない。

そのため銀行等が行う為替取引と資金移動業者が行う為替取引には相違があることを利用者に認識してもらうことが必要との考え方から、銀行等が行う為替取引との誤認防止のための説明を行うこととされている（資金移動府令28条）。

(a)　説明事項

資金移動業者が具体的に説明をすべき事項は、以下のとおりである（資金移動府令28条２項、資金移動ガイドラインⅡ－２－２－１－１(2)）。

①銀行等が行う為替取引ではないこと
②預貯金または定期積金等を受け入れるものではないこと
③預金保険法53条または貯金保険法55条に規定する保険金の支払いの対象とはならないこと
④その他銀行等が行う為替取引との誤認防止に関し参考となると認められる事項
・利用者保護のため制度として履行保証金制度が設けられている旨
・法59条に基づく履行保証金についての権利実行の手続にお

いて、還付を受けられる権利が送金依頼人から受取人に移転する時点

なお、還付を受けられる権利が送金依頼人から受取人に移転することがない場合には、当該移転の時点についての説明を行う必要はない。

●● 記載例 ── 説明事項 ●●

1. 当社の××サービスは、銀行等が行う為替取引とは異なります。
2. 当社の××サービスは、預貯金または定期積金等を受け入れるものではありません。
3. 当社の××サービスは、預金保険法53条または農水産業協同組合貯金保険法55条に規定する保険金の支払いの対象とはなりません。
4. お客様の保護のため、資金決済法においては履行保証金制度が設けられており、万一の場合にはお客様は同制度によって還付を受けることができます。
5. 前項の還付を受けることができるお客様は原則として送金依頼人となりますが、受取人が当社システムにアクセスを行い、当該送金依頼人からの資金の受取りを承諾した時点で、前記の還付を受けることができる権利は送金依頼人から受取人に移転しますので、ご留意下さい。

(b) 説明方法・時期

資金移動業者は、利用者との間で為替取引を行うときは、あらかじめ、当該利用者に対し、書面の交付その他の適切な方法により、前記(a)の説明を行わなければならない（資金移動府令28条1項）。

資金移動業者は、対面取引、ATM等の設備やインターネットを通じた非対面取引など、取引形態に応じて、説明を行うことが必要であるが、この義務の履行方法としては、例えば、対面取引の場合には書面交付や口頭による説明を行った上で当該事実を記録しておく方法、ATMによる場合には契約締結前に画面上に必要事項を表示し利用者の確認を求める方法、インターネット取引による場合には利用者がその操作するパソコンの画面上に表示される説明事項を読み、その内容を理解した上で画面上のボタンをクリックする等の

方法がそれぞれ考えられる（資金移動ガイドラインⅡ－２－２－１－１(1)①（注））。

書面交付を行う場合、申込書の上部に説明事項を記載したり、申込書とは別に説明事項を記載した書面を渡すことが考えられる。

CHECK 業務開始までに必要な対応

- □ 対応部署の決定
- □ 説明事項を記載した書面または画面の作成
- □ 業務フローの決定
- □ 事務マニュアルの策定
- □ 担当者に対する周知徹底

イ　利用者に対する契約内容情報の提供（資金移動府令29条）

資金移動業者は、利用者との間で為替取引を継続的にまたは反復して行うことを内容とする契約を締結することなく、為替取引を行う場合（１回限りのサービスを提供する場合）には、為替取引に係る指図を行う利用者に対して、次に掲げる事項を明示する方法により、情報を提供しなければならない（資金移動府令29条１項１号、資金移動ガイドラインⅡ－２－２－１－１(3)）。

①標準履行期間

②利用者が支払うべき手数料、報酬もしくは費用の金額もしくはその上限額またはこれらの計算方法

手数料、報酬もしくは費用の金額は、利用者が資金移動業者の委託先に支払うべきものがあればそれも含めた金額を説明する必要がある。また、手数料等の実額ではなく上限額や計算方法のみを説明する場合には、利用者が実際に支払うこととなる手数料等の総額の見込み額または計算例をあわせて説明することが必要である。

③利用者からの苦情または相談に応ずる営業所の所在地および連絡先

④為替取引が外国通貨で表示された金額で行われる場合において

は当該金額を本邦通貨で換算した金額（換算額）およびその換算に用いた標準（換算レート）またはこれらの計算方法

⑤資金移動業者が講じている金融ADR措置の内容

2021年８月時点では、資金移動業に関する指定紛争解決機関が存在していないため、資金移動業者が講じている苦情処理措置および紛争解決措置の内容を明示することとなる。

⑥その他当該為替取引の内容に関し参考となると認められる事項

（例）

・為替取引に係る資金の入金の方法

・為替取引依頼後の当該為替取引に係る資金の状況を確認する方法

これに対し、資金移動業者が、利用者との間で為替取引を継続的にまたは反復して行うことを内容とする契約を締結する場合（反復継続的なサービスを提供する場合）には、契約の相手方となる利用者に対して、次に掲げる事項を明示する方法により、情報提供しなければならない（資金移動府令29条１項２号、資金移動ガイドラインⅡ－２－２－１－１⑶。なお、注意点については前記と同様）。

①取り扱う為替取引の額の上限

②標準履行期間

③利用者が支払うべき手数料、報酬もしくは費用の金額もしくはその上限額またはこれらの計算方法

④利用者からの苦情または相談に応ずる営業所の所在地および連絡先

⑤為替取引が外国通貨で表示された金額で行われる場合においては当該金額を本邦通貨で換算した金額（換算額）およびその換算に用いた標準（換算レート）またはこれらの計算方法

⑥資金移動業者が講じている金融ADR措置の内容

⑦契約期間

⑧契約期間の中途での解約時の取扱い（手数料、報酬または費用の計算方法を含む）

⑨その他当該契約の内容に関し参考となると認められる事項

（例）

・為替取引に係る資金の入金の方法

・為替取引依頼後の当該為替取引に係る資金の状況を確認する方法

・暗証番号の設定その他のセキュリティに関する事項

・口座開設契約等により、利用者ごとに資金移動業者が受け入れられる金額に上限がある場合には、当該上限金額

なお、資金移動業者が、為替取引に関して負担する債務に係る権利を表章する証書その他の物（以下「為替証書等」という）を発行して為替取引を行う場合であって、当該為替証書等に資金移動府令29条２項に定める事項を表示しているときは、前記の説明は要しないものとされている（資金移動府令29条２項）。

例えば、金券やマネーオーダーを送金手段として発行するような場合など、権利が表章された証書その他の物に必要事項を表示していれば、別途の書面等により説明を行う必要はない。

もっとも、「権利を表章する証書その他の物」とは、当該証書やカード等に権利の内容が表示されているか、権利の内容が記録されている場合を指すものと解され、当該証書やカード等自体からは権利の内容が確認できないもの（いわゆるサーバ型カードなど）は、当該証書その他の物に権利を表章しているとはいえず、これに含まれないものと考えられる。

CHECK 業務開始までに必要な対応

□ 対応部署の決定

□ 提供すべき情報を記載した書面または画面の作成

□ 業務フローの決定

□ 事務マニュアルの策定

□ 担当者に対する周知徹底

ウ　利用者に対するその他の情報の提供（資金移動府令29条の2）

資金移動業者は、上記イで提供する契約内容にかかる情報のほか、利用者との間で為替取引を行うときは、当該利用者に対し、書面の交付その他の適切な方法により、次の事項についての情報を提供しなければならない（資金移動府令29条の2）。

①その営む資金移動業の種別

②履行保証金の供託、履行保証金保全契約または履行保証金信託契約の別および履行保証金保全契約または履行保証金信託契約を締結している場合にあっては、これらの契約の相手方の氏名、商号または名称

③その営む資金移動業の種別ごとの算定期間および供託期限

④第3種資金移動業者が預貯金管理方法による管理を行っている場合は、預貯金管理割合および法59条1項ただし書に規定する権利の内容

⑤為替取引に係る業務に関し利用者の意思に反して権限を有しない者の指図が行われたことにより発生した利用者の損失の補填その他の対応に関する方針

これらの説明事項は、2020年改正法によって、追加的に提供が必要となった事項である。なお、上記⑤については、不正取引に対する補償に関して必要とされる事項である。また、資金移動業者は、為替取引に係る業務の内容および方法に照らし必要があると認められる場合には、資金移動業の利用者以外の者に損失が発生した場合における当該損失の補償その他の対応に関する方針も周知する必要があり（資金移動府令31条4号）、当該事項も上記⑤とあわせて周知することが考えられる。

エ　受取証書の交付（資金移動府令30条）

資金移動業者は、その行う為替取引に関し、利用者から金銭その他の資金を受領したときは、原則として、遅滞なく、次に掲げる事項を記載した書面を当該利用者に交付しなければならない（資金移動府令30条1項）。

①資金移動業者の商号および登録番号
②当該利用者から受領した資金の額
③受領年月日

受取証書の記載内容は、利用者にとって明確で分かりやすい記載内容となっていることが必要である（資金移動ガイドラインⅡ－２－２－１－１⑷①）。

●● 記載例 —— 受取証書 ●●

受取証書

2022年５月30日
○○○○円
本日、上記正に受け取りました。

××株式会社
（資金移動業登録番号○○○号）

資金移動業者が万が一破綻した場合には、資金移動業者に対して資金を預けた利用者は、財務（支）局の権利実行の手続により法務局に供託された履行保証金の中から還付を受けることとなる。しかし、この際に、資金移動業者の帳簿等が滅失・毀損している場合もないわけではなく、利用者が、財務（支）局に対して、自らの権利を証明することができるようにしておくことが必要である。そこで、利用者保護のため、あらかじめ、資金移動業者には、利用者に対して受取証書の交付を行うことが義務づけられている。

これに対し、資金移動業者が、為替証書等（前記イ参照）を発行して為替取引を行う場合には、利用者に対して受取証書を交付する義務を負わない（資金移動府令30条１項ただし書）。また、資金移動業者が預金または貯金の口座に対する払込みにより資金を受領する場合には、利用者の請求があったときに限り、受取証書を交付すれば足りる（資金移動府令30条２項）。これらの場合には、受取証書以外にも利用者が自らの権利を証明することができる手段があるため、資金移動業者の受取証書の交付義務が免除または軽減されているものである。

資金移動業者は、書面を交付する方法以外にも、利用者の承諾を得ることができれば、電磁的方法により受取証書に記載すべき事項を提供することができる（資金移動府令30条3項）。この場合、あらかじめ、利用者に対し、その用いる電磁的方法の種類および内容を示し、書面または電磁的方法による承諾を得なければならない（資金移動府令30条4項）。いったん承諾を得れば、電磁的方法による提供を受けない旨の申出があるまでは、電磁的方法による提供を続けることができる（資金移動府令30条5項）。インターネットで送金サービスを提供するような場合には、利用者からかかる承諾を得ておく必要があろう。

なお、資金移動業者は、書面の交付に代えて電磁的方法により提供することについて承諾または撤回の意思表示を受ける場合には、利用者の承諾等があったことを記録していることが必要である（資金移動ガイドラインⅡ－2－2－1－1⑷②）。また、電磁的記録の種類に応じて、技術的基準が定められている（資金移動府令30条6項・7項）。

CHECK 業務開始までに必要な対応

- □ 対応部署の決定
- □ 受取証書の作成または電磁的方法による提供内容および方法の決定
- □ 業務フローの決定
- □ 事務マニュアルの策定
- □ 利用約款の策定
- □ 担当者に対する周知徹底

オ　為替取引に用いられることがないと認められる利用者の資金を保有しないための措置（資金移動府令30条の2）

資金移動業者は、為替取引に用いられる利用者の資金を保有することが認められているが、為替取引に用いられることがない利用者の資金を保有することは認められていない。一部の資金移動業者において、資金決済法制定時の想定の範囲を超えて利用者資金が滞留しているとの指摘があったことを踏まえ、利用者保護等の観点から、新たに、為替取引に用いられることがないと認められる利用者資金を保有しないための措置を講じることが求められることとなった（法51条）。具体的には、第2種資金移動業を営む資金移動業者は、利用者資金が送金上限額である100万円を超えている場合には、利用者資金が為替取引に用いられるものであるかどうかを確認するための体制を整備する必要があり（資金移動府令30条の2第1項）、また、その種別を問わず、資金移動業者は、利用者から受け入れた資金のうち為替取引に用いられることがないと認められるものを保有しないための措置を講じる必要があるとされた（資金移動府令30条の2第2項）。

第2種資金移動業を営む資金移動業者が行う確認体制については、後記3(2)において説明する。

全資金移動業者に求められる為替取引に用いられることがないと認められる利用者資金を保有しないための措置としては、為替取引に用いられるものではないと認められる利用者の資金の当該利用者への返還方法を定めること（あらかじめ利用者が登録した銀行口座に振り込む方法以外の方法により返還またはその他の措置を行う場合、当該方法が迅速性や利用者利便の観点から妥当といえるかを確認する）や、定めた方法に従い返還等を行うため、必要な情報を予め利用者から入手するための態勢が整備されることが必要とされている（資金移動ガイドラインⅡ－2－2－1－1(5)）。

CHECK 業務開始までに必要な対応

- □ 対応部署の決定
- □ 業務フローの決定
- □ 事務マニュアルの策定

□　利用約款の策定
□　担当者に対する周知徹底

カ　利用者から受け入れた資金を原資として貸付け等を行うことを防止するための措置（資金移動府令30条の3）

金融審決済仲介法制WG報告では、資金移動業者が、利用者資金の保全方法として保全契約を利用する場合、受け入れた利用者資金は資金移動業者の預金口座等に残ることとなる。仮に保全契約を利用している資金移動業者が、貸金業の登録を受けて、利用者資金を貸付けに活用した場合、銀行業の免許を受けることなく、実質的に信用創造を行うことが可能となり、問題であるとの指摘や、資金移動業者が、為替取引を行うために受け入れた利用者資金を流動性が低い資産である貸付金に転換すると、流動性リスクを抱えることになり、資金移動業の適正かつ確実な遂行の観点から問題であるとの指摘を踏まえ、銀行業との関係で規制のアービトラージを回避するなどの観点から、利用者資金の保全に保全契約を用いる資金移動業者には、利用者資金を原資として貸付けまたは手形の割引を行うことを防止するための措置を講じることが求められる（資金移動府令30条の3）。

具体的には、①為替取引に関し、利用者から受け入れた資金と貸付の原資となる資金を別の預金口座で管理する方法や1つの銀行口座で管理する場合であっても利用者から受け入れた資金が貸付の原資に用いられていないことを合理的に確認できる方法が社内規則に具体的に定められること、②利用者から受け入れた資金と貸付の原資となる資金が上記方法により明確に区分され、かつ、利用者から受け入れた資金と貸付の原資となる資金を別の預金口座で管理する場合には両口座の間で融通等が行われることがないよう、適時・適切に検証すること、③事故・不正防止の観点から、利用者から受け入れた資金を管理する担当者と貸付の原資となる資金を管理する担当者を兼務させない等の措置を講じていることが求められる（資金移動ガイドラインⅡ－２－２－１－１(6))。

CHECK 業務開始までに必要な対応]

- □ 対応部署の決定
- □ 業務フローの決定
- □ 事務マニュアルの策定
- □ 利用約款の策定
- □ 担当者に対する周知徹底

キ 振り込め詐欺等対策（資金移動府令31条１号）

昨今、振り込め詐欺等が横行しており、資金移動業者も振り込め詐欺等に使用される危険性を認識した上で、これを排除するための対策を行うことは不可欠である。

資金移動業者は、その行う為替取引について、捜査機関等から当該為替取引が詐欺等の犯罪行為に利用された旨の情報の提供があることその他の事情を勘案して犯罪行為が行われた疑いがあると認めるときは、当該為替取引の停止等を行う措置をあらかじめ講じておかなければならない（資金移動府令31条１号）。

具体的には、ａ）資金移動サービスの不正利用を防止するため、本人確認の実施や口座の利用目的等の確認を行うなど、資金移動サービスの不正利用による被害防止のあり方について検討を行い、必要な措置を講じること、ｂ）捜査機関等からある送金が振り込め詐欺等の犯罪行為に利用された疑いがあり連絡を受けた場合や、その他の事情を勘案して犯罪行為が行われた疑いがある場合について、①当該送金を速やかに停止するための態勢を整備すること、および②送金口座等から資金の払出しを停止するための態勢を整備することが必要である（資金移動ガイドラインⅡ－２－１－２－１(5))。

なお、資金移動業者が開設する送金口座に関しては、振り込め詐欺救済法の適用はないが、資金移動業者が開設する送金口座は、銀行等が開設する預金口座とは異なり、判例上まだ口座保有者に強固な地位が認められているわけではなく、両者には一応差異があると考えられる（最二小判平成８年４月26日民集50巻５号1267頁、判例タイムズ910号80頁参照）。そのため、送金口座に入った資金についても、口座保有者が払出しを行うまでは、被害者は、資金移動業者に対して、直接自らの資金の返還を求めることが可能であると考えられる。

資金移動ガイドラインにおいても、前記ｂ）①または②に基づき、為替取引や資金の払出しを停止した場合であって、かつ、当該為替取引が犯罪行為に利用されたと認めるに足りる相当な理由がある場合または口座開設契約等を締結している者が当該契約を犯罪行為に利用していると認めるに足りる相当な理由がある場合には、資金移動業者の管理下にある当該為替取引および資金の払出しに係る資金を被害者に返金する等の被害回復のための措置を講じることが望ましいとされている（資金移動ガイドラインⅡ－２－１－２－１(5)(注)）。

CHECK 業務開始までに必要な対応

- □ 対応部署の決定
- □ 利用約款の策定
- □ 業務フローの決定
- □ 事務マニュアルの策定
- □ 担当者に対する周知徹底

ク　インターネット取引における措置（資金移動府令31条2号・3号）

資金移動業者は、インターネットにより資金移動業を提供しようとするときは、資金移動業者は、利用者が当該資金移動業者と他の者を誤認することを防止するための適切な措置を講じなければならない（資金移動府令31条２号）。

これは、インターネットにおいては、利用者は、リンクにより容易に複数の事業者のウェブサイトへ遷移することが可能であるため、利用者がサービスを提供する主体を明確に理解して当該サービスを利用することが必要との考え方に基づくものである。

具体的には、ウェブサイトのリンクに関し、利用者が取引相手を誤認するような構成になっていないかや、フィッシング詐欺対策については、利用者がアクセスしているサイトが真正なサイトであることの証明を確認できるような措置を講じるなど、適切な不正防止策を講じることが必要である（資金移動ガイドラインⅡ－２－２－１－１(7)①）。

また、資金移動業者が、インターネットによって、利用者から為替取引に係る指図（例えば、送金指図など）を受ける場合には、当該指図の内容を、当該利用者が、パソコン等の操作を行う際に容易に確認し、訂正することができるようにするための適切な措置を講じなければならない（資金移動府令31条３号）。

これは、インターネットにおいては、利用者は、ワンクリックで指図を行うことが可能であるため、訂正を行うための機会を設けることが必要との考え方に基づくものである。

具体的には、利用者が資金移動業者に対する送金指図の内容を入力させた上で、これを資金移動業者に送信する前に、当該入力内容をまとめた確認画面を表示させて内容の確認を求め、この内容に誤りがあれば訂正をさせ、問題がない場合に実行ボタンを押下させるというような仕組みがこれにあたる（資金移動ガイドラインⅡ－２－２－１－１(7)②）。なお、特定商取引法施行規則16条１項２号（通信販売における禁止行為）も同様の措置を求めており、参考となる。

CHECK 業務開始までに必要な対応

- □ 対応部署の決定
- □ インターネット上の画面および遷移方法の決定

(viii) 苦情処理・金融ADR

ア　苦情等

資金移動業者が利用者からの相談・苦情・紛争等（以下「苦情等」という）に真摯に対応して利用者の理解を得ることは、資金移動業の遂行上重要な利用者保護のための方策といえる。

2009年の金融商品取引法改正により、簡易・迅速に苦情処理・紛争解決を行うための枠組みとして金融ADR制度が導入された。金融ADR（Alternative Dispute Resolution）制度とは、訴訟に代わるあっせん・調停・仲裁等の当事者の合意に基づく紛争の解決方法をいう。資金移動業者については、金融ADR制度の対象となっているため、資金移動業者は、これを踏まえつつ適切に苦情等に対処していく必要がある。

一般的に、利用者からの申出は、相談にとどまるものもあれば、不満の表明、要望を含む苦情もあるなど、様々な態様のものがある。紛争は、多くは苦情の申出を経て発展していくこととなることが多いと考えられ、その意味では、紛争は、苦情と連続性をもった、いわば延長線上にあるということができる。

そのため、以下で説明する苦情処理手続と紛争解決手続は、切り離された手続と理解すべきではなく、それぞれの手続を相互に連携させながら適切に対処していくことが利用者保護上重要である（資金移動ガイドラインⅡ－２－２－４参照）。

イ　苦情等対処に関する内部管理態勢

資金移動業者は、まず自身で、苦情等対処に関する内部管理態勢を構築することが必要である。

資金移動ガイドラインⅡ－２－２－４－１に留意点が記載されており、社内規定等の整備や周知徹底、マニュアル等の配布を含めて研修その他の方法で社内周知を図ることを前提として、実際の苦情等の対処にあたっては、図表２－16の手順で苦情等に対処していくことが考えられる。

なお、重要案件と認められた場合には、速やかに監査部門や経営陣にも報告を行い、全社で苦情等対処を行うこと、外部機関等において苦情等対処に関する手続が係属している間にあっても、利用者に対して必要に応じて適切な対応を行い、外部機関に対して適切な協力を行うことが必要である。

CHECK 業務開始までに必要な対応

- □ 対応部署の決定
- □ 苦情処理規定の策定
- □ 上記規定の承認・周知徹底
- □ 業務フローの決定
- □ 事務マニュアルの策定
- □ 担当者に対する周知徹底
- □ 利用者への情報提供態勢の整備

図表2-16：苦情等処理態勢

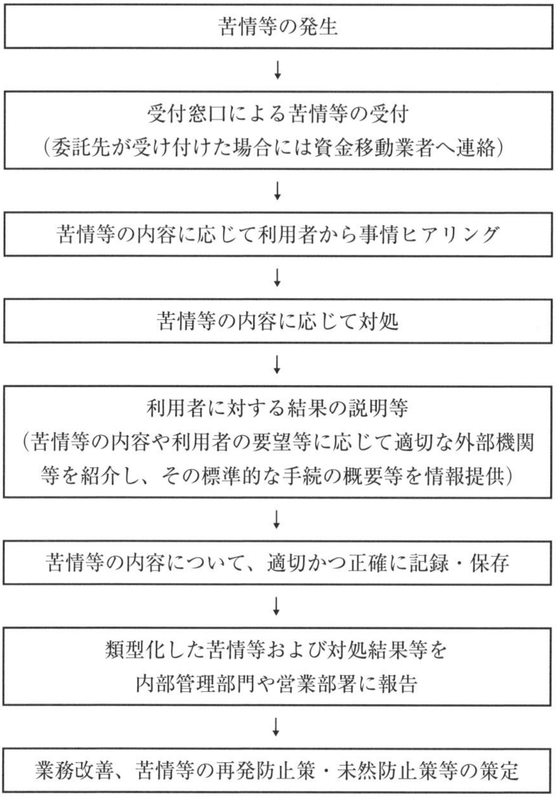

苦情等の発生

↓

受付窓口による苦情等の受付
（委託先が受け付けた場合には資金移動業者へ連絡）

↓

苦情等の内容に応じて利用者から事情ヒアリング

↓

苦情等の内容に応じて対処

↓

利用者に対する結果の説明等
（苦情等の内容や利用者の要望等に応じて適切な外部機関等を紹介し、その標準的な手続の概要等を情報提供）

↓

苦情等の内容について、適切かつ正確に記録・保存

↓

類型化した苦情等および対処結果等を
内部管理部門や営業部署に報告

↓

業務改善、苦情等の再発防止策・未然防止策等の策定

ウ　金融ADR制度への対応

資金移動業者は、イに加えて、金融ADR制度への対応も必要である。

資金決済法51条の4では、指定資金移動業務紛争解決機関（指定紛争解決機関であってその紛争解決等業務の種別が資金移動業務であるもの）が存在する場合と存在しない場合とに区分して、それぞれ講じるべき措置を規定する。

すなわち、資金移動業の業界内に、1つでも指定資金移動業務紛争解決機関が存在する場合には、そのうちの1つの指定資金移動業務紛争解決機関との間で資金移動業に係る手続実施基本契約を締結する必要がある（法51条の4第1項1号）。

これに対し、資金移動業の業界内に、まだ指定資金移動業務紛争解決機関が存在しない場合には、資金移動業者は、資金移動業に関する苦情処理措置および紛争解決措置を講じる必要がある（法51条の4第1項2号）。

2021年8月時点で、資金移動業の業界内には、まだ指定紛争解決機関は存在しないから、資金移動業者は、後者の資金移動業に関する苦情処理措置および紛争解決措置を講じることとなる。

資金移動業者は、苦情処理措置として、a）苦情処理に従事する従業員への助言・指導を一定の経験を有する消費生活専門相談員等に行わせること、b）自社で業務運営体制・社内体制を整備し、公表等すること、c）認定資金決済事業者協会を利用すること、d）国民生活センター、消費生活センターを利用すること、e）他の業態の指定ADR機関を利用すること、f）苦情処理業務を公正かつ的確に遂行できる法人を利用すること、のいずれかから1つまたは複数を選択する必要がある。

また、資金移動業者は、紛争解決措置として、具体的には、a）裁判外紛争解決手続の利用の促進に関する法律に定める認証紛争解決手続を利用すること、b）弁護士会を利用すること、c）国民生活センター、消費生活センターを利用すること、d）他の業態の指定ADR機関を利用すること、e）紛争解決業務を公正かつ的確に遂行できる法人を利用すること、のいずれか１つまたは複数を選択する必要がある。

社内で体制整備を行う場合も、外部機関を利用する場合も、利用者に対して適切に窓口を周知・公表することが必要である。

現在、認定資金決済事業者協会である一般社団法人日本資金決済業協会（https://www.s-kessai.jp）では、「お客様相談室」において、資金移動業者に対する苦情の申出を受け付け、苦情処理措置を提供するとともに、紛争解決措置として、東京三弁護士会の仲裁センター・紛争解決センターを利用することを紹介している。

苦情処理措置および紛争解決措置を講じるにあたっては、資金移動ガイドラインの具体的な留意点に留意することが必要である（資金移動ガイドラインⅡ－２－２－４－２－２）。

CHECK 業務開始までに必要な対応

- □ 対応部署の決定
- □ 苦情処理措置の選択
- □ 紛争解決措置の選択
- □ 外部機関を利用する場合には、当該機関との契約または取決め
- □ 業務フローの決定
- □ 事務マニュアルの策定
- □ 担当者に対する周知徹底
- □ 利用者への情報提供態勢の整備

ⅸ 障害者への対応

資金移動業者は、障害者への対応にあたって、利用者保護および利用者利便の観点も含め、障害者差別解消法および障害者差別解消対応指針に則り適切な対応を行うこと、対応状況を把握・検証し、対応方法の見直しを行うなど、内部管理体制の整備が必要である（資金移動ガイドラインⅡ－２－４）。

CHECK 業務開始までに必要な対応
□ 対応部署の決定
□ 障害者への対応に関する規定の策定
□ 上記規定の承認・周知徹底

(x) 連携サービスを提供する場合の対応

資金移動サービスの中には、銀行等の提供する口座振替サービスなど、他の事業者の提供するサービスと連携するサービス（以下「連携サービス」という）が存在する。このような連携サービスについては、資金移動業の利用者にとっては利便性の高いサービスとなり得る一方、例えば、悪意のある第三者が連携する預貯金口座（以下「連携口座」という）の預貯金者になりすまし、資金移動サービスを介して不正取引を行うなど、資金移動業者のみで完結するサービスとは異なるリスクが介在するおそれがあり、実際に不正取引が頻発する事件も発生している。

こうした背景を踏まえ、連携サービスを提供する資金移動業者においては、資金移動業の利用者や連携先の利用者（利用者等）の利益の保護を含む資金移動業の適正かつ確実な遂行の観点から、当該リスクに応じた管理態勢を連携先と協力して構築することが重要とされる。具体的には、主に、口座振替サービスとの連携を行う場合と、同様にセキュリティ上の不備等により利用者等に経済的損失が生じ得る他の連携サービスを提供する場合においても、そのリスクに応じ、内部管理態勢の整備、セキュリティの確保、外部委託管理等、利用者等への通知、不正取引の検知（モニタリング）、利用者等からの相談対応が求められる（資金移動ガイドラインⅡ－２－５－１）。

CHECK 業務開始までに必要な対応
□ 対応部署の決定
□ リスクに応じた管理態勢の構築
□ 業務フロー の決定
□ 事務マニュアルの策定

□　利用約款の策定
□　担当者に対する周知徹底

Q9 「連携サービス」にはどのようなものが入るのか。

Q9 金融庁のパブリックコメントによれば、「『他の事業者の提供するサービスと連携するサービス』としては、銀行等の提供する口座振替サービスとの連携を行う場合のほか、当該口座振替サービスとの連携を行う場合と同様に、セキュリティ上の不備等により利用者等に経済的損失が生じ得る他の連携サービスを提供する場合を想定しています。」と回答されており、「クレジットカードによるチャージやネット決済のようなオンライン決済サービスを提供している事業者がインターネット上のショッピングモールと連携して決済サービスを利用させる場合」も、「上記のリスクがある場合には、リスクに応じた対応を行うことが重要と考えます。」との回答がなされており（2021年パブコメ（事務ガイドライン）No. 3)、「連携サービス」には、クレジットカードによるチャージやネット決済のようなオンライン決済サービスも含まれうることが明らかとされている。

この点、いかなる決済サービスが連携サービスに入りうるかについては、資金移動業者のサービスを通じて、他の決済サービスについて「なりすまし」や「不正利用」が発生しうるのかという観点から見る必要があり、現金でのチャージ（コンビニ収納やATM入金）では、資金移動業者のサービス上で他人のIDやパスワードを入力されるというリスクは低く、「なりすまし」や「不正利用」による経済的損失が発生しにくいものと考えられるため、「連携サービス」には含まれないと考えられる。一方で、クレジットカード決済であればクレジットカード番号や暗証番号、後払い決済やキャリア決済についてはIDや暗証番号などが不正に入力されれば、他の決済サービスの「なりすまし」や「不正利用」により、資金移動業者のサービスにチャージされ、資金移動業の利用者以外の者（真の権利者）に経済的損失が発生するおそれがあるため、こうした決済サービスと連携する場合には、当該決済サービスが「連携サービス」に含まれうることになるものと考えられる。

もっとも、クレジットカード決済も「連携サービス」に含まれるとしても、「クレジットの枠組みにおいてリスクの低減が図られている場合は、当該クレジットの枠組みを前提した対応を検討するという理解でよい」との回答がなされており（2021年パブコメ（事務ガイドライン）No. 4)、まさにリスク低減策はケースバイケースで検討することになるものと考えられる。

(xi) 不正取引に対する補償

資金移動サービスに関する不正取引により、利用者等に被害が生じるおそれがあり、このような被害が発生した場合、資金移動業者においては、利用者等の利益の保護を含む資金移動業の適正かつ確実な遂行の観点から、被害者に対して適切かつ速やかな対応（連携サービスを提供する場合にあっては連携先と協力した対応を含む）を実施することが重要である。

具体的には、資金移動府令29条の2第5号および31条4号に基づき、資金移動サービスに関し、不正取引が行われたことにより発生した損失の補償その他の対応に関する方針（以下「補償方針」という）を策定し、資金移動業の利用者への情報提供を行うとともに、不正取引が発生した場合に損失が発生するおそれのある資金移動業の利用者以外の者も容易に知りうる状態におくことが必要とされる。また、補償方針を定める際には、以下の事項を定めることが必要とされる（資金移動ガイドラインⅡ－2－6－1）。

①資金移動サービスの内容に応じて、損失が発生するおそれのある具体的な場面毎の被害者に対する損失の補償の有無、内容および補償に要件がある場合にはその内容
②補償手続の内容
③連携サービスを提供する場合にあっては資金移動業者と連携先の補償の分担に関する事項（被害者に対する補償の実施者を含む）
④補償に関する相談窓口およびその連絡先
⑤不正取引の公表基準

上記③に定める事項については、資金移動府令29条の2第5号および第31条第4号に基づき、当該事項に関する連携先との契約内容のすべてについて利用者への情報提供等を行う必要まではないが、少なくとも、被害者に対する補償の実施者については情報提供等を行う必要があ

ることに留意するものとされている。

また、策定した補償方針に従い、適切かつ速やかに補償を実施するための態勢（連携サービスを提供する場合にあっては、連携先との協力態勢を含む）の整備や、不正取引に係る利用者等からの相談等、不正取引に係るリスクおよび認識した不正取引事案について、連携先（連携先がある場合）や認定資金決済事業者協会（同協会の協会員である場合）等と必要な情報の共有も必要とされる（資金移動ガイドラインⅡ－２－６－１）。

不正取引を認識したときには、「不正取引発生報告書」にて当局宛に報告を行うことも必要とされている（資金移動ガイドラインⅡ－２－６－２⑵）。

CHECK 業務開始までに必要な対応

- □ 対応部署の決定
- □ 補償方針の策定および利用者への周知
- □ 業務フローの決定
- □ 事務マニュアルの策定
- □ 担当者に対する周知徹底

ⅻ 犯罪収益移転防止法への対応

資金移動業者は、犯罪収益移転防止法上の特定事業者として、本人確認義務や疑わしい取引の届出義務等を負う（犯罪収益移転防止法２条２項31号）。

資金移動業者が提供する資金移動業は、隔地者間の送金を可能とするものであることから、テロ資金供与やマネー・ローンダリング、組織犯罪等に不正利用される危険があるため、本人確認を的確に行い、一元的な管理態勢を構築して適切な判断に基づき疑わしい取引の届出を行う必要がある。

ア　取引時確認

⒜　取引時確認義務

特定事業者は、顧客等との間で特定業務のうち特定取引を行うに際しては、犯罪収益移転防止法施行規則に定める方法により、顧客等について、取引時確認を行わなければならない（犯罪収益移転防止法4条1項）。

特定事業者は、顧客等の取引時確認を行う場合において、会社の代表者が当該会社のために当該特定事業者との間で特定取引を行うとき、その他の当該特定事業者との間で現に特定取引の任に当たっている自然人が当該顧客等と異なるときは、当該顧客等の取引時確認に加え、当該特定取引の任に当たっている自然人（以下「代表者等」という）についても本人特定事項の確認を行わなければならない（犯罪収益移転防止法4条4項）。

(b) 取引時確認を要する特定取引

資金移動業者が、資金移動業を営むにあたり、本人確認義務を負うか否かを検討すべき特定取引は、主として、①10万円超の現金の受払いをする取引で為替取引を伴うもの（犯罪収益移転防止法施行令7条1項1号ツ）か、②預金または貯金の受入れを内容とする契約の締結をすることなく為替取引を継続的にまたは反復して行うことを内容とする契約の締結（同号ナ）である。

①は1回限りの為替取引（一見取引）の場合を予定している。IDやパスワードを付与することは、通常反復継続的な利用を前提としているため、②の為替取引を継続的にまたは反復して行うことを内容とする契約の締結を行ったものと解される点に注意が必要である。

また、資金移動業者が取引時確認をしなければらないのは、「取引を行うに際して」とされている（犯罪収益移転防止法4条1項本文）。これは、取引が完了する前に必ず取引時確認が終了していなければならないとの趣旨ではなく、取引の性質に応じて合理的な期間内に取引時確認を完了すべきとの趣旨である（犯収法逐条解説69頁）。

以上が資金移動業者において取引時確認義務を負う場合の原則であるが、例外的に、簡素な顧客管理が許容される取引として、取引

図表2-17：資金移動業における特定取引の種類と具体例

取引時確認を要する特定取引の種類	具体例
①10万円超の現金の受払いをする取引で為替取引を伴うもの	○送金依頼時
②為替取引を継続的にまたは反復して行うことを内容とする契約の締結	○口座開設時 ○ID・パスワードの付与時

時確認の対象から除かれる取引がある。具体的には、前記①のうち、「イ　無記名の公社債の本券または利札を担保に供するもの、ロ　国または地方公共団体に対する金品の納付または納入に係るもの、ハ　電気、ガスまたは水道料金の支払に係るもの、ニ　入学金、授業料その他これらに類するものの支払に係るもの、ホ　顧客等の預金もしくは貯金の受入れまたは払戻しのために行うもの（取引金額が200万円を超えるものを除く）、ヘ　商品もしくは権利の代金または役務の対価の支払いのために行われるものであって、当該支払いを受ける者により、当該支払いを行う顧客等または代表者等の、特定事業者の例に準じた取引時確認ならびに確認記録の作成および保存に相当する措置が行われているもの（取引金額が200万円を超えるものを除く）」の６つである（犯罪収益移転防止法施行規則４条１項７号）。例えば、国税、地方税、罰金等の納付など、国または地方公共団体に対する金品の納付または納入に係るものはロにあたる。

その他、過去に取引時確認済みの顧客等との取引は、取引時確認を要しないとされている。具体的には、当該特定事業者が顧客等について既に取引時確認を行っており、かつ、当該取引時確認について確認記録を保存している場合（犯罪収益移転防止法４条３項）や、特定事業者が他の特定事業者に委託して特定取引を行う場合において、当該他の特定事業者が顧客等について既に取引時確認を行っており、かつ、当該取引時確認について確認記録を保存している場合（犯罪収益移転防止法施行令13条１項１号）などがこれにあたる。

例えば、前記②の為替取引を継続的にまたは反復して行うことを内容とする契約の締結を行った際に、顧客等しか知り得ないIDやパスワードを付与し、個々の送金依頼時には、当該顧客等からIDやパスワードの申告を受けて、取引時確認済みの顧客であることを確認できれば、改めて送金時に取引時確認を行う必要はない（犯罪収益移転防止法4条3項、犯罪収益移転防止法施行令13条2項、犯罪収益移転防止法施行規則16条）。

また、特定事業者が他の特定事業者に特定取引（為替取引）を委託する場合には、他の特定事業者が行った取引時確認および確認記録に依拠することが可能であり、改めて取引時確認を行う必要はない（犯罪収益移転防止法施行令13条1項1号）。

ただし、取引時確認が不要とされる取引であっても、なりすまし等が疑われる場合、疑わしい取引や同種の取引の態様と著しく異なる態様で行われる取引には、改めて取引時確認を行うことが必要となる（犯罪収益移転防止法施行令7条1項本文、12条1項各号、犯罪収益移転防止法施行規則5条各号）。現金等受払い取引、現金等払戻し、本邦通貨と外国通貨の両替または旅行小切手の販売もしくは買取りについては、顧客が同時にまたは連続して、1回当たりの取引金額を減少させるために分割して行う取引であることが一見して明らかなものについては、2以上の取引を1つの取引とみなして取引時確認が必要となる（犯罪収益移転防止法施行令7条3項）。また、外国の元首、外国の政府、中央銀行その他これらに類する機関において重要な地位を占める者（過去にこれらの者であった者を含む）との取引（PEPsとの取引）について、厳格な顧客管理が必要となる（犯罪収益移転防止法施行令12条3項）。

(c) 取引時確認の方法

本人特定事項の確認方法は、犯罪収益移転防止法施行規則6条1項に限定列挙されている。具体的には、次の各方法が認められている。

図表2-18：個人（本邦内に住居を有する者）の確認方法

取引	確認方法
対面取引	①写真付き本人確認書類（運転免許証、在留カード、特別永住者証明書、個人番号カード、旅券（パスポート）等）の提示を受ける方法
	②国民健康保険等の被保険証、共済組合の組合員証、国民年金手帳、母子健康手帳、印鑑登録証明書、戸籍謄本・抄本、住民票の写し等の本人確認書類の提示を受け、当該書類に記載されている住居に宛てて、通帳、カード等の取引関係文書を、書留郵便等（注1）により、転送不要郵便物等として送付する方法
	③国民健康保険等の被保険証、共済組合の組合員証、国民年金手帳、母子健康手帳等のうちいずれか2つの書類の提示を受ける方法
	④国民健康保険等の被保険証、共済組合の組合員証、国民年金手帳、母子健康手帳等の提示を受けるとともに、印鑑登録証明書等の提示または顧客等の現在の住居の記載のある納税証明書や公共料金の領収証書（補完書類）の提示を受ける方法
	⑤国民健康保険等の被保険証、共済組合の組合員証、国民年金手帳、母子健康手帳等の提示を受けるとともに、当該本人確認書類以外の本人確認書類もしくは補完書類またはそれらの写しの送付を受ける方法
非対面取引	⑥特定事業者が提供するソフトウェアを使用して、本人確認用画像情報（顧客等の容貌および写真付き本人確認書類の画像情報であって、当該写真付き本人確認書類に係る画像情報が、当該写真付き本人確認書類に記載されている氏名、住居および生年月日、当該写真付き本人確認書類に貼り付けられた写真ならびに当該写真付き本人確認書類の厚みその他の特徴を確認することができるものをいう）の送信を受ける方法
	⑦特定事業者が提供するソフトウェアを使用して、本人確認用画像情報（顧客等の容貌の画像情報）の送信を受けるとともに、顧客等の写真付き本人確認書類（氏名、住居、生年月日および写真の情報が記録されているICチップが組み込まれたものに限る）に組み込まれたICチップに記録された当該情報の送信を受ける方法

非対面取引	⑧⑥または⑦の方法により情報の送信を受けるとともに、次に掲げる行為のいずれかを行う方法（なりすましている疑いがある取引等を除く） ⑴　他の特定事業者が預金等の口座開設またはクレジットカード契約を行う際に当該顧客等について氏名、住居および生年月日の確認を行い、当該確認に係る確認記録を保存し、かつ、当該顧客等またはその代表者等から当該顧客等しか知り得ない事項その他の当該顧客等が当該確認記録に記録されている顧客等と同一であることを示す事項の申告を受けることにより当該顧客等が当該確認記録に記録されている顧客等と同一であることを確認していることを確認すること ⑵　当該顧客等の預金等の口座（当該預金口座に係る預金等の口座開設を行う際に当該顧客等について氏名、住居および生年月日の確認を行い、かつ、当該確認に係る確認記録を保存しているものに限る）に金銭の振込みを行うとともに、当該顧客等またはその代表者等から当該振込みを特定するために必要な事項が記載された通帳の写しまたはこれに準ずるものの送付を受けること
	⑨①から⑤の本人確認書類の原本または写しの送付を受けるとともに、当該書類に記載されている住居に宛てて、取引関係文書を、書留郵便等（注１）により、転送不要郵便物等として送付する方法
	⑩本人限定受取郵便等（注２）により、顧客に取引関係文書を送付する方法
	⑪電子署名法に基づく顧客の氏名・住居・生年月日の記録のある電子証明書を利用する方法
	⑫公的個人認証法に基づく公的電子証明書を利用する方法
共通	⑬特定取引が特定の預金等の口座における口座振替の方法により決済されるものにあっては、口座を開設する他の特定事業者が本人確認を行い、かつ本人確認記録を保存していることを確認する方法（注３）
	⑭特定取引がクレジットカード等を使用する方法により決済されるものにあっては、クレジットカード等を交付し、付与した他の特定事業者が本人確認を行い、かつ本人確認記録を保存していることを確認する方法（注３）

（注１）宅配業者による宅配便でも、送付先の受領が確認され、転送不要として送付されるものであれば、書留郵便等にあたる。日本郵便は、2009年３月１日より、特定記録郵便の取扱いを開始している（これまで提供してきた配達記録郵便の取扱いは廃止）が、これは特定の郵便受箱への配達を行うもので受領印のある配達の記録の作成が行われないことから、書留郵便等にはあたらない。

（注２）本人限定受取郵便は、郵便局が名宛人の本人確認を行って名宛人に交付するという取扱いがなされるものである。信書便業者や宅配業者が提供するサービスでも、要件を充たしていればこれに該当しうる。

（注３）これらの方法を利用するためには、この方法を用いようとする特定事業者と当該他の特定事業者が、あらかじめ、この方法を用いることについて合意をしている場合に限るとされている（犯罪収益移転防止法施行規則13条１項１号および２号）。確実な合意がないのに「口座振替だから／クレジットカード払いだから当然に銀行等またはクレジットカード会社の側で本人確認がなされているだろう」というような取扱いはできない（犯収法逐条解説93頁）。また、法令上は合意について明記した契約書を取り交わすことが要求されるものではないが、合意が存在することを明らかにできるようにしておくことが望ましいとされている（2010年２月23日付「『犯罪による収益の移転防止に関する法律施行規則の一部を改正する命令案』に対するパブリックコメントの結果等について」No. 5）。

（注４）現住居と本人確認書類の住居が異なっているときは、６ヶ月以内の押印等がある国税または地方税の領収証書、納税証明書、社会保険料や公共料金の領収証書などの提出をさせることにより確認することができる（犯罪収益移転防止法施行規則６条２項）。

（注５）上記⑥～⑧は、2018年11月30日に公布された犯罪収益移転防止法施行規則の改正によって新たにオンラインで完結する取引時確認の方法として認められることとなった方法である。また、⑨および⑩は、2020年４月１日より規制が強化された。⑨で写しの送付を受ける場合には、２点以上の本人確認書類か、本人確認書類にあわせて補完書類の提出を受ける必要がある。また、⑩では本人限定受取郵便等の本人確認時に単なる「本人確認書類」ではなく、「写真付本人確認書類」の提示が求められる。

図表2-19：個人（本邦内に住居を有しない外国人）の確認方法

取引	確認方法
共通	日本国政府の承認した外国政府または権限ある国際機関の発行した書類（旅券等）その他これに類するもので、図表２－18の方法に準ずるもの（氏名、住居および生年月日の記載があるものに限る）

（注）１回限りの為替取引を行う者については、旅券等（氏名および生年月日の記載があるものに限る）であって、国籍および旅券等の番号の記載があるものの提示を受ける方法でも足りる。

＊個人（本邦内に住居を有する者）を確認する方法

氏名、住居および生年月日の申告を受け、図表２－18の本人確認方法により、当該本人特定事項の確認を行わなければならない。また、取引目的および職業の申告を受けて確認する必要がある。

＊個人（本邦内に住居を有しない外国人）を確認する方法

氏名、住居（１回限りの為替取引を行う場合は国籍および旅券・乗員手帳（以下「旅券等」という）の番号）および生年月日の申告を受け、図表２－19の本人確認方法により、当該本人特定事項の確認を行わなければならない。

＊法人（本邦内に本店等を有する法人）を確認する方法

名称および本店または主たる事務所の所在地の申告を受け、図表２－20の本人確認方法により、当該本人特定事項の確認を行わなければならない。また、取引目的、事業内容、法人の実質的支配者の確認が必要となる。取引目的および法人の実質的支配者は申告を受けて、事業内容については定款や登記事項証明書等での確認が必要となる。なお、取引担当者の本人特定事項の確認も別途必要である。

図表2-20：法人（本邦内に本店等を有する法人）の確認方法

取引	確認方法
対面	法人の取引担当者から登記事項証明書または印鑑登録証明書等の公的書類の提示を受ける方法
非対面	法人の取引担当者から登記事項証明書または印鑑登録証明書等の原本または写しの送付を受けるとともに、当該書類に記載されている本店等に宛てて、取引関係文書を、書留郵便等（注１）により、転送不要郵便物等として送付する方法
	商業登記法に基づき登記官が作成した電子証明書を利用する方法
	顧客等から、法人の名称および本店等の所在地の申告を受け、かつ、一般財団法人民事法務協会が運営する登記情報提供サービスからの登記情報の送信を受けたり、国税庁が運営する法人番号公表サイトで公表されている法人の名称および本店等の所在地を確認したりする方法（注２）
共通	特定取引が特定の預金等の口座における口座振替の方法により決済されるものにあっては、口座を開設する他の特定事業者が本人確認を行い、かつ本人確認記録を保存していることを確認する方法（注３）
	特定取引がクレジットカード等を使用する方法により決済されるものにあっては、クレジットカード等を交付し、付与した他の特定事業者が本人確認を行い、かつ本人確認記録を保存していることを確認する方法（注３）

（注１）図表２－18参照。
（注２）対面しないで申告を受けた場合はさらに本店等に宛てて取引関係文書を書留郵便等で転送不要郵便物等として送付する必要がある。
（注３）図表２－18参照。

図表2-21：法人（外国に本店等を有する法人）の確認方法

取引	確認方法
共通	図表２－20の法人（本邦内に本店等を有する法人）を確認する方法のほか、日本国政府の承認した外国政府または権限ある国際機関の発行した書類その他これに類するもので、上記方法に準ずるもの（名称および本店等の所在地の記載があるものに限る）

＊法人（外国に本店等を有する法人）を確認する方法

名称および本店または主たる事務所の所在地の申告を受け、図表2－21の本人確認方法により、当該本人特定事項の確認を行わなければならない。取引目的、事業内容、法人の実質的支配者の確認が必要となる点は前記同様である。なお、取引担当者の本人特定事項の確認も別途必要である。

(d)　確認記録の作成義務

特定事業者は、取引時確認を行った場合には、直ちに、犯罪収益移転防止法施行規則19条に定める方法により、本人特定事項、取引時確認のためにとった措置その他の犯罪収益移転防止法施行規則20条に定める事項に関する記録（以下「確認記録」という）を作成しなければならない（犯罪収益移転防止法6条1項）。

確認記録の保存期間は、7年間である（犯罪収益移転防止法6条2項、犯罪収益移転防止法施行規則21条）。

(e)　取引記録等の作成義務

特定事業者は、特定業務に係る取引（犯罪収益移転防止法施行令15条で定める取引を除く）を行った場合には、直ちに、文書、電磁的記録またはマイクロフィルムを用いる方法により、顧客等の本人確認記録を検索するための事項、当該取引の期日および内容その他の犯罪収益移転防止法施行規則24条に定める事項に関する記録（以下「取引記録」）等を作成しなければならない（犯罪収益移転防止法7条1項）。

取引記録の保存期間は、7年間である（犯罪収益移転防止法7条3項）。

イ　疑わしい取引の届出

特定事業者は、特定業務において収受した財産が犯罪による収益である疑いがあり、または顧客等が特定業務に関し組織的犯罪処罰法10条の罪もしくは麻薬特例法6条の罪に当たる行為を行っている疑いがあると認められる場合においては、速やかに、犯罪収益移転防止法施行令16条1項で定めるところにより、同条2項で定める事項を行政庁に届け出なければならない（犯罪収益移転防止法８条１項）。

どのような取引が届出を要する疑わしい取引に該当するかについては、①資金移動業者の行っている業務内容・業容に応じて、システム、マニュアル等により、疑わしい利用者や取引等を検出・監視・分析する態勢が構築されているか、②上記態勢整備にあたっては、国籍（例：FATFが公表するマネー・ローンダリング対策に非協力的な国・地域）、公的地位、利用者が行っている事業等の利用者属性や、外為取引と国内取引との別、利用者属性に照らした取引金額・回数等の取引態様が十分考慮されているかに留意する必要がある（資金移動ガイドラインⅡ－２－１－２－１(2)）。

なお、金融庁では、疑わしい取引に該当する可能性のある取引として特に注意を払うべき取引事例をまとめた「疑わしい取引の参考事例」を公表している（https://www.fsa.go.jp/str/jirei/index.html）。同事例は、預金取扱金融機関等の参考事例ではあるが、為替取引に関する部分は資金移動業者においても参考となるため、参照されたい。

ウ　外国為替取引に係る通知義務

特定事業者は、顧客と本邦から外国へ向けた支払いに係る為替取引を行う場合において、当該支払いを他の特定事業者または外国所在為替取引業者（外国に所在して業として為替取引を行う者をいう）に委託するときは、当該顧客に係る本人特定事項その他の事項で、犯罪収益移転防止法施行規則31条に定めるものを通知して行わなければならない（犯罪収益移転防止法10条１項）。

特定事業者が、他の特定事業者から本邦から外国へ向けた支払いの委託または再委託を受けて、当該支払いを他の特定事業者または外国所在為替取引業者に再委託するとき（犯罪収益移転防止法10条２項）や、外国所在為替取引業者や他の事業者から外国から本邦へ向けた支払いまたは外国から他の外国へ向けた支払いの委託または再委託を受けて、当該支払いを他の特定事業者または外国所在為替取引業者に再委託するとき（犯罪収益移転防止法10条３項・４項）も同様である。

テロ活動やマネー・ローンダリング等を効果的に摘発するためには、国際間の資金移転を追跡し、犯罪による収益の出所を明らかにする必要があり、我が国および外国において送金業務を取り扱う事業者間の情報交換および情報共有が不可欠であることから、このような義務が課されている（犯収法逐条解説256頁）。

資金移動業者が、かかる通知義務を課されることとなるのは、他の特定事業者や外国所在為替取引業者との間で、コルレス契約を締結して支払いの委託を行っている場合などである。

エ　特定事業者の体制整備義務

また、特定事業者が外国所在為替取引業者との間で為替取引を継続的にまたは反復して行うことを内容とする契約を締結するに際しては、当該外国所在為替取引業者が取引時確認等相当措置を的確に行うために必要な営業所等を置き、犯罪収益移転防止法施行規則に定める基準に従い、必要な体制を整備していること等の確認を行わなければならないとされている（犯罪収益移転防止法９条）。

さらに、特定事業者は、取引時確認、取引記録等の保存、疑わしい取引の届出等の措置を的確に行うため、当該取引時確認をした事項に係る情報を最新の内容に保つための措置を講ずるものとするほか、使用人に対する教育訓練の実施その他の必要な体制の整備に努めなければならない（犯罪収益移転防止法11条）。

これらの犯罪収益移転防止法に基づく取引時確認および疑わしい取引の届出を行うにあたり、必要となる態勢の整備は、資金移動ガイドラインⅡ－２－１－２－１に主な着眼点が記載されている。

CHECK 業務開始までに必要な対応

□　対応部署の決定
□　業務フローの決定
□　コンプライアンス・マニュアル等の策定

□ 「疑わしい取引」の基準の策定
□ 「疑わしい取引」の検出・届出手順の策定
□ 従業員採用方針・利用者受入方針の策定
□ 利用約款の策定
□ 社内規程および社内体制の整備
□ 担当者に対する周知徹底

(xiii) その他諸法への対応

資金移動業者は、その他諸法として、民法、消費者契約法などの一般法の適用を受ける。また、資金移動業者が海外送金サービスを提供する場合には、外為法や国外送金調書法を遵守する必要がある。

以下では、外為法および国外送金調書法について概説する。

ア 外為法

(a) 外為法上の規制対象か否か等の確認義務

資金移動業者は、その顧客の支払いまたは支払いの受領（以下「支払等」という）が、以下の①から③に掲げる規制対象の支払等のいずれにも該当しないこと、または規制対象の支払等に該当すると認められる場合には、支払等に係る許可や支払等の原因取引に係る許可等を受けていることを確認した後でなければ、当該顧客と支払等に係る為替取引を行ってはならない（外為法17条～17条の3）。

①外為法16条1項から3項までの規定により許可義務が課された支払等
②外為法21条1項または2項の規定により許可義務が課された資本取引に係る支払等
③その他、外為法令の規定により許可、承認または届出の義務が課された取引のうち、外国為替令7条に規定するものに係る支払等

これは、資産凍結等経済制裁の対象となる国、個人または団体への支払等（例えば、イランの核活動等に関連する活動または大型通常兵器等の供給等に関連する活動に寄与する目的で行われる支払等）を規制するための規定である。外為法は、本邦から外国へ向けた支払いを

しようとする居住者もしくは非居住者または非居住者との間で支払等をしようとする居住者等に対して、上記①から③の規定により許可義務等を課しており、資金移動業者が海外送金サービスを提供する場合には、これらの許可等を要する取引であるか、要するとした場合にこれらの許可等を受けているかを確認する必要があるとするものである。

外為法上の規制対象か否か等の確認義務を遵守するための必要な管理体制は、財務省のウェブサイト（https://www.mof.go.jp/policy/international_policy/gaitame_kawase/inspection/guideline_index.htm）に公表されている「外国為替検査ガイドライン」の第２章１「外為法令等遵守のための内部管理態勢全般に係る項目」や、第２章２「資産凍結等経済制裁に関する外為法令の遵守に関する項目」に記載のとおりである。

資金移動業者は、資産凍結等経済制裁に関するコンプライアンス・マニュアル等を策定し、資産凍結等経済制裁対象者に係る情報の更新および関係部店への周知、資産凍結等経済制裁の対象となる支払等に該当するか否かを確認するための照合についての手段および基準、資産凍結等経済制裁の対象となる取引または行為に該当するか否か明らかではない場合の判断基準および判断後の対応等の具体的な事務手順を規定しておくことが必要とされている。

また、送金を取り扱う際には、貿易に関する支払規制等も含む資産凍結等経済制裁対象の送金ではないことの確認（外為法上の許可を要するか否かの確認）を行うために、必要な送金目的、送金人および受取人の氏名・名称、住所・本店所在地（国）等の情報を把握していることが必要とされている。

さらに、資産凍結等経済制裁対象者への送金ではないことを確認するために、原則として自動照合システム（送金人および受取人の氏名、住所等検索の対象とする情報と、あらかじめ作成・更新しておいた資産凍結等経済制裁対象者リスト内の情報との類似性があらかじめ設定された一定の比率以上になる場合に、当該検索対象の情報を有する送金に係る事務処理を自動的に中断するプログラムが組み込まれた情報システム）を用いて照合を行い、当該システムにより事務処理が中断された送金については、資産凍結等経済制裁の対象ではないことを確認するための照合手段および照合基準に従い、適切に対応することが必要とされている。

これらの確認内容、確認結果および確認義務を履行した旨は、記録化しておき、書面または電磁的記録の方法により保存しておくこととなる。

⒝　外為法上の本人確認義務

資金移動業者は、本邦から外国へ向けた支払い、または非居住者との間でする支払等（顧客が非居住者の場合を除く）に係る為替取引（10万円相当額以下の為替取引を除く）を行うに際しては、当該顧客について本人確認を行わなければならない（外為法18条～18条の5）。

外為法上の本人確認義務を遵守するために必要な管理体制は、前記「外国為替検査ガイドライン」の第2章3「両替業務における取引時確認等に係る犯収法令の遵守及び本人確認義務等に係る外為法令の遵守（除く両替業務）に関する項目」に記載のとおりであるが、基本的には、犯罪収益移転防止法上の本人確認義務を遵守するために必要となる体制と同様であり、あわせて態勢整備を行うことが考えられる。

⒞　支払等の報告

顧客（居住者に限る）の支払等が、本邦から外国へ向けた支払いであって、3000万円相当額を超える等の場合には、当該顧客から書面で提出を受けた「支払又は支払の受領に関する報告書」を日本銀行へ提出しなければならないとされている（外為法55条）。

CHECK 業務開始までに必要な対応

□　対応部署の決定

□　業務フローの決定

□　事務マニュアルの策定

□　資産凍結等経済制裁対象者リストの作成
□　資産凍結等経済制裁対象取引の照合・確認手順の策定
□　利用約款の策定
□　担当者に対する周知徹底

イ　国外送金調書法

(a)　告知書の提出義務

国外送金または国外からの送金等の受領をする者（政令で定めるものを除く）は、その国外送金または国外からの送金等の受領（以下「国外送金等」という）がそれぞれ特定送金または特定受領に該当する場合を除き、国外送金調書法３条１項所定の事項を記載した告知書を、その国外送金等をする際、資金移動業者の営業所等の長に対して、提出することとされている（国外送金調書法３条）。

このため、資金移動業者は、海外送金サービスを提供する場合には、原則として、当該告知書の提出を受け、当該告知書の提出をした者の本人確認を行わなければならない（国外送金調書法３条１項）。

国外送金調書法は、納税義務者の外国為替その他の対外取引および国外にある資産の国税当局による把握を可能とし、もって所得税、法人税、相続税その他の内国税の適正な課税の確保を図ることを目的としており、同法３条は、かかる目的を達成するため、国外送金を行う者からの告知を求めるものである。

国外送金調書法上の告知義務および本人確認義務は、犯罪収益移転防止法や外為法上の本人確認義務とは異なり、閾値が定められていないことから、送金額の多寡にかかわらずこれらを履践することが必要である。

もっとも、国外送金等が、「特定送金」または「特定受領」に該当する場合には、告知書の提出は不要とされている（国外送金調書法３条１項）。

「特定送金」とは、その国外送金をする者の本人口座（勘定を含む）からの振替によりされる国外送金その他これに準ずる国外送金として国外送金調書法施行令７条１項で定めるものであり、「特定受領」とは、その国外からの送金等の受領をする者の本人口座においてされる国外からの送金等の受領その他これに準ずる国外からの送金等の受領として同条２項で定めるものである（国外送金調書法３条２項）。

資金移動業者が、為替取引の提供にあたり、顧客ごとに送金口座を開設したり、会員登録をさせるなどして顧客ごとの勘定を設けているような場合には、かかる本人口座からの振替等に該当し、顧客の告知書の提出およびこれに対する金融機関の本人確認が不要となるものと考えられる。

留意すべき点としては、2016年１月１日以降会員登録等を行う新規顧客との関係では、かかる本人口座は、氏名または名称、住所および個人番号または法人番号（マイナンバー）の確認と確認書類による照合が必要とされている点である。2016年１月１日よりも前に会員登録等を行っている既存顧客については、３年間の猶予措置があったが、現在はすべての本人口座について確認が必要である。

(b)　国外送金等調書の提出義務

金融機関は、その顧客（公共法人等を除く）が当該金融機関の営業所等を通じてする国外送金等（その金額が100万円以下のものを除く）に係る為替取引を行ったときは、国外送金調書法４条１項所定の事項を記載した調書（国外送金等調書）を、その為替取引を行った日として財務省令で定める日の属する月の翌月末日までに、当該為替取引に係る金融機関の営業所等の所在地の所轄税務署長に提出しなければならない（国外送金調書法４条）。もっとも、第２種資金移動業者および第３種資金移動業者は、100万円相当額を超える為替取引を取り扱うことはできないこととされているから（法36条の２、令12条の２）、国外送金等調書の提出を要するのは第１種資金移動業者の取引に限られるものと考えられる。

CHECK 業務開始までに必要な対応

- □ 対応部署の決定
- □ 業務フローの決定
- □ 事務マニュアルの決定
- □ 告知者の確認手順の決定
- □ 利用約款の策定
- □ 担当者に対する周知徹底

(9) 外部委託先の管理

(i) 外部委託先への委託

資金移動業者は、その業務の一部を第三者に委託することが可能である（法38条1項9号参照）。資金移動業者は、その業務を第三者に委託する場合には、委託業務の適正かつ確実な遂行を確保するために必要な措置を講じることが必要であるが（資金移動府令27条）、委託先の選定等についての制限は特に設けられていない。

資金移動業者から委託を受けた第三者が、その委託業務を再委託することも可能である。この場合にも、資金移動業者は、再委託先も含めた委託業務の適正かつ確実な遂行を確保するために必要な措置を講じることが求められる（2010年パブコメNo. 76）。

第三者に委託することのできる業務の内容についても、特に制限はないが、資金移動業者が、資金移動業の全部を委託することはできない。資金決済法42条によって名義貸しが禁止されており、同38条1項9号でも「一部」と記載されている。少なくとも、資金移動業者は、委託先における委託業務の適正かつ確実な遂行を確保するための監督を行う必要があり、そのために必要な委託先からの委託業務の報告を受けること、帳簿書類等の保管を行うこと、委託先に問題があった場合にはこれを是正・指導を行うといった業務を行うことが必要であると考えられる。

資金移動業者が、資金移動業を第三者に委託する場合には、委託業務の内容ならびにその委託先の氏名または商号もしくは名称および住所を、登録申請書に記載して財務（支）局長に提出することが必要である（法38条1項9号）。

委託先として登録申請書に記載しなければならないのは、資金移動業者と委託契約を締結した第三者であり、当該第三者から再委託を受けた再委託先は含まれない。また、登録申請書のうち、営業所の名称および所在地には、委託先において委託業務を取り扱う場合の当該委託先の営業所の名称および所在地は含まれない（資金移動府令別紙様式第１号・第２号の登録申請書）。

Q10 資金移動業登録を行って、換金可能な電子マネーを発行し、当該電子マネーを第三者が運営する店舗でも利用することができることとしたい。この場合の店舗は、「委託先」となるか、それとも「利用者」となるか。

A10 当該電子マネーを店舗でも利用させる場合に、店舗を運営する第三者を資金移動業者の「委託先」と位置づけるか、「利用者」と位置づけるかについては、両方の考え方がありうる。

店舗を運営する第三者を資金移動業者の「委託先」と位置づけた場合、当該店舗で電子マネーが利用されたことにより、資金移動業者が提供するサービスは完遂され、資金移動業者が電子マネーを保有していた者に対して負担していた未達債務は、当該利用時点で消滅することとなると考えられる。この場合、資金移動業者は、当該第三者との間で委託契約書を締結し、委託先としての監督を行うことが必要である。

これに対し、店舗を運営する第三者を資金移動業者の「利用者」と位置づけた場合、当該店舗で電子マネーが利用されても、利用者間での電子マネーの譲渡（代物弁済）が行われたにすぎないと考えられる。そのため、資金移動業者が電子マネーを保有していた者に対して負担していた未達債務は消滅するが、当該利用時点以降は、店舗を運営する第三者に対する未達債務として負担することとなる（未達債務の移転）と考えられる。そして、資金移動業者が店舗を運営する第三者に支払いを行った時点で未達債務は消滅することとなると考えられる。この場合、資金移動業者は、当該第三者との間で委託契約書を締結する必要はなく、委託先としての監督義務も負わないが、当該第三者を利用者として、その資産を保全する義務を負うこととなる。

(ii) 外部委託管理態勢

資金移動業者は、資金移動業を第三者に委託した場合には、資金移動業府令27条で定めるところにより、委託先に対する指導その他の委託業務の適正かつ確実な遂行を確保するために必要な措置を講じなければならない（法50条、資金移動府令27条）。

資金移動業者が講じなければならない措置は、①委託業務を適正かつ確実に遂行することができる能力を有する者に委託するための措置、②委託先における当該業務の実施状況を、定期的にまたは必要に応じて確認すること等により、委託先が委託業務を適正かつ確実に遂行しているかを検証し、必要に応じ改善させるなど、委託先に対する必要かつ適切な監督等を行うための措置、③委託先が行う資金移動業に係る利用者からの苦情を適切かつ迅速に処理するために必要な措置、④委託先が当該業務を適切に行うことができない事態が生じた場合には、他の適切な第三者に当該業務を速やかに委託する等、資金移動業の利用者の保護に支障が生じること等を防止するための措置、⑤資金移動業者の業務の適正かつ確実な遂行を確保し、当該業務に係る利用者の保護を図るため必要がある場合には、当該業務の委託に係る契約の変更または解除をする等の必要な措置である（資金移動府令27条）。

これを受けて、具体的には、資金移動ガイドラインに詳細な内容が規定されている。

外部委託先の管理において、留意すべき点は、以下のとおりである。

ア　委託先に関する指示等（資金移動ガイドラインⅡ－２－３－３－１）

・委託先における法令等遵守態勢の整備について、必要な指示を行うなど、適切な措置が確保されているか。また、外部委託を行うことによって、検査や報告命令、記録の提出など監督当局に対する義務の履行等を妨げないような措置が講じられているか。

・利用者との現金の受払いを委託する場合には、委託先が利用者との現金の受払いを行った際に、速やかに当該現金の受払いに係る未達債務の増減を把握できる措置を講じているか。

　なお、この点、業務の内容および方法に応じて適切かつ確実に未達債務の把握が行われる仕組みを構築することは不可欠であるが、委託業務の遂行上、現金の分別管理等まで義務づけることまでは必ずしも不可欠ではないと考えられる。為替取引は現金輸送をその定義から除外し、必ずしも同一の資金が移動しなければならないものではないこと、委託先が他業を営んでいる場合があり厳密に分別管理を求めることとなると過大な負担となる場合があるためである。

・二段階以上の委託が行われた場合には、外部委託先が再委託先等の事業者に対して十分な監督を行っているかについて確認しているか。また、必要に応じ、再委託先等の事業者に対して自社による直接の監督を行っているか。

イ　利用者保護のための措置（資金移動ガイドラインⅡ－２－３－３－１）

・委託契約によっても当該資金移動業者と利用者との間の権利義務関係に変更がなく、利用者に対しては、当該資金移動業者自身が業務を行う場合と同様の権利が確保されていることが明らかとなっているか。

・委託業務に関して契約どおりサービスの提供が受けられない場合、資金移動業者は利用者利便に支障が生じることを未然に防止するための態勢を整備しているか。

ウ　利用者情報の管理態勢（資金移動ガイドラインⅡ－２－３－３－１）

・個人である利用者に関する情報の取扱いを委託する場合には、当該委託先の監督について、当該情報の漏洩、滅失または毀損の防止を図るために必要かつ適切な措置として、個人情報保護ガイドライン10条の規定に基づく措置および個人情報保護実務指針Ⅲの規定に基づく措置が講じられているか。

・外部委託先の管理について、責任部署を明確化し、外部委託先における業務の実施状況を定期的または必要に応じてモニタリングする等、外部委託先において利用者に関する情報管理が適切に行われていることを確認しているか。

・外部委託先において情報漏洩事故等が発生した場合に、適切な対応がなされ、速やかに委託元に報告される体制になっていることを確認しているか。

・外部委託先による利用者に関する情報へのアクセス権限について、委託業務の内容に応じて必要な範囲内に制限しているか。その上で、外部委託先においてアクセス権限が付与される役職員およびその権限の範囲が特定されていることを確認しているか。さらに、アクセス権限を付与された本人以外が当該権限を使用すること等を防止するため、外部委託先において定期的または随時に、利用状況の確認（権限が付与された本人と実際の利用者との突合を含む）が行われている等、アクセス管理の徹底が図られていることを確認しているか。

エ　システム管理（資金移動ガイドラインⅡ－２－３－１－１(8)）

・システムに係る外部委託業務について、リスク管理が適切に行われているか。特に外部委託先（システム子会社を含む）が複数の場合、管理業務が複雑化することから、より高度なリスク管理が求められることを十分認識した体制となっているか。システム関連事務を外部委託する場合についても、システムに係る外部委託に準じて、適切なリスク管理を行っているか。

オ　苦情相談態勢（資金移動ガイドラインⅡ－２－３－３－１）

・委託業務に関する苦情等について、利用者等から委託元である資金移動業者への直接の連絡体制を設けるなど適切な苦情相談態勢が整備されているか。

CHECK 業務開始までに必要な対応

- □ 対応部署の決定
- □ 委託先の選定基準、外部委託管理規定の策定
- □ 委託契約書の締結
- □ 業務フローの決定
- □ 事務マニュアルの策定
- □ 担当者に対する周知徹底

(iii) 外部委託契約の内容

委託先と委託契約を締結する場合、当該委託契約書の形式や内容には

様々なものが考えられるが、前記(ii)を踏まえて、資金移動業者が適切な措置を講じられるようにしておく必要があると考えられる。

外部委託契約書においては、委託業務の範囲、委託料、個人情報や機密情報の取扱いなどが通常定められるが、資金移動ガイドラインとの関係では、例えば、下記の規定をどのように規定するかがポイントとなると考えられる。

①資金移動業者が、委託先に対して指導および監督を行うことができる旨の規定

②委託先が資金移動業者に対して、定期的に、および、資金移動業者が求めた場合に報告を行うことを定める規定

③資金移動業者が、必要に応じて委託先の監査を行うことができる旨の規定

④委託先が資金や送金依頼を受領した場合の手順や、委託先に対して寄せられた利用者からの苦情を処理するための手順を定める規定

⑤委託先の委託業務に関する苦情について改善を求めることができる旨を定める規定

⑥委託先における個人情報の取扱いに関する規定

⑦業務の適正かつ確実な遂行を確保し、利用者の保護を図るため必要がある場合には、資金移動業者が委託契約の変更または解除をすることができる旨の規定

以下では、業務委託契約書の例を示すが、具体的な委託業務の内容およびリスクの所在によって、必要な規定が異なる点に留意されたい。

●● 記載例——業務委託契約書 ●●

業務委託契約書

第１条（目的）

1．甲は乙に対し、次条に定める業務（以下「本件業務」という）を委託し、乙

はこれを受託する。
2．甲は乙に対し、本件業務委託の対価として、第6条に定める委託料を支払う。

第2条（本件業務）
本件業務の内容は、別紙1に定めるとおりとする。

第3条（本件業務の遂行）
1．乙は、甲所定の業務マニュアルに基づき、甲の指示に従い、善良なる管理者の注意をもって本件業務を適切に遂行する。
2．乙は、毎月の本件業務の遂行状況等に関する報告書を、当該月の末日から7日以内に、甲に対して提出するものとする。

第4条（資料等の取扱い）
乙は、甲から貸与、提供された資料およびデータ等について、甲の書面による承諾がない限り、他の目的に使用し、または第三者に貸与、提供、閲覧、複製等させてはならない。

第5条（再委託の禁止）
1．乙は、本件業務を自ら実施するものとし、甲による承諾を得た場合を除き、方法の如何を問わずこれを第三者に再委託してはならない。
2．乙は、甲の承諾を得て委託業務を第三者に再委託した場合、当該第三者に対して本契約の各条項を遵守させる義務を負うものとする。
3．甲は、乙が前項の規定により本件業務の全部または一部を第三者に再委託したときは、その再委託先が本件業務を適切かつ確実に遂行することを確保するために必要な指導および監督を、乙または当該再委託先に対して直接に行うことができるものとする。

第6条（委託料）
甲が乙に支払う委託料の金額および支払方法は、別紙2に定めるとおりとする。

第7条（秘密保持義務）
1．乙は、本件業務の履行に際し知り得た甲の一切の情報を、本件業務を履行する目的以外には、利用せず、これを第三者（委託業務の再委託先を除く）に開示、漏洩しないものとする。

2．乙が本条の義務に違反するおそれがあると甲が合理的に判断した場合には、甲は乙に対して、差止めその他の侵害の停止または予防に必要な措置を請求することができる。

3．乙は、本件業務を履行する乙の役員、従業員およびその他の者（退職者を含む）と本条の義務を遵守させるための秘密保持契約を締結するなど必要な措置を講ずる義務を負うものとする。

4．本条の規定は、本契約終了後も有効に存続する。

第8条（個人情報）

1．乙は、本契約に基づき乙が知り得る甲の顧客に関する個人情報の取扱いについて、適切な安全管理体制を整備しこれを維持するとともに、特に以下の措置を講じなければならない。

⑴　乙は、個人情報を取り扱う者を、業務を遂行するために必要最小限の者に制限する。

⑵　乙は、前号により取扱いを認めた者を管理する責任者（以下「個人情報管理責任者」という）を任命し、甲に通知する。

⑶　個人情報管理責任者は、個人情報の紛失・盗難・漏洩・改ざん・毀損等の問題が起きないよう、個人情報の媒体に応じた適切な管理を行う。

2．乙は、個人情報を取り扱う者に対し、本契約に定める事項を十分に説明し、乙の負う秘密保持義務を遵守させなければならない。

3．乙は、本契約の履行に際し知り得た個人情報を、善良な管理者の注意をもって保管または管理するものとし、本件業務の履行以外の目的で利用してはならない。

第9条（報告・監査）

1．甲は、乙に対して合理的な通知を行った上で（ただし、緊急を要する場合にはかかる通知は不要とする)、本契約期間中および本契約終了後6ヶ月後までの間いつでも、乙およびその再委託先が本契約の条項を遵守していることを確保するため、または本件業務の遂行状況を確保するために、乙またはその再委託先に対し、必要な報告または資料の提出を求めることができるものとする。乙は、甲からかかる要求があった場合、速やかに、これに応じかつ協力するものとし、再委託先をしてこれに応じかつ協力させなければならない。

2．甲はいつでも、乙が本件業務を適切かつ確実に遂行することを確保するために必要な指導および監督をすることができるものとする。

3．乙は、監督官庁などによる報告若しくは資料の提出または立入検査について、これに応じかつ協力するものとする。

第10条（法令遵守）

乙は、本件業務の履行にあたって、資金決済に関する法律、個人情報の保護に関する法律その他の関係法令を遵守するものとする。

第11条（譲渡禁止）

甲および乙は、相手方の書面による事前の承認がなければ、この契約に基づく権利および義務を第三者に対して譲渡することができない。

第12条（事故発生時の対応）

乙は、本件業務に関し、個人情報の漏洩その他の事故が発生した場合、または当該事故等の発生のおそれがあることを知った場合には、当該事由の発生に関する帰責の如何にかかわらず、直ちに甲に連絡するとともに、対応策について協議決定し、速やかにこれに対処する。

第13条（損害賠償）

乙は、乙（再委託先を含む）がその責めに帰すべき事由により甲に損害を与えた場合、これを賠償する責めを負うものとする。

第14条（契約の解除）

1．甲および乙は、相手方が次の各号に定める事由に該当する場合、何ら催告その他の手続を要することなく、本契約の全部または一部を直ちに解除することができる。

⑴　本契約に違反し、相当の期間を定めて催告したにもかかわらず、その期間内に違反が是正されないとき。

⑵　手形または小切手の不渡りがあったとき、支払停止となったとき、信用状態に重大な不安が生じたとき。

⑶　監督官庁により営業の取消、停止等の処分を受けたとき。

⑷　仮差押、仮処分、差押、強制執行、競売等の申立を受けたとき。

⑸　破産手続開始、再生手続開始、更生手続開始、特別清算開始等の申立を受け、または自ら申し立てたとき。

⑹　合併、解散、減資または事業の全部若しくは重要な一部の譲渡の決議があったとき。

⑺　相手方およびその役員、従業員、株主その他の関係者が、暴力団、暴力団員、暴力団員でなくなった時から５年を経過しない者、暴力団準構成員、暴力団関係企業、総会屋等、社会運動等標ぼうゴロまたは特殊知能暴力集団等、カルト的宗教団体その他これらに準ずる者であること、またはそれらの

可能性があることが判明したとき。

(8) 前各号の事由が生じるおそれがあると合理的に判断されるとき。

2．前項各号の事由が生じた当事者は、このために相手方に生じた損害を賠償しなければならないものとする。なお、前項各号の事由が生じた当事者は、本契約に基づき負担する一切の債務について期限の利益を喪失し、直ちに当該債務を一括して相手方に支払うものとする。

第15条（契約期間）

本契約の有効期間は、令和○年○月○日より1年間とする。ただし、甲または乙が有効期間満了3ヶ月前までに各相手方に対し、契約更新しない旨の意思表示をしないときは、本契約は期間満了の翌日よりさらに1年間継続するものとし、以後も同様とする。

第16条（合意管轄裁判所）

本契約に関連する訴訟については東京地方裁判所を第一審の専属的合意管轄裁判所とする。

第17条（協議）

本契約に定めのない事項または本契約の各条項に疑義が生じたときは、甲乙誠意をもって協議し、その解決にあたるものとする。

（別紙・略）

(10) 登録・認可後の手続

(i) 変更届出

資金移動業者が、資金移動業の種別を変更しようとする場合には、変更登録を受けなければならない（法41条1項）。

変更登録申請書は、資金移動府令別紙様式第9号の6により作成し、資金移動府令9条の6に定める別紙様式第9号の7ほかの必要書類を添付する（資金移動府令9条の5および9条の6）。変更登録が行われたときは、申請者に対し、変更登録済み通知書により通知され（資金移動府令9条の7）、変更登録を拒否するときは、変更登録拒否通知書により通知される（資金移動府令9条の8）。

また、資金移動業者は、登録申請時に提出した登録申請書記載事項のうち、特定業務内容等（資金移動業の利用者の保護に欠け、または資金移動業の適正かつ確実な遂行に支障を及ぼすおそれが大きいものとして、内閣府令で定める事項）を変更しようとするときは、事前に届け出なければならない（法41条3項）。事前届出が義務付けられるのは、①各営業日における未達債務の額の算出時点およびその算出方法の変更、②第2種資金移動業または第3種資金移動業に係る算定期間の変更（短縮する変更を除く）、③供託期限の変更（短縮する変更を除く）、④履行完了額算出時点の変更の4つであり、いずれも資産保全義務に関わる内容の変更である（資金移動府令9条の9）。

その他の事項に関して変更を行うときは、遅滞なく、届け出なければならない（法41条4項）。変更届出書は、資金移動府令別紙様式第10号により作成し、資金移動府令10条に定める必要書類を添付する。法41条4項に定める事項の変更については、事後的に届出を行えば足りるが、資金移動業の内容および方法に重要な変更が生じる場合等には、事前に財務（支）局に対して相談を行うことが肝要である。

届出があった事項は、資金移動業者登録簿に登録されることとなる（法41条5項）。

新たに役員となった者が資金決済法40条1項10号イからホまでのいずれかに該当することが明らかになった場合には、届出者に対し、登録の取消し等の措置が行われることとなる（資金移動ガイドラインⅧ－2－1(5)①）。また、変更事項が財務局の管轄区域を越える本店の所在地の変更である場合には、財務（支）局の管轄変更が行われることとなる（資金移動ガイドラインⅧ－2－1(5)②）。

(ii) 帳簿書類の作成・記録保存

資金移動業者は、資金移動業に関する帳簿書類を作成し、これを保存しなければならない（法52条）。

資金移動業者が作成すべき帳簿書類の種類および保存期間は図表2－22のとおりである（資金移動府令33条）。

図表２-22：帳簿の種類および保存期間

資金移動業者の種類	帳簿書類の種類	保存期間
全資金移動業者	①資金移動業の種別ごとの取引記録	10年
	②総勘定元帳	10年
	③各営業日における資金移動業の種別ごとの未達債務の額および要履行保証額の記録	５年
	④各算定日における要供託額の記録	５年
利用者との間で継続的にまたは反復して為替取引を行う契約を締結する資金移動業者	⑤顧客勘定元帳	10年
供託を行う資金移動業者	⑥各算定日における資金移動業の種別ごとの履行保証金の額の記録	５年
履行保証金信託契約を締結する資金移動業者	⑦各算定日における資金移動業の種別ごとの信託財産の額の記録	５年
資金移動府令11条４項１号の規定により未達債務の額を算出する資金移動業者	⑧各営業日における資金移動業の種別ごとの、各利用者に対して負担する為替取引に関する債権債務の額の記録	５年
資金移動府令11条４項２号の規定により未達債務の額を算出する資金移動業者	⑨履行完了額算出時点を未達債務算出時点とみなして同条３項の規定の例により算出した額および同号に定める額の記録	５年
第３種資金移動業者で、預貯金等管理方法による資金管理をしている資金移動業者	⑩各営業日における第３種資金移動業の各利用者に対して負担する為替取引に関する債務の額の記録、各営業日における預貯金等管理方法により管理する金銭の額の記録、預貯金等管理監査の結果に関する記録	５年

これらの帳簿書類の作成については、社内規則等を定め、役職員が社内規則等に基づき適切な取扱いを行うよう、社内研修等により周知徹底を図る必要がある（資金移動ガイドラインⅡ－２－２－２－１①)。

帳簿書類のデータファイルは、バック・アップを行うなど、帳簿書類が毀損された場合には速やかに利用者ごとの未達債務の額を把握・復元できるような態勢を整える必要がある（同②）。また、帳簿書類の記載内容の正確性については、内部監査部門等、帳簿書類作成部署以外の部門において検証を行う必要がある（同③）。

なお、保存期間の起算点となる「帳簿の閉鎖の日」とは、各事業年度の最終日に帳簿を締める日を指す（2010年パブコメNo. 58参照）。

これらの帳簿書類のほか、資金移動業者の業務の内容および方法に応じて、犯罪収益移転防止法や外為法に基づき、取引記録や確認記録の作成および保存が必要となる場合がある。犯罪収益移転防止法上必要となる取引記録は、資金移動業に係る取引記録と兼ねることもできる。

(iii) 報告

ア　資金移動業に関する報告書

資金移動業者は、事業年度ごとに、事業概況書および資金移動業の種別ごとの収支の状況を記載した書面に分けて、資金移動府令別紙様式第19号または第20号（外国資金移動業者）により作成した資金移動業に関する報告書を、最終の貸借対照表および損益計算書を添付して、提出する必要がある（法53条１項・３項、資金移動府令34条・35条の２）。提出期限は、事業年度の末日から３ヶ月以内であり、各資金移動業者によって異なる。

資金移動業に関する報告書の提出を受けた財務（支）局においては、資金計画など、登録申請時に確認した事項を参照しつつ、報告内容を検証した上で、両者に著しい乖離が見られる場合には、当該資金移動業者に対するヒアリング等を通じて経営実態を確認すること、経営実態を確認した結果、将来、履行保証金の供託義務を履行できないおそれがあるなど、法40条１項３号に規定する「資金移動業を適正かつ確実に遂行するために必要と認められる財産的基礎を有しない」疑いがある場合には、法54条に基づき報告書を徴収するなど、必要な対応を検討することとされている（資金移動ガイドラインⅧ－２－３(1))。

イ　未達債務の額等に関する報告書

資金移動業者は、毎年３月31日、６月30日、９月30日および12月31日ごとに、資金移動府令別紙様式第21号により作成した未達債務の額等に関する報告書を、当該基準日から１ヶ月以内に、次の各書類を添付して、提出する必要がある（法53条２項・３項、資金移動府令35条・35条の２）。

未達債務の額等に関する報告書の提出を受けた財務（支）局においては、未達債務の額が著しく変動している場合には、当該変動の理由について、ヒアリング等で確認するものとし、未達債務の額が著しく増加している場合には、将来の未達債務の変動見込みおよび履行保証金の確保の見込みについて確認するものとされている（資金移動ガイドラインⅧ－２－３(2))。

ウ　業務報告書および資金移動業者の委託先に関する報告書

上記のほか、財務（支）局長は、資金移動業者に対して、毎年３月末における業務報告書を資金移動ガイドライン別紙様式９により、毎年５月末までに徴収するものとしている（資金移動ガイドラインⅧ－２－３(3)②)。

(iv)　不祥事件の届出

資金移動業者は、取締役等または従業者に資金移動業に関し法令に違反する行為または資金移動業の適正かつ確実な遂行に支障を来す行為があったことを知った場合には、当該事実を知った日から２週間以内に、資金移動府令別紙様式第26号に従い、不祥事件の届出を行わなければならない（資金移動府令39条）。

届出をすべき事項は、以下の３つである。

・当該行為が発生した営業所の名称
・当該行為を行った取締役等または従業者の氏名または名称および役職名
・当該行為の概要

図表2-23：未達債務の額等に関する報告書の基準日および添付書類

資金移動業者の種類	添付書類
供託を行う 資金移動業者	・供託に係る供託書正本の写し ・履行保証金の取戻しをした場合であって、当該取戻しが内渡しであるときは、供託規則に基づき証明を受けたことを証する書面
履行保証金保全契約を締結する資金移動業者	・保全契約の内容の変更または更新があった場合には、契約書またはその旨を証する書面の写し
履行保証金信託契約を締結する資金移動業者	・信託契約の内容の変更または更新があった場合には、契約書またはその旨を証する書面の写し ・信託会社等が発行する基準日における信託財産の額を証明する書面
第３種資金移動業者で、預貯金等管理方法による資金管理をしている資金移動業者※	・上記添付書類報告基準日において預貯金により金銭を管理していた場合には、銀行等が発行する残高証明書 ・報告基準日において金銭信託で元本補填契約のあるものにより管理していた場合には、信託業務を営む金融機関が発行する残高証明書 ・報告対象機関に預貯金等管理監査を受けた場合には、公認会計士または監査法人から提出された直近の報告書の写し

(※)第３種資金移動業者で預貯金等管理方法により資金管理をしている資金移動業者は、法53条１項の資金移動業に関する報告書を提出する際にも、計算書類についての公認会計士または監査法人の監査報告書の提出が必要となる。

不祥事件とは、資金移動業の業務に関し法令に違反する行為のほか、①資金移動業の業務に関し、利用者の利益を損なうおそれのある詐欺、横領、背任等、②資金移動業の業務に関し、利用者から告訴、告発されまたは検挙された行為、③その他資金移動業の業務の適正かつ確実な遂行に支障を来す行為またはそのおそれのある行為であって、①や②に準ずるものがこれにあたるとされている（資金移動ガイドラインⅡ－２－１－４）。

不祥事件が発覚した場合には、社内規則等に則った内部管理部門や経営陣への報告や、警察等関係機関等への通報、内部監査部門等での不祥事件の調査・解明の実施などが必要となる（資金移動ガイドラインⅡ－2－1－4－1）。

ⅴ　疑わしい取引の届出

資金移動業者は、資金移動業において収受した財産が犯罪による収益である疑いがあり、または利用者が資金移動業に関し組織的犯罪処罰法10条の罪もしくは麻薬特例法6条の罪に当たる行為を行っている疑いがあると認められる場合には、金融庁および警察庁に届け出なければならない（犯罪収益移転防止法8条1項）。

疑わしい取引を届け出るための態勢の整備およびどのような取引を疑わしい取引として検出するかについては、前記(8)(xii)イのとおりである。疑わしい取引の届出の方法は、犯罪収益移転防止法施行令16条および犯罪収益移転防止法施行規則25条に定められている。

疑わしい取引の届出制度の概要、届出状況および届出情報の活用状況については、警察庁刑事局組織犯罪対策部組織犯罪対策企画課犯罪収益移転防止対策室（JAFIC）年次報告書に詳しいため、参照されたい。

⑾　権利実行の手続

ⅰ　権利実行の手続

資金移動業者が利用者から預かった資産は、資産保全義務の履行によってその全額が保全されることとなることは、前記(7)のとおりである。

為替取引に係る債権者（資金移動業者がその行う為替取引に関し負担する債務に係る債権者）は、履行保証金について、他の債権者に先立ち弁済を受ける権利を有する（法59条1項）。

財務（支）局長は、為替取引に係る債権者から権利の実行の申立てがあった場合、または資金移動業者について破産手続開始の申立て、再生手続開始の申立て、更生手続開始の申立て、特別清算開始の申立てまたは外国倒産処理手続の承認の申立て（外国の法令上これらに相当する申立てを含む。これらは法令上、「破産手続開始の申立て等」と定義される（法2

条17項)）が行われた場合において、資金移動業の利用者の利益の保護を図るため必要があると認めるときは、権利の実行の手続（以下「権利実行の手続」という）を開始することができる（法59条2項)。

権利実行の手続は、図表2－24のとおり実施される（令19条)。

(ii) 配当

権利実行の手続が開始されると、既に供託されている履行保証金（債券供託の場合の換価代金を含む）に加えて、財務（支）局長の供託命令に応じて（法46条)、履行保証金保全契約を締結した金融機関から供託される保全金額相当額または履行保証金信託契約を締結した信託会社等から供託される信託財産の換価額が履行保証金に加わり、これらが資金移動業の利用者への引当財産となる。

為替取引に係る債権者は、債権の申出をする際には、申出書に当該申

図表2-24：資金移動業者に関する権利実行の手続

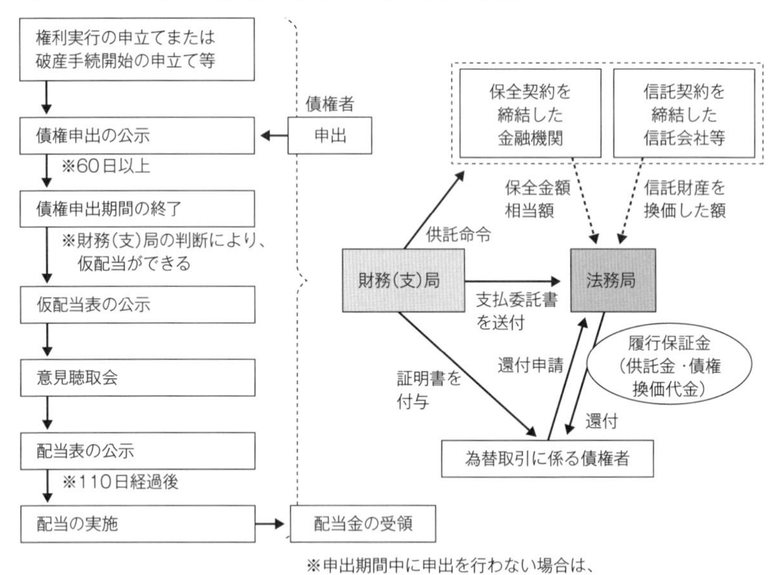

出に係る権利を有することを証する書面を添えて、財務（支）局長に提出しなければならない（履行保証金規則6条）。申出期間内にこの債権の申出を行った債権者のみが、権利実行の手続に参加することができ、申出を行わなかった債権者は権利実行の手続から除斥される（法59条2項）。

為替取引に係る債権者が配当を受けることができるのは、上記の手続によって供託されている履行保証金の額から、権利実行の手続に係る費用（公示の費用、権利実行事務代行者の報酬その他の履行保証金の還付の手続に必要な費用であり、債券の換価費用を除いたもの）を控除した後の履行保証金の額であり（令19条9項）、当該履行保証金の額が申出債権の総額を下回る場合には、為替取引に係る債権者に対する弁済は、債権額に応じた按分弁済（プロラタ弁済）となる。

(iii) 権利実行の手続完了後の債権債務関係

為替取引に係る債権者は、権利実行の手続において全額の弁済を受けられなかった場合には、残余の債権について、破産手続、再生手続、更生手続、特別清算手続等において、資金移動業者に対し、一般債権として債権届出をすることが可能であると考えられる。

また、権利実行の手続から除斥された為替取引に係る債権者も、あくまでも資金決済法に基づく権利実行の手続に参加できなくなるにすぎず、私法上の権利を失うわけではないため、発行者に対して、一般債権として債権届出をすることが可能であると考えられる。

なお、資金移動業者は、権利実行の手続が終了し、履行保証金に残余がある場合には、これを取り戻すことができる（法47条2号、令17条1項2号）。

(iv) 仮配当

資金移動業においては、利用者の生活資金等の送金インフラとして利用される場合も考えられることから、利用者に対して、早期に還付を行うため、権利実行の手続の中で仮配当を行うことができることが規定されている（令19条10項）。

ただし、仮配当を行うことができる場合は、仮配当表を作成した結果、履行保証金の金額から資金決済法施行令19条９項に規定する履行保証金の権利実行の手続に必要な費用を控除した額の80％に当たる額が、利用者から申出のあった債権の総額を上回る場合など、権利実行の手続において申出のあった債権の全額について還付することができると見込まれる場合に限定されている（資金移動ガイドラインⅧ－２－５(3)①）。

⑿　廃止等の手続

(i)　廃止等の届出

資金移動業者は、資金移動業を廃止したとき、または破産手続開始の申立て等が行われたときは、遅滞なく、資金移動府令別紙様式第24号により作成した届出書を財務（支）局長に提出して、届け出なければならない（法61条１項、資金移動府令38条１項・２項）。

資金移動業者が資金移動業を全部廃止したときは、当該資金移動業者の登録の効力は失われる（法61条２項）。

もっとも、資金移動業者は、登録の効力が失われても、その行う為替取引に関し負担する債務の履行を完了する目的の範囲内においては、なお資金移動業者とみなされる（法62条）。

なお、これまで資金移動業の一部の廃止の場合の手続は規定されていなかったが、近年資金移動業者が複数の資金移動業を営み、一部の業務のみを廃止することがあることから、2016年改正法では、資金移動業の一部の廃止の場合にも、廃止等の届出や公告の規定を適用することとしている（法61条１項・３項）。

(ii)　債務の履行完了等

資金移動業者が資金移動業を廃止しようとする場合には、資金移動業が完全に廃止される場合と、他の事業者に資金移動業が承継されて当該他の事業者の下で引き続き資金移動業が行われる場合とがあるが、それそれ以下のとおり手続が異なることとなる。

ア　資金移動業を完全に廃止する場合

資金移動業者が完全を廃止する場合には、当該資金移動業の利用者の保護を図るため、公告および債務の履行を完了するための手続を実施しなければならない（法61条３項〜５項、資金移動府令38条３項〜５項）。この場合に必要な手続は図表２－25のとおりである。

なお、資金移動業者は、送金にあたって、通常送金者の氏名・住所等の連絡先を確認しているものと考えられる。そのため、前払式支払手段の保有者の方からの申出を必要とする前払式支払手段の払戻手続（法20条１項）とは異なり、資金移動業者が債務の履行を完了するための手続を実施する際には、把握している利用者の連絡先（住所、メールアドレス等）に対して通知を行うなど、履行完了のための措置が必要とされている。

資金移動業者は、債務の履行完了の手続において、公告を行うのみならず、知れている債権者には、各別にこれを通知した場合であって、①その行う為替取引に関し負担する債務を履行するか、②資

図表2-25：資金移動業者の債務の履行完了までの手続

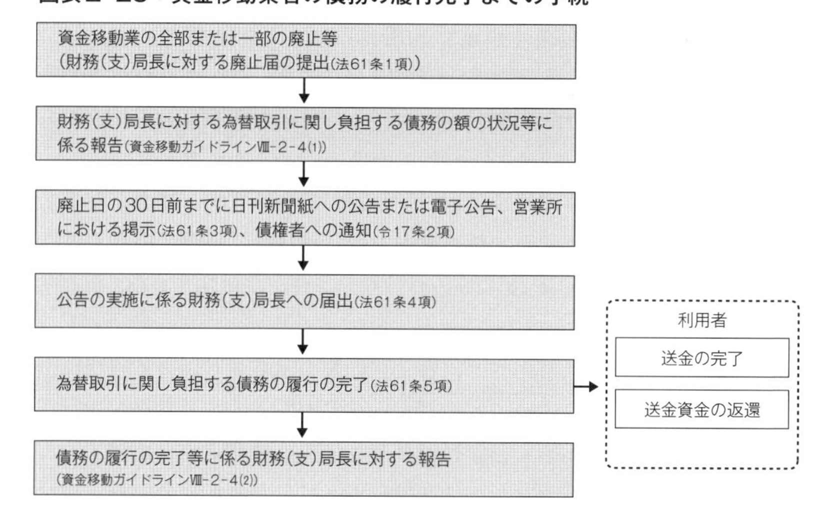

金移動業者がその責めに帰することができない事由によってその債務の履行をすることができない場合であって、日刊新聞紙によってその事実を公告し、その公告の日から30日を経過してもなお当該債務に係る債権者から申出がないときに限り、履行保証金の取戻しを行うことができる（法47条3号、令17条2項）。

イ　資金移動業が他の事業者に承継される場合

資金移動業者が資金移動業を廃止するものの、事業譲渡、合併または会社分割その他の事由によって、他の事業者が資金移動業を行うときは、他の事業者が資金移動業者である場合を除き、当該他の事業者において事前に登録を行い、資金移動業を承継する必要がある。

この場合、承継者においては、承継する資金移動業の内容および方法を踏まえて登録審査を求めることとなるが、承継者において一定の態勢（財産的基礎等）も整える必要があり、どの程度承継する資金移動業の内容および方法を加味して承継者自身の態勢整備と認められるかについては、財務（支）局に事前に確認することが必要である。

特に合併により資金移動業者が消滅会社となる場合や、会社分割によって資金移動業を資金移動業者以外の者に承継する場合等には、登録までの標準処理期間が原則として２ヶ月とされていることなどを踏まえ（資金移動府令42条１項）、余裕のあるスケジュールをもって登録申請を行うことが肝要であると考えられる。

なお、他の事業者に承継して資金移動業を廃止する資金移動業者においては、当該承継に係る公告を行えば足り、債務の履行を完了するための手続を実施する必要はない（法61条３項〜５項、資金移動府令38条３項〜６項）。

また、承継者においては、資金移動業を承継する場合、資産保全義務の履行方法についても検討する必要がある。この義務の履行方法としては、①承継元の履行保証金等に係る権利義務を承継する方法、②新たな履行保証金の供託等によって自ら資産保全義務を履行する方法のいずれかが考えられるが、資金移動業の承継の前後で間断なく資産保全義務が履行されることが必要である。

履行保証金の供託等に係る権利義務は民法や会社法等の規定によって承継される。

履行保証金の承継については、包括承継の場合を除き、供託所に対する対抗要件を備えていることを要するため、承継を行った者からの債権譲渡の通知が必要であると考えられる（法務省平成２年10月25日付民四第4662号民事局長通達参照）。これに対し、履行保証金保全契約や履行保証金信託契約については、契約の相手方の同意なく包括承継できる場合を除き、契約の相手方の同意を得て契約上の地位の移転を行うか、改めて契約を締結し、これを財務（支）局長等に届け出ることとなると考えられる。

資金移動業の承継が行われた場合には、承継者が履行保証金の供託、履行保証金保全契約の締結、履行保証金信託契約に基づく信託財産の信託を行うまでの間は、承継元が供託した履行保証金の供託、締結した履行保証金保全契約もしくは履行保証金信託契約は、承継を受けた者のために供託され、または締結されたものとみなされ（資金移動府令11条７項）、承継元は履行保証金の取戻しや履行保証金保全契約等の解除を行うことはできない。

⒀　監督処分等

資金決済法には、資金移動業者に対する監督処分として、次の内容が規定されている。

(i)　報告徴求等

財務（支）局長または金融庁長官は、資金移動業の適正かつ確実な遂行のために必要があると認めるときは、資金移動業者に対し、資金移動業者の業務もしくは財産に関し参考となるべき報告もしくは資料の提出を命じ、または当該職員に資金移動業者の営業所その他の施設に立ち入らせ、その業務もしくは財産の状況に関して質問させ、もしくは帳簿書類その他の物件を検査させることができる（法54条１項）。

また、資金移動業の委託先（再委託先を含む）に対しても、資金移動業の適正かつ確実な遂行のため特に必要があると認めるときは、その必要の限度において、当該委託先に対し、資金移動業者の業務もしくは財産に関し参考となるべき報告もしくは資料の提出を命じ、または当該職員に委託先の施設に立ち入らせ、資金移動業者の業務もしくは財産の状況に関して質問させ、もしくは帳簿書類その他の物件を検査させることができる（法54条２項）。委託先は、正当な理由があるときを除き、当該報告もしくは資料の提出または質問もしくは検査を拒むことができない（法54条３項）。

(ii) 業務改善命令

財務（支）局長は、資金移動業の適正かつ確実な遂行のため必要があると認めるときは、その必要の限度において、資金移動業者に対し、業務の運営または財産の状況の改善に必要な措置その他監督上必要な措置をとるべきことを命ずることができる（法55条）。

資金決済法55条の規定に基づき業務改善命令が発出された場合には、資金移動業者は、原則として、業務改善計画を提出し、当該業務改善計画の履行状況の報告を行わなければならない（資金移動ガイドラインⅧ－３(5)）。

(iii) 業務停止命令および登録取消し

財務（支）局長は、資金移動業者が、法40条１項各号に定める登録拒否事由に該当することとなったとき、不正の手段により資金移動業者の登録や変更登録を受けたとき、認可を受けた業務実施計画によらないで第１種資金移動業を営んだとき、資金決済法もしくは資金決済法に基づく命令またはこれらに基づく処分に違反したときは、資金移動業者の登録を取り消し、または６ヶ月以内の期間を定めて資金移動業の全部もしくは一部の停止を命ずることができる（法56条１項）。

また、資金移動業者の営業所の所在地を確知できないとき、または資金移動業者を代表する取締役もしくは執行役、外国資金移動業者である資金移動業者の国内における代表者の所在を確知できないときは、その事実を公告し、公告日から30日を経過しても資金移動業者から申出がないときは、資金移動業者の登録を取り消すことができる（法56条2項）。

業務改善命令、業務停止命令および登録取消しの行政処分は、資金移動業者における行為の重大性・悪質性、当該行為の背景となった経営管理態勢および業務運営態勢の適切性、軽減事由等を勘案して、最終的な処分内容が決定されることとされている（資金移動ガイドラインⅧ－3⑶）。

資金移動業者の登録が取り消されたときは、その登録は抹消され（法57条）、その旨の公告がなされる（法58条）。

2　第１種資金移動業

(1)　第１種資金移動業の行為規制

(i)　厳格な滞留規制等

第１種資金移動業を営むうえで、必要となるのは、厳格な滞留規制等への対応である。

第１種資金移動業者は、第１種資金移動業の各利用者に対し、移動する資金の額、資金を移動する日および資金の移動先が明らかでない為替取引に関する債務を負担してはならず（法51条の２第１項)、資金の移動に関する事務を処理するために必要な期間を越えて為替取引に関する債務を負担してはならない（法51条の２第２項)。

これは、第１種資金移動業について、高額の送金を取り扱うことが可能となる一方、第１種資金移動業者が破綻した場合には、利用者に与える影響、社会的、経済的影響が大きく、他の種別の資金移動業者よりも資金を事業者に滞留させない措置が必要であることから、設けられた行為規制とされている（新逐条解説226～227頁)。

上記の行為規制により、第１種資金移動業者については、具体的な送金指図を伴わない資金の受入れを行うことができない。具体的な送金指図は、移動する資金の額、資金を移動する日、資金の移動先を明らかにして受ける必要があり、「資金を移動する日」とは、受取人の銀行口座への送金日、店頭引渡し日、アカウントを利用する場合には受取人のアカウントへの入金日など資金の移動の完了予定日とされる（新逐条解説227頁)。

送金人が送金の完了予定日をあらかじめ指定しなかった場合には、資金移動業者は、完了予定日の提示が必要となり、完了予定日から逆算した入金予定日を伝達し、入金予定日までは資金を受け入れないことが求められる（資金移動ガイドラインⅢ－１－１－１)。

また、第１種資金移動業者が資金を預かれるのは、資金の移動に関する事務を処理するために必要な期間のみであり、資金の移動に関する事務を処理するために必要な期間を超えて為替取引に関する債務を利用者に負担することは禁止される。

資金の移動に関する事務を処理するために必要な期間とは、利用者から指図を受けた資金の移動先に誤りがある場合や、資金の移動先が利用する金融機関等が休業日である場合など、事業者の努力だけでは資金の滞留を回避することができない場合に、送金までに要する期間が含まれる。また具体的な送金指図があれば、第1種資金移動業者は、送金日よりも前に利用者から資金を受け入れることが可能であるが、資金の移動に関する事務を処理するために必要な期間を超えて、相当程度前に資金を受け入れることは、法51条の2第2項によって禁止される。

利用者ごとに口座（アカウント）を設けることは、第1種資金移動業であっても禁止されるものではないと考えられるが、送金人が口座に入金する場合にも、具体的な指図を伴う入金が認められ、具体的な指図に先立ち、口座（アカウント）にチャージをすることは第1種資金移動業では認められない。また、受取人の口座（アカウント）に送金することは可能となるが、受取人の口座（アカウント）が第1種資金移動業に利用されるものとして用いられている場合には、当該口座（アカウント）からの資金の払い出しまで、全体の処理を、合理的な事務処理期間内に終了させる必要がある。

かかる厳格な滞留規制は、第1種資金移動業全体に及び、第1種資金移動業者として為替取引を行う場合には、利用者から1件当たり100万円以下の為替取引の指図を受ける場合であっても、当該規制が課されることに留意が必要である（資金移動ガイドラインⅢ－1－1）。

Q11 「資金の移動に関する事務を処理するために必要な期間」とはどのような期間を指すか。

A11 「資金の移動に関する事務を処理するために必要な期間」とは、例えば、テロ資金供与及びマネー・ローンダリング対策上の確認・検証、海外拠点や銀行等への連絡、銀行口座への振込等、為替取引の事務処理に要する必要最低限の期間を考慮し、合理的に算定した期間をいうとされており、当該期間を超えて為替取引に関する債務を負担することはできない（2021年パブコメ回答No. 37、38）。

(ii) 第1種資金移動業のシステムリスク管理

第一種資金移動業者は、高額の為替取引を行うため、攻撃者の標的になる可能性が高く、システムリスク管理について、より強固な管理態勢整備、セキュリティ対策を講じることが求められる。また、システム障害等の不測の事態によるサービス停止時に利用者への影響が大きくなることも想定されることから、システムの安定稼働のための対策を講じることが求められる。第1種資金移動業のシステムリスク管理については、資金移動業者全般に求められるシステムリスク管理に加えて、より強固なシステムリスク管理態勢を整備することが求められる（資金移動ガイドラインⅢ－1－3）。

システム統括役員は、有事の対応を含めて、業務を適切に遂行するためのシステムに関する十分な知識・経験を有している者である必要があり、システムリスク管理態勢について、専門性を持った第三者（外部機関）等による知見を取り入れた監査または評価を実施することも必要となる。

サイバーセキュリティについて、専門性を持った第三者（外部機関）等によるネットワークへの侵入検査、脆弱性診断等を実施し、セキュリティ水準に対する客観的な評価を受け、評価結果から導出された課題への対策を実施していることや、不正アクセスまたは不正利用による被害を最小化するための、以下または以下と同等以上の機能を実装していることが求められる。

・1日および1回の為替取引の上限額を利用者側で設定可能とする機能
・利用者側で送金先を限定できるようにする機能
・上記情報の設定・変更時に利用者に通知する機能

「利用者側で送金先を限定できるようにする機能」としては、例えば、利用者が事前に送金先を登録することとし、登録されていない宛先に送金する場合は、追加認証を利用者に求める機能等が考えられるとされている。

また、連携サービスの導入時およびその内容・方法の変更時においては、専門性を持った第三者（外部機関）等によるリスク評価を実施するなど、為替取引の上限額に応じ、堅牢なセキュリティ対策を講じていることが求められる。

さらに、第１種資金移動業者は、利用者への安定したサービス提供が求められ、システム障害時等の不測の事態が発生した際は、サービス停止による影響を拡大させないために、可能な限りサービスを継続または迅速に復旧させること、復旧に際しては、重要なデータを安全かつ確実に回復させるための態勢を整備することが求められる。

(iii) 第１種資金移動業のAMLリスク管理

第１種資金移動業者は、高額の為替取引を行うため、テロ資金供与およびマネー・ローンダリング対策の重要性が相対的に高まることから、他の種別の資金移動業者と比較して堅牢なテロ資金供与およびマネー・ローンダリングリスク管理態勢の構築・維持が求められる（資金移動ガイドラインⅢ－１－４）。

具体的には、下記のような措置が重要なものとして挙げられており、第１種資金移動業者は、リスクベース・アプローチによるリスク管理態勢を整備する必要がある。

①特定事業者作成書面等において、対象顧客層（個人・法人、職業・事業内容、居住国の種別など）、対象取引類型（取扱金額、国内向け送金・海外向け送金など）を踏まえ、包括的かつ具体的にリスクの特定・評価を行い、これを踏まえてリスク低減措置を検討しているか

②取引時確認時等において、犯罪収益移転防止法上の取引時確認義務の履行に加えて、我が国を含め関係各国による制裁リスト等を照合するなど、受け入れる顧客のスクリーニングを適切に行っているか。また、各種リスト更新時には再スクリーニングを実施しているか

③商品・サービス、取引形態、国・地域、顧客属性を踏まえて、すべての顧客について、適切にリスク評価を実施しているか。また、リスクに応じて、適切に継続的顧客管理措置を実施しているか

④取引モニタリングにおいて、各顧客のリスク評価も踏まえ、適切に敷居値が設定されているか。また、ビジネスモデルを踏まえ、疑わしい取引を検知するためのシナリオが適切に設定されているか。届出した疑わしい取引事例や届出に至らなかった事例を分析し、届出に至る調査が適切か、定期的にシナリオ、敷居値の見直し作業を適切に行っているか

⑤代理店管理において、各代理店は、リスクに応じた継続的顧客管理措置等の実践が必要であり、それを資金移動業者が検証・評価する態勢を整備しているか。また、資金移動業者は各代理店のリスク評価を行い、そのリスクに応じて管理態勢のモニタリングを行っているか

⑥テロ資金供与およびマネー・ローンダリング対策に関し、専門性・適合性等を有する職員を必要な役割に応じ確保・育成しながら、適切かつ継続的な研修等を行うことにより、組織全体として、専門性・適合性等を維持・向上させる態勢を整備しているか

ⅳ　その他のリスク管理

第１種資金移動業者は、為替取引の上限額に応じたリスク管理態勢の整備を行う必要がある（資金移動ガイドラインⅢ－１－５）。また第１種資金移動業者は、為替取引に関する事故が発生した場合等の対応方針を定める必要があり、利用者の意思に反して権限を有しない者の指図が行われた場合のほか、高額の為替取引の履行が確保されない場合にも、利用者が資金繰りに窮するなどの社会的・経済的な影響が大きいため、利用者の利益の保護を含む資金移動業の適正かつ確実な遂行の観点から、為替取引に関する事故に対して適切かつ直ちに対応することが重要とされている（資金移動ガイドラインⅢ－１－６）。

⑵　第１種資金移動業の資産保全義務

第１種資金移動業では、各営業日における第１種資金移動業に係る要履行保証額以上の額に相当する額の履行保証金を、２営業日以内で資金

移動業者が定める期間内に供託する必要がある（法43条1項1号、資金移動府令11条1項）。

第1種資金移動業については、社会的、経済的な影響の大きさを踏まえ、利用者資金の受入れから供託が行われるまでの期間をできる限り短期化し、保全する額を受入額に一致させるために、短期での資産保全が必要となる。

(3) 第1種資金移動業の情報提供義務

第1種資金移動業者は、利用者への情報提供を行うに際し、資金移動業者が提供すべきとされている事項に加え、①為替取引の上限額、②為替取引に係る資金の受取の方法、③具体的な為替取引の指図を伴わない資金の受入れ不可、④資金の移動に関する事務を処理するために必要な期間を情報として提供する必要がある（資金移動ガイドラインⅢ－2－1）。

3　第２種資金移動業

(1)　少額取引の意義

第２種資金移動業者が営むことができる少額の取引は、100万円に相当する額以下の資金の移動に係る為替取引とされている（法36条の２第２項、令12条の２第１項）。この上限は、１回の取引において送金する資金の額の上限を定めるものであり、手数料やその他の費用等は含まれない。また、外貨については、円貨に換算して100万円に相当する額以下の取引である必要がある。

前記のとおり、為替取引の定義が、「顧客から、隔地者間で直接現金を輸送せずに資金を移動する仕組みを利用して資金を移動することを内容とする依頼を受けて、これを引き受けること、又はこれを引き受けて遂行することをいう」と解されていること、資金決済法36条の２第２項によれば、100万円に相当する額以下であることが必要とされるのは、「資金の移動」であると定められていることからすると、かかる上限額は、１回当たりの送金人の資金移動の依頼、すなわち送金人の送金指図に係る上限額を指すものと考えられる。

このように、上限規制が送金人の送金指図に係るものと理解すると、それ以外の場面においては、次のような整理が可能と考えられる。

まず、事業者が口座（アカウント）を開設して、送金サービスを提供する場合、送金人が複数回の送金に備えて、当該口座に送金資金を入金しておくことが考えられるが、送金資金の入金は、送金指図を行う前の準備段階であるから、口座への入金額や口座残高について、上限規制がかかるものではないと考えられる。

ただし、2020年改正法により、口座にある資金について滞留制限規制が設けられたため、当該規制の内容については後記(2)を参照されたい。

また、受取人が口座を開設して送金資金を受領する場合、１回の送金に基づく送金資金の額は100万円に相当する額以下の額となると、複数回の送金を受けることも考えられる。受取人が口座で送金資金を受領することは、送金人からの送金指図がなされた後の受動的なものであるから、受取人の口座残高については、上限規制がかかるものではないと考えられる。

さらに、受取人が口座から自身が別途銀行等に開設する預金口座に出金や払出しを行う場合、当該出金や払出しは、資金移動業者から送金資金を受領する行為にすぎず、新たな送金指図を行うわけではないため、出金額や払戻額についても上限規制がかかるものではないと考えられる。もっとも、受取人が口座から別の受取人に対して新たな送金指図を行う場合には、当該送金指図に係る上限額は100万円に相当する額以下の額となると考えられる。

Q12 証書を発行して資金移動業を営む場合、当該証書金額の上限額はいくらとなるか。

A12 1枚の証書を分割して行使することが予定されているような例外的な場合でない限り、1枚の証書が提示されて換金され、資金移動に用いられることとなると考えられることから、1枚当たりの証書金額の上限額は100万円となると考えられる。

⑵ 第2種資金移動業の行為規制

第2種資金移動業者は、各利用者に対して負担している為替取引に関する債務の額が、100万円を超える場合には、当該債務に係る債権者である利用者の資金が、為替取引に用いられるものであるかどうかを確認するための体制を整備しなければならない（資金移動府令30条の2第1項）。また、資金移動業者は、利用者から受け入れた資金のうち為替取引に用いられることがないと認められるものについて、当該利用者への返還その他の当該資金を保有しないための措置を講じなければならない（資金移動府令30条の2第2項）。後段の措置については、種別にかかわらず資金移動業者に対して必要とされるが、第1種資金移動業については厳格な滞留規制が課せられており、為替取引に利用されずに資金が事業者に滞留することは想定されず、第3種資金移動業についても為替取引に関し利用者に対して負担する債務に制限があるため、主として第２種資金移動業者を念頭においた規制とされている（新逐条解説222頁）。

当該行為規制を遵守するため、資金移動業者は、利用者から預かっている資金の額が100万円を超える場合には、当該資金が、為替取引に用いられるものであるかどうかを確認する必要が生じる。かかる確認の結果、仮に為替取引に用いられる蓋然性が低いと判断される場合、利用者に払出しを要請し、利用者がこれに応じない場合、利用者への資金の返還その他の当該資金を保有しないための措置を講じる態勢を整備する必要がある。その際、利用者資金と為替取引との関連性を判断するに当たっては、利用者ごとに①受入額、②受入期間、③送金実績、④利用目的を総合考慮することが必要となる（資金移動ガイドラインⅣ－１－１）。

例えば、受入額が100万円を超えているアカウントを認識した際、為替取引の予定の有無や、当該利用者の過去の取引実績等と比較して多額の資金が長期間滞留しているかを確認し、当該確認の結果、為替取引に用いられる蓋然性が低いと判断した場合、予め登録された利用者の銀行口座に為替取引に用いられる蓋然性が低いと判断した金額を振り込む方法等が考えられる（資金移動ガイドラインⅣ－１－１（注１））。

なお、上記確認の結果、利用者資金のうち100万円以下の部分についても、為替取引に用いられるものではないと認められるものについては、利用者への返還その他の当該資金を保有しないための措置を講じる必要があることに留意が必要である（資金移動ガイドラインⅣ－１－１（注２））。

こうした滞留制限規制を遵守するために、具体的な確認方法、判断基準、対応方法について規定した社内規則等を定め、役職員が社内規則等に基づき適切な取扱いを行うよう、社内研修等により周知徹底を図ることが必要となる。また、確認にあたって、システム対応を含め必要な態勢を構築することが必要となる（資金移動ガイドラインⅣ－１－１）。

⑶　第２種資金移動業の資産保全義務

第２種資金移動業では、要履行保証額を１週間以内で資金移動業者が定める期間ごとに計算し、要供託額は、当該機関における要履行保証額の最高額以上の額となる。供託までの期間は、当該期間の末日から３営業日以内で資金移動業者が定める期間内に供託する必要がある（法43条１項２号、資金移動府令11条２項）。

供託、金融機関保証、信託のいずれの方法を併用することもできる。資産保全の具体的な方法については、前記１(7)(vi)を参照されたい。

4　第３種資金移動業

(1)　特に少額として定める取引の意義

第３種資金移動業者が営むことができる特に少額として定める取引は、５万円に相当する額以下の資金の移動に係る為替取引とされている（法36条の２第３項、令12条の２第２項）。

５万円に相当する額以下であることが必要とされるのは「資金の移動」であると定められていることからすると、かかる上限額は、１回あたりの送金人の資金移動の依頼、すなわち送金人の送金指図に係る上限額を指すものと考えられることは、第２種資金移動業の場合と同様である。

(2)　第３種資金移動業の行為規制

第３種資金移動業においては、１件あたりの資金移動の額の限度のみならず、第３種資金移動業の各利用者に対して、政令で定める額を超える債務の負担が制限されており、各利用者から受け入れる債務の額も５万円に制限される（法51条の３、令17条の２）。

具体的には、第３種資金移動業者は、①各利用者から５万円相当額を超える為替取引の依頼を受け付けない仕組みや、②各利用者に対し負担する為替取引に関する債務が５万円相当額を超えない仕組みを講じていることが必要とされる。例えば、ある利用者が他の利用者から資金を受け取った結果、当該利用者（受取人）に対する受入額（為替取引に関する債務）が５万円相当額を超えることを防止するために必要な措置を定めることが必要となる（資金移動ガイドラインⅤ－１－１）。

資金移動ガイドラインでは、この措置の定め方として、例えば、ある利用者が、アカウント残高が４万円の他の利用者に対して３万円の送金を行う場合には、仮にこれを全額アカウントで受け取るとすると、当該利用者（受取人）のアカウント残高は７万円となり、受入上限額である５万円を超過することとなるため、これを防止する措置が必要となる。

このため、例えば、受取人のアカウント残高と送金人の送金予定額の合計が５万円を超える場合には送金不可とすることや、上限額を超過する２万円を自動的に銀行口座に出金する等の契約にすることなどの措置が考えられるとしている。

かかる対応を策定した場合、社内規則等を定め、役職員が社内規則等に基づき適切な取扱いを行うよう、社内研修等により周知徹底を図ること、また必要なシステム対応を行うことが必要である。

(3) 第３種資金移動業の資産保全義務

第３種資金移動業では、第２種資金移動業と同様、要履行保証額を１週間以内で資金移動業者が定める期間ごとに計算し、要供託額は、当該機関における要履行保証額の最高額以上の額となる。供託までの期間は、当該期間の末日から３営業日以内で資金移動業者が定める期間内に供託する必要がある（法43条１項２号、資金移動府令11条２項）。

供託、金融機関保証、信託のいずれの方法を併用することもできる。資産保全の具体的な方法については、前記１(7)(vi)を参照されたい。

このほか、第３種資金移動業については、特に少額の資金移動のみを営むことができることに鑑み、上記の供託等による資産保全に代わり、届出書を提出することによって、預貯金等管理方法によって保全することが認められている（法45条の２）。

預貯金等管理方法とは、第３種資金移動業に係る各営業日における未達債務の額に、預貯金等管理割合を乗じて得た額以上の額を銀行等に対する預貯金または金銭信託であって元本補填のある契約により管理する方法である（法45条の２、資金移動府令21条の３）。

預貯金等管理方法による管理を行う第３種資金移動業者は、資金移動府令別紙様式第15号により作成した届出書を財務（支）局長に提出する（資金移動府令21条の４）。この届出を行ったときは、第３種資金移動業に係る各営業日における未達債務の額の全部または一部に相当する額の金銭を銀行等に対する預貯金か、金銭信託で元本補填のある契約によって管理することができる。

この預貯金等管理方法による管理を行っている資金移動業者は、当該管理の状況について、毎年1回以上、公認会計士または監査法人の監査を受けなければならない（法45条の2第2項、資金移動府令21条の5）。預貯金等管理割合や管理の方法、公認会計士や監査法人の変更を行おうとするときもあらかじめ届け出が必要となる（法45条の2第3項）。

また、預貯金等管理割合を引き下げる変更は、第3種資金移動業に係る履行保証金の額、保全金額、信託財産の額の合計額が、第3種資金移動業に係る要供託額以上である場合に限り、行うことができるとされている（法45条の2第4項）。

預貯金等管理方法による管理をやめるときは、預貯金等管理終了日等記載した届出書を提出してやめることができる。第3種資金移動業に係る履行保証金の額、保全金額、信託財産の額の合計額が、第3種資金移動業に係る要供託額以上である場合に限り、預貯金等管理方法による管理をやめることができることは、上記引き下げの場合と同様である（法45条の2第5項）。

⑷ 第3種資金移動業の情報提供義務

第3種資金移動業者は、利用者への情報提供を行うに際し、資金移動業者が提供すべきとされている事項に加え、次の事項を情報として提供する必要がある（資金移動ガイドラインⅤ－3－1）。

まず、銀行等が行う為替取引との誤認を防止するための説明を行う際には、①資金決済法45条の2第1項の規定の適用により履行保証金の全部または一部を供託しないことができる旨および預貯金等管理方法により管理を行っている旨、②資金決済法59条1項ただし書に規定する権利の内容を説明することが必要である。

また、利用者に対する情報提供としては、①預貯金等管理割合を10割としている場合は、履行保証金が存在しないため、破綻時に資金決済法59条1項に規定する優先弁済権を有しない旨、②預貯金等管理割合を10割とせずに預貯金等管理を行う場合は、第3種資金移動業に関し負担する債務に係る債権については、預貯金等管理割合を乗じて得た額を控除した額を限度として、履行保証金に係る権利を有する旨および供託等している履行保証金の範囲で還付を受けられる旨を情報として提供する必要がある。

5　複数種別の資金移動業を営む場合

以上見てきたとおり、第１種資金移動業、第２種資金移動業および第３種資金移動業については、それぞれの規制にしたがって営むことが必要であるが、同一の資金移動業者が、複数種別の資金移動業を併営することも認められている。他方で、複数種別の資金移動業を営む場合には、併営に伴う弊害を防止する必要がある。

⑴　誤認防止

まず、２以上の種別の資金移動業を営む資金移動業者は、各利用者に対して負担する資金移動業の種別ごとの為替取引に関する債務の額や、各利用者の資金移動業の種別ごとの利用状況を当該各利用者が容易に知ることができるようにするための措置を講じなければならない（資金移動府令30条の４第１項、資金移動ガイドラインⅥ－１－１⑴①）。

例えば、サービスや利用者が全く別であれば、アプリやウェブ画面を各サービスごとに分けることが考えられるほか、利用者利便の観点から同一のアプリやウェブ画面上で複数の種別の資金移動業を提供する場合には、第１種資金移動業の残高と第２種資金移動業の残高を内訳表示したり、第１種資金移動業の送金実績と第２種資金移動業の送金実績を別の画面で表示することなどが考えられる。

⑵　債務負担の制限

第１種資金移動業者が第２種資金移動業をもあわせ営む場合には、利用者から第２種資金移動業に関して資金を受け入れ、第２種資金移動業に係る為替取引に関する債務を負担する場合があるが、こうした場合でも、当該債務を第１種資金移動業に係る為替取引に関する債務に変更することを防止する措置を講じなければならない（資金移動府令30条の４第２項）。こうした対応につき利用者に分かりやすく説明することも必要である（資金移動ガイドラインⅥ－１－１⑵）。

これは、第１種資金移動業者が厳格な資金滞留規制を受けているにもかかわらず、第２種資金移動業のために預かっている資金を、第１種資金移動業の送金資金として振り替えることによって、規制を免れることができてしまうことを防止するための規定である。

一方で、第１種資金移動業によって送金された資金が、第２種資金移動業のために開設された受取人の口座（アカウント）に入金されることは禁止されていない。ただし、第２種資金移動業を営む資金移動業者は、利用者１人当たりの受入額が100万円を超えている場合には、資金移動府令30条の２第１項の規定による体制整備義務が課されていることから、第１種資金移動業による送金を受け入れた結果、第２種資金移動業の口座（アカウント）に多額の資金が着金する場合には、上記によって定めた体制に従った義務の履行は必要となる（2020年パブコメNo.39）。

⑶　資産保全と一括供託

複数種別の資金移動業を併営する場合、原則として法第43条第１項に規定する履行保証金の供託は資金移動業の種別ごとに行うことが求められているが、種別ごとの履行保証金の供託に係る算定期間、基準日等、供託期限が同一である場合には、財務（支）局長への届出により、履行保証金について同一の手続により一括して供託を行うことができる（法58条の２）。

この一括供託を行う場合、供託の事務を一括して行うことができるほか、実務上資金移動業者は供託不足を避けるために要供託額以上の額をあらかじめ供託することが一般的であり、供託を種別ごとに行う場合、種別ごとに要供託額以上の履行保証金の供託を行う必要があるが、一括化できればより効率的な供託が可能となる。

第１種資金移動業を含めて併営して一括供託する場合、種別ごとの履行保証金の供託に係る算定期間、基準日等、供託期限をあわせる際には、最もタイムラグの少ない第１種資金移動業にあわせることが必要となる。すなわち、各営業日ごとに要履行保証額を算定し、２営業日以内に供託するという第１種資金移動業の規律に従って、第２種資金移動業や第３種資金移動業の算定期間、基準日等、供託期限もあわせる必要がある。なお、３つの種別の資金移動業を営む場合に、例えば、第２種と第３種のみという「種別の一部」についても一括供託することができるとされており（新逐条解説254頁）、このような場合には第２種資金移動業と第３種資金移動業の算定期間、基準日等、供託期限をあわせればよい。また、預貯金等管理方法による管理の特例の適用を受けている第３種資金移動業者は、一括供託の適用により当該特例の適用がなくなるわけではなく、預貯金等管理方法により管理されていない資金が一括供託の対象となる（新逐条解説254頁）。

一括供託を希望する資金移動業者は、一括供託を開始する日、一括供託をする算定期間等を同一とした資金移動業の種別等を記載して、資金移動府令別紙様式第22号により作成した届出書を提出する（資金移動府令36条の２）。この一括供託を開始する日から一括供託の対象とした種別の資金移動業について一括供託をすることができる。

一括供託を行う資金移動業者については、履行保証金の供託、履行保証金保全契約、履行保証金信託契約、履行保証金の取戻し等、履行保証金の還付について、種別がなく、１つの資金移動業に係るものとして適用がある（法58条の２第１項、令17条の３）。

一括供託前に種別ごとに行っていた供託は、一括供託した保証金とみなされて、特例対象資金移動業について算定される最低要履行保証額が、従前の種別ごとに算定される要履行保証額の合計額を下回れば、履行保証金を取り戻すことができることとなる。

また、一括供託の適用を受けていた資金移動業者は、資金移動府令別紙様式第23号により作成した届出書を財務（支）局長に提出することで、一括供託の特例適用を終了させることができる（資金移動府令36条の２第３号）。

(4) 帳簿書類および報告書

法第53条第１項に規定する報告書において、資金移動業の種別ごとの収支状況の報告が求められていることを踏まえ、営む資金移動業の種別ごとに勘定を設け、区分経理を行っていることも求められる（資金移動ガイドラインⅥ－１－１⑴②）。

第3章

前払式支払手段の発行

1　総論

⑴　第三者型前払式支払手段、自家型前払式支払手段、適用除外前払式支払手段の選択

前払式支払手段発行業は、自家型前払式支払手段と第三者型前払式支払手段を発行する業務であり、自家型前払式支払手段の届出をした者が自家型発行者、第三者型前払式支払手段の登録をしたものが第三者型発行者である（法3条4項～7項）。

自家型前払式支払手段とは、前払式支払手段を発行する者（ないしはその密接関係者）から物品の購入もしくは借り受けを行い、もしくは役務の提供を受ける場合に限り、これらの代価の弁済のために使用することができる前払式支払手段、または前払式支払手段を発行する者に対してのみ物品の給付もしくは役務の提供を請求することができる前払式支払手段をいう（法3条4項）。

第三者型前払式支払手段とは、自家型前払式支払手段以外の前払式支払手段をいい（法3条5項）、第三者（加盟店等）から物品の購入もしくは借り受けを行い、役務の提供を受ける場合にも、これらの代価の弁済のために使用することができる前払式支払手段、または第三者（加盟店等）に対しても物品の給付もしくは役務の提供を請求することができる前払式支払手段をいう。

第三者型前払式支払手段は、その発行者が、利用者から前払いされた資金を、物品やサービスの提供者である加盟店に対して支払うという形で、利用者と加盟店との間の取引に係る資金決済を行う仕組みとなっており、加盟店への代金支払の確実性が問題となる。また、第三者型前払式支払手段は、多数の加盟店を擁するシステムを運用して行われることが多く、発行者の倒産など不測の事態が生ずることがあれば、その損害は広範にわたるものと懸念される。このため、第三者型前払式支払手段については、決済手段としての確実性・信用の維持が特に強く要請され、その発行の業務については、発行額の多寡にかかわらず、登録制とされ、発行前に登録が必要となる。これに対し、自家型前払式支払手段は、発行を先に開始することができ、基準日における未使用残高が一定の額を超えた場合に、届出が必要となる。

また、自家型前払式支払手段でも第三者型前払式支払手段でも、本来前払式支払手段の定義に該当し、資金決済法の適用対象となる者であっても、一定の要件に合致するものについては、資金決済法は適用されない。例えば、発行の日から6ヶ月内に限り使用できる前払式支払手段は、適用除外前払式支払手段として、資金決済法の適用はなく、届出や登録は不要となる（適用除外前払式支払手段については、4を参照されたい)。

自らが提供しようとする支払手段の取扱範囲と発行者の種別によって規制内容が異なるため、第三者型前払式支払手段、自家型前払式支払手段、適用除外前払式支払手段のいずれで営むかを決定する必要がある。

⑵　登録を行うことができる主体・届出を行うべき主体

第三者型前払式支払手段の発行の業務を行うためには、所管の財務（支）局長の登録を受けることが必要である（法7条)。

登録を行うことができるのは、法人に限られる（法10条1項1号)。

前払式支払手段のうち、第三者型前払式支払手段については、その発行者が、利用者から前払いされた資金を、商品・サービスの提供者である加盟店に対し支払うという形で、利用者と加盟店との間の取引に係る資金決済を行う仕組みとなっている。このため、商品・サービスの提供者に対して資金が前払いされる自家型前払式支払手段と比べて、より広範で高い金融機能を担っているということができる。

そこで、利用者保護および支払手段としての信用の維持の観点から、登録が必要とされ、登録を受けることができる主体は、法人に限定されている。ただし、株式会社に限定されず、合名会社、合資会社、合同会社も含まれる。人格なき社団や財団はこれに含まれない。

また、外国の法令に準拠して設立された法人であっても、国内に営業所または事務所の事業拠点を有する場合には、登録を受けることができる（法10条1条1号）。

法人であれば、業種業態を問わず、登録を受けて前払式支払手段の発行を行うことが可能である。前払式支払手段の発行を専業で営む法人でなければ登録を受けることができないわけではなく、前払式支払手段の発行者には兼業が認められていることから、例えば、情報通信業、運輸業・郵便業、卸売業・小売業、製造業、金融業、貸金業・クレジットカード業、不動産業・物品賃貸業、宿泊・飲食サービス業など様々な業務を営む法人が前払式支払手段を発行することができる。

銀行が前払式支払手段を発行することは、かねてから付随業務（銀行法10条2項）として認められている（詳説98～99頁、電子決済と法515～516頁）。このことは、金融庁の主要行等向けの総合的な監督指針Ｖ－３－２「『その他の付随業務』等の取扱い」でも、「⑵銀行が、従来から実施することを認められてきた電子マネー（オフラインデビットにおける電子カードを含む。）の発行に係る業務」と記載されていること、資金決済法35条は、銀行が前払式支払手段発行者である場合を想定して、銀行が一定の要件を満たす場合に供託義務の免除を認めていることからも明らかである。

また、銀行の子会社が前払式支払手段を発行することは、銀行法施行規則17条の３第２項９号によって認められている。

自家型前払式支払手段の発行の業務は、法人、人格のない社団、財団のみならず、個人も行うことができる。

前払式支払手段のうち、自家型前払式支払手段については、前払式支払手段の利用対象となる商品・役務が発行者の提供するものに限られているほか、第三者型前払式支払手段と異なり、加盟店と利用者との間の資金決済を担うわけではないことから、登録等の参入規制は設けられておらず、その発行主体に限定はない。

ただし、自家型前払式支払手段を発行する者は、発行を開始して以後、その未使用残高が基準日（毎年3月31日および9月30日）において一定額（基準額：1000万円）を超えることとなったときには、財務（支）局長に対する届出が必要である（法5条）。

これは、自家型前払式支払手段であっても、利用者が発行者に対して信用を供与するものであることから、消費者保護を図る必要があり、未使用残高が一定額を超える場合には、事後の届出や供託等の義務が課されることとされているものである。

前払式証票規制法においては、届出が必要となる基準額が700万円とされていたが（前払式証票規制法施行令7条）、資金決済法においては、1000万円に引き上げられている（法5条、14条、令6条）。これは、もともと前払式証票規制法では届出基準額を超えても供託が必要とはならない場合があったところ（前払式証票規制法施行令8条）、資金決済法では供託基準額と届出基準額を同一の1000万円とされたものである。

発行者が、複数の自家型前払式支払手段を発行する場合、それぞれの自家型前払式支払手段について基準額を超えたか否かを判断するのではなく、すべての自家型前払式支払手段の基準日未使用残高を合計した額について基準額を超えたか否かを判断することとなる。

発行者が、自家型前払式支払手段のみならず、第三者型前払式支払手段もあわせて発行する場合には、第三者型発行者としての登録が必要である。この場合、自家型前払式支払手段の届出を別途行う必要はない。

(3) 登録手続・届出手続

(i) 登録申請書の作成・提出

第三者型発行者は、第三者型前払式支払手段の発行の業務を営むためには、登録を受けることが必要である（法７条）。この登録を受けようとする者は、登録申請書に必要書類を添付して、財務（支）局長に提出しなければならない（法８条、前払府令14条〜16条）。

登録申請書の様式は、前払府令別紙様式第３号である（前払府令14条）。

(ii) 登録審査

登録申請者が、登録申請書を提出すると、財務（支）局において、登録審査が行われる。登録申請者が、資金決済法10条１項各号のいずれかに該当するときは、登録が拒否されることとなる（法10条１項）。

登録拒否事由は以下のとおりである。

ア　法人でないもの

前記１のとおり、第三者型発行者は法人でなければならない。外国の法令に準拠して設立された法人については、国内に営業所または事務所を有することが必要である（法10条１項１号）。

イ　法令で定める純資産額を有しない法人（一部の法人を除く）

第三者型前払式支払手段の発行の業務を行うにあたっては、一定の金融機能を担うことから、決済手段としての確実性や信用を維持することが求められている。また、加盟店のネットワークを構築すること等、固定費負担が大きく、投資回収に長期を要することが多いほか、資金移動業と異なり、全額の資産保全義務が課されないことから、事業遂行における財務の安定性の確保が求められる。

第三者型発行者に求められる純資産額の下限は、原則として１億円である（令５条１項３号）。ただし、以下の例外に該当する場合には、それぞれ純資産額要件が緩和されている。

(a)　地域限定の第三者型前払式支払手段を発行する場合

発行する前払式支払手段の利用が可能な地域の範囲が一の市町村（東京都の特別区の存する区域および地方自治法に基づく政令指定都市にあっては、区。以下同じ）の区域内である場合は、純資産額の下限は1000万円とされている（令５条１項１号）。

(b) 法人が以下の要件をすべて満たす場合

①一般社団法人もしくは一般財団法人または特定非営利活動法人（NPO法人）（以下「一般社団法人等」という）であること

②その定款に当該登録申請者が前払式支払手段の発行の業務を行う旨および当該登録申請者が地域経済の活性化または当該地域の住民相互の交流の促進を図ることを目的とする旨の記載がされていること

③発行する前払式支払手段の利用が可能な地域の範囲が一の市町村およびこれに隣接する市町村の区域内であること

④発行する前払式支払手段の未使用残高から供託等によって資産保全された金額を控除した金額に相当する金額以上の金額の預貯金が当該登録申請者を名義人とする口座において保有されることが社内規則等に記載されていること

⑤発行する前払式支払手段に当該一般社団法人等の貸借対照表および損益計算書またはこれに代わる書面の閲覧の請求ができる旨の記載がされていること

以上の要件をすべて満たす法人については、純資産額の下限は0円とされている（令5条1項2号）。

(c) 営利を目的としない法人

平成22年3月1日金融庁告示第17号「資金決済に関する法律施行令第5条第2項の規定に基づき、金融庁長官が告示をもって定める法律を定める件」により定められた法律により行政庁の認可を受けて設立される営利を目的としない法人で、その定款に前払式支払手段の発行の業務を行う旨の記載がされているものについては、純資産額の要件は必要とされていない。

上記の告示で定められた法律には、例えば、農業協同組合法、消費生活協同組合法、商店街振興組合法などがある。

登録審査に当たっては、登録申請書および添付書類（最終の貸借対照表および損益計算書等）をもとに、純資産額が確認される。監査証明書を有しない者については、必要に応じて、預金残高証明書や取引残高報告書などをもとに検証されることとされている（前払ガイドラインⅢ－２－１(4)④ハ）。

なお、前払式支払手段の発行の業務の開始後に、基準日報告書に添付される財務書類において、当期純損失の計上、債務超過など、前払式支払手段発行者の経営状態に著しい変化が見られた場合には、今後の経営状況の見通しおよび前払式支払手段の発行の業務に係る今後の計画等について、ヒアリングや報告書の提出が求められることとなるため、留意が必要である（前払ガイドラインⅢ－２－４(1)②）。

ウ　前払式支払手段により購入等ができる物品や役務が公の秩序または善良の風俗を害し、または害するおそれがあるものでないことを確保するために必要な措置を講じていない法人

前払式支払手段が不適切なものに使用されることを防止するため、登録申請者または加盟店が販売・提供する商品や役務の内容について、公序良俗に反するようなものでないことを確認する措置を講じることを求めるものである。加盟店の具体的な管理方法については、後記２(2)(ⅰ)を参照されたい。

エ　加盟店に対する支払いを適切に行うために必要な体制の整備が行われていない法人

決済手段としての確実性を確保する趣旨から、登録申請者が加盟店に対する支払いを適正かつ確実に行うことができる措置を講じることを求めるものである。加盟店契約等の具体的な内容については、後記２(2)(ⅱ)を参照されたい。

オ　資金決済法第２章の規定を遵守するために必要な体制の整備が行われていない法人

前払式支払手段発行者において必要な法令遵守体制は、後記(8)(ⅰ)を参照されたい。

カ　他の第三者型発行者が現に用いている商号もしくは名称と同一の商号もしくは名称または他の第三者型発行者と誤認されるおそれのある商号もしくは名称を用いようとする法人

他の第三者型発行者と同一または類似の商号や名称を使用する法人は、前払式支払手段の利用者からみて事業者の区別ができず、利用者保護に欠けるおそれがあることから、登録が認められない。第三者型発行者登録簿については、財務（支）局において公衆縦覧されているが、金融庁のウェブサイトにも、登録されている第三者型発行者の名称が掲載されているため（https://www.fsa.go.jp/menkyo/menkyoj/daisan.pdf）、登録申請にあたっては、同一または類似の商号や名称を有する第三者型発行者がいないかを確認する必要がある。

キ　過去３年間に、第三者型発行者の登録を取り消されたり、資金決済法（第２章とこれに係る罰則規定に限る）に相当する外国の法令の規定により同種の登録を取り消されたことがある法人

過去に前払式支払手段の発行の業務を行う事業者として不適格とされた法人は、登録が認められない。

ク　過去３年間に、資金決済法またはこれに相当する外国の法令に違反し、罰金の刑またはこれに相当する外国の刑に処せられたことがある法人

過去に為替取引に関する法令に違反し、法令遵守に問題があると考えられる法人は、登録が認められない。

ケ　役員に不適格者がいる法人

前払式支払手段の発行の業務を行う上で、不適格な者が業務の執行やその執行を監査することを防止するため、役員に不適格者がいる法人は、登録が認められない。

ⅲ　登録

登録申請者からの登録申請に対して審査が行われた結果、登録拒否事由があると認められるとき、または登録申請書もしくはその添付書類のうちに重要な事項について虚偽の記載があり、もしくは重要な事実の記載が欠けているときを除き、当該登録申請者について第三者型発行者の

登録がなされる（法10条１項）。

登録が行われたときは、財務（支）局長からその旨が登録申請者に通知される（法９条２項、前払府令17条）。

登録が拒否されたときは、財務（支）局長から、その理由とともに、登録申請者に通知される（法10条２項、前払府令19条３項）。

ⅳ　登録簿の縦覧

登録された第三者型発行者については、その主たる営業所または事務所（外国の法令に準拠して設立された法人は、国内の主たる営業所または事務所）の所在地を管轄する財務（支）局に第三者型発行者登録簿が備え置かれ、公衆の縦覧に供される（法９条、前払府令18条）。

登録簿には、登録申請書のうち、前払府令別紙様式第３号第２面から第９面までが綴られる（前払ガイドラインⅢ－２－１⑼②）。第三者型発行者が、登録審査において、システムに関する事項など営業秘密・企業秘密にわたる事項を開示する際には、財務（支）局と協議の上、登録申請書ではなく添付書類として提出するなどの対応をする必要がある場合も考えられる。

ⅴ　発行届出書の作成・提出

自家型前払式支払手段のみを発行する者は、当該自家型前払式支払手段の基準日未使用残高がその発行を開始してから最初に基準額（1000万円）を超えることとなったときは、発行届出書に必要書類を添付して、財務（支）局長に届け出なければならない（法５条１項、前払府令９条～11条）。

発行届出書の様式は、前払府令別紙様式第１号である（前払府令９条）。

なお、自家型発行者については、第三者型発行者と異なり、登録審査が行われるわけではないが、発行届出書を提出した場合に、発行の業務の内容および方法に不適切な点があれば、当該内容および方法の変更を求められることとなるため、現に行っている発行の業務の内容および方法が、資金決済法の規制を遵守したものとなっているかどうかについては、発行届出書を提出する前に確認をすることが必要である。

(vi) 届出簿の縦覧

発行届出書を提出した発行者は、当該提出をしたときから自家型発行者となる（法3条6項）。

発行届出書を提出した自家型発行者については、その主たる営業所または事務所（外国の法令に準拠して設立された法人は、国内の主たる営業所または事務所）の所在地を管轄する財務（支）局に自家型発行者届出簿が備え置かれ、公衆の縦覧に供される（法6条、前払府令13条）。

届出簿には、発行届出書のうち、前払府令別紙様式第1号第2面から第9面までが綴られる（前払ガイドラインⅢ－2－1(9)①）。

(vii) スケジュール

第三者型前払式支払手段の発行については、事業者が、財務（支）局長に対して登録申請を行ってから、当該申請に対する処分（登録または登録拒否）がなされるまでにかかる標準処理期間は、2ヶ月とされている（前払府令56条1項）。

しかし、この期間には、①当該申請を補正するために要する期間、②申請者が当該申請の内容を変更するために要する期間、③申請者が当該申請に係る審査に必要と認められる資料を追加するために要する期間は含まれない（前払府令56条3項）。

財務（支）局の登録審査においては、登録申請書や添付書類について、補正、内容変更、資料追加を求められることが往々にしてあり、それによって申請から登録まで2ヶ月以上の期間がかかることもある。

したがって、事業者としては、前払式支払手段の発行開始希望日から逆算して、余裕を持って準備を行うとともに、登録申請にあたっては、なるべく後日大幅な指摘を受けることのないよう、提供する前払式支払手段の内容や発行の業務の実施方法を十分検討の上で確定し、利害関係者（委託先等）ともよく条件等を詰めた上で契約を締結することが望ましい。全体の内容について弁護士・税理士等の必要なチェックを経て、登録申請を行うことがスケジュール管理の上で望ましいと考えられる。

自家型前払式支払手段の発行については、事業者は、自家型前払式支払手段を発行するまでに必要な手続はないが、その発行後は未使用残高を把握しておくことが肝要である。発行後初めて基準日において1000万円を超えたときには、当該基準日の翌日から２ヶ月を経過する日までに、財務（支）局長に対して発行届出書を提出する必要がある（法５条、14条１項、令６条、前払府令９条）。

⑷ サービスの立案・策定

(i) 第三者型前払式支払手段の内容の立案

事業者が、第三者型前払式支払手段を発行しようとする場合、まず利用者に対して発行する第三者型前払式支払手段の内容を検討することとなる。

発行する第三者型前払式支払手段の内容については、様々なものが考えられる。

第三者型前払式支払手段の利用・提供可能性については、他の多くのビジネス書で述べられているところであり、ここでは特に言及することはしないが、前払式支払手段発行者が遵守すべき規制との関係でとりわけ検討しておくべき内容を以下に列記しておく。

図表３-１：第三者型前払式支払手段

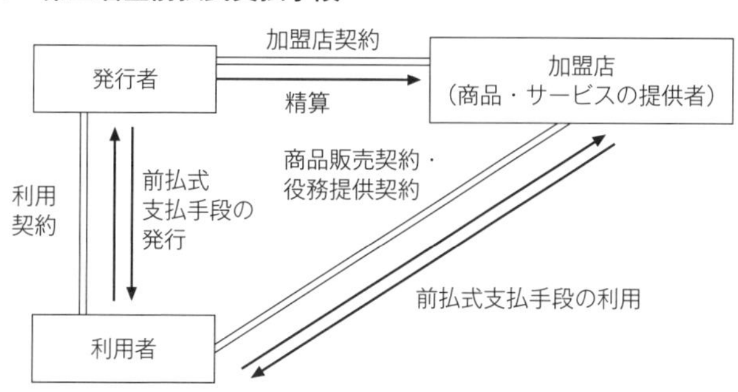

ア　価値の保存・管理方法

前払式支払手段には、紙型、磁気型、IC型、サーバ型などの種類があり、これらの種類によって価値の保存・管理方法が異なることとなる。

紙型とは、いわゆる商品券であり、券面に利用できる金額または提供を受けることができる商品やサービスの数量が記載されているものである。利用者は、店舗等に商品券を提示して交付することにより利用することができる。

磁気型とは、カード裏面などに貼付された磁気ストライプに利用できる金額または提供を受けることができる商品やサービスの数量が記録されているものである。通常、利用者は、これをカード端末機に読み取らせることにより利用することができる。

IC型とは、カードに内蔵されたICチップに利用できる金額または提供を受けることができる商品やサービスの数量が記録されているものである。通常、利用者は、これを非接触型のカード端末機に読み取らせることにより利用することができる。

サーバ型とは、利用できる金額または提供を受けることができる商品やサービスの数量が、事業者のサーバに記録されているものである。利用者の手元に交付されるものは、サーバ上の財産的価値の記録と紐付いた番号・記号その他の符号であり、これが磁気やICチップに記録されたプラスチックカードが交付されるもの、番号・記号その他の符号が記載された紙面が交付されるもの、番号・記号その他の符号がメール等によって通知されるものなどがある。利用者は、交付または通知を受けた番号・記号その他の符号を機械に読み取らせたり、パソコンやモバイル上で入力することによって、利用することができる。

イ　支払可能金額等

事業者は、利用者に対して発行する前払式支払手段の支払可能金額をいくらとするかを検討する必要がある。前払式支払手段の支払可能金額を高額とすれば、利用者の利便に資する面があるが、紛

図表3-2：価値の保存・管理方法

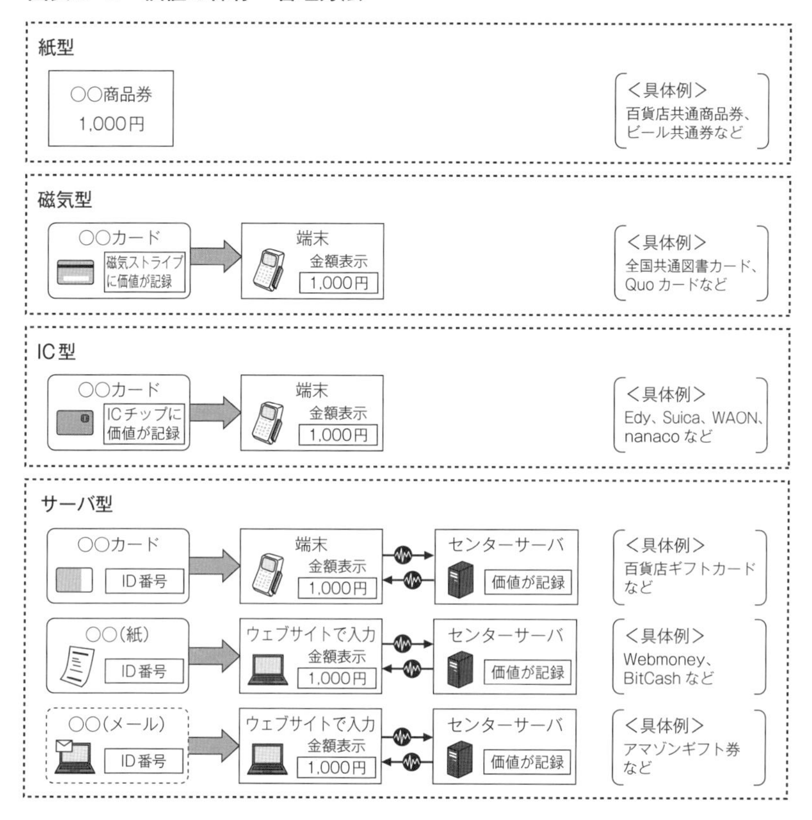

失・盗難の際には利用者が被る損害も大きくなる可能性があるため、慎重に決定する必要がある。

なお、電磁的方法により金額や商品またはサービスの数量を記録している前払式支払手段については、残高を加算したり減算したりすることができるため、支払可能金額等は、その上限を示すことで足りることとされている（前払府令5条）。

資金決済法上、前払式支払手段の支払可能金額等の上限を画する規定はなく、支払可能金額等を無限として、上限を設定しないことも認められる。その場合には、前払式支払手段の情報提供義務（法

13条）との関係では、システム上の上限が存しないか（例えば、システム上金額を記録できる桁数がある場合にはそれが上限となっているケースも存在する）を確認の上、システム上も上限が存しない場合には「上限なし」と記載すれば足りるものと考えられる。

ウ　期間・期限

事業者は、利用者に対して発行する前払式支払手段の期間や期限を設定するか否か、設定するとすればその期間および期限をどのように設定するかを検討する必要がある。

資金決済法上、期間・期限に関する規定はなく、期間・期限をどのように設定するかについては、私法上の契約関係によって決せられる。期間・期限を無期限とすることも認められる。

ただし、有効期間や有効期限を定めておかないと、消滅時効が完成するまでは権利行使に応じなければならず、とりわけ退出する場面においては、有効期間や有効期限を設定しておくことには意味がある。

なお、商品券については、他の法令に別段の定めのある場合を除き、消滅時効は５年と解されてきており（昭和25年９月28日蔵理第872号参照）、前払式支払手段の消滅時効についても５年と考えられる（消滅時効の援用については後記⑿(ii)オ参照）。

なお、発行の日から６ヶ月内に限り使用できる前払式支払手段は、資金決済法の適用除外となる（法４条２号、令４条２項）。

エ　利用範囲

第三者型前払式支払手段の場合、発行者またはその密接関係者以外の加盟店からも商品やサービスの提供を受けることができるため、その利用範囲は自家型前払式支払手段の場合と比べて、一般に広範となる。

事業者は、利用者がその前払式支払手段を利用することができる範囲をどこまでとするのかについて決定する必要がある。現実の店舗のみならず、インターネット上でも利用させることができるようにするのかについても検討が必要である。

なお、地域通貨のように、前払式支払手段の利用が可能な地域の範囲が、１つの市町村（東京都の特別区の存する区域および地方自治法252条の19第１項の政令指定都市にあっては、区）の区域内に限られている場合には、登録にあたって必要とされる純資産額の下限が緩和されている（前記⑶(ii)イ(a)）。

オ　対価の受取方法

事業者は、利用者に対して前払式支払手段を発行するにあたり、その対価をどのようにして受け取るのかについては、あらかじめ決定しておく必要がある。対価の受取り方法については、店舗等において現金で受け取る方法、インターネットバンキングによって振り込ませる方法、クレジットカードや他の前払式支払手段の利用により支払わせる方法、携帯電話料金の支払いにあわせて課金する方法など様々な方法が考えられる。

カ　加盟店への支払方法

第三者型前払式支払手段の場合、事業者は、利用者が利用した加盟店等に対し、あらかじめ利用者から受け取った資金を精算する仕組みを構築することが必要となる。加盟店に対してどのようにして資金を精算するのかについては、通常、加盟店が開設する銀行口座への振込を行う方法が考えられるが、それ以外の方法によって資金を精算することも妨げられない。

なお、加盟店に対する支払いを適切に行うために必要な体制の整備は、第三者型前払式支払手段の発行者の登録要件となっているため（法10条１項４号）、あらかじめ資金精算のサイクル（締日や支払日など）およびその支払方法を決定しておく必要がある。

キ　第三者に対する譲渡の可否

事業者は、利用者に対して前払式支払手段を発行する場合に、当初発行した利用者のみに利用させることとするのか、当該利用者が第三者に譲渡して、第三者も利用することができることとするのかについて決定する必要がある。

例えば、ギフトカードを発行する場合には、当初から利用者が第三者に対して譲渡することを予定しており、当該ギフトカードの利用約款上も譲渡禁止とはせず、当該ギフトカードを保有しているものが権利行使できることとすることとなる。

これに対し、前払式支払手段の発行を受けた本人のみが利用することが予定されているものについては、利用約款上、譲渡を禁止するとともに、その利用にあたって本人であることを確認するためのパスワード等を付与し、当該パスワード等の提示をもって本人の利用であることを担保することなどが考えられる。

ク　記名式・無記名式

事業者は、利用者に対して前払式支払手段を発行する場合に、記名式とするのか、無記名式とするのかを検討する必要がある。前記キとも関連するが、第三者に対する譲渡を予定せずに、前払式支払手段の発行を受けた利用者のみに利用させる場合には、カード等に利用者の名前を印字させるなどして、記名式とすることが考えられる。

なお、現在のところ、前払式支払手段の発行の業務については、犯罪収益移転防止法上取引時確認が必要とされておらず、その発行にあたり、利用者の取引時確認を行うことは必ずしも必要ではない。

以上の前払式支払手段の内容に応じて、利用者との間で締結する利用約款の内容や、情報提供の内容が異なることとなる。

Q13 資金決済法８条１項５号では、登録申請書に「前払式支払手段の種類、名称及び支払可能金額等」を記載することとされているが、この前払式支払手段の「種類」とは何か。

A13 資金決済法８条１項５号および前払府令別紙様式第３号では、前払式支払手段の「種類」を記載することとなっているが、この前払式支払手段の「種類」とは、「前払式支払手段の仕様等」や「前払式支払手段の名称」等によって区別される組み合わせを指す。「前払式支払手段の仕様等」は、金額または金額以外の物品等の数量表示の別、残高減算型または引換え型の別および加算型の場合はその旨を記載することとされている。これらの仕様等と名称等の組み合わせにより１つの種類とされた前払式支払手段については、発行の業務の一部廃止の場合の払戻手続を画する基準となる（法20条１項１号）。単にデザイン等が異なり、前払式支払手段の機能に変更がない場合には、別の「種類」として取り扱う必要はないと考えられる。

なお、前払式支払手段の発行の業務に関する帳簿書類の作成は、「（前払式支払手段の）支払可能金額等の種類」ごとに行う必要があり（前払府令46条１項１号・３号）、上記の「前払式支払手段の種類」よりも細かな分類に従って作成しなければならないこととなる点に留意が必要である。

(ii) 自家型前払式支払手段の内容の立案

事業者が、自家型前払式支払手段を発行しようとする場合、まず利用者に対して発行する自家型前払式支払手段の内容を検討することとなる。

図表３-３：自家型前払式支払手段

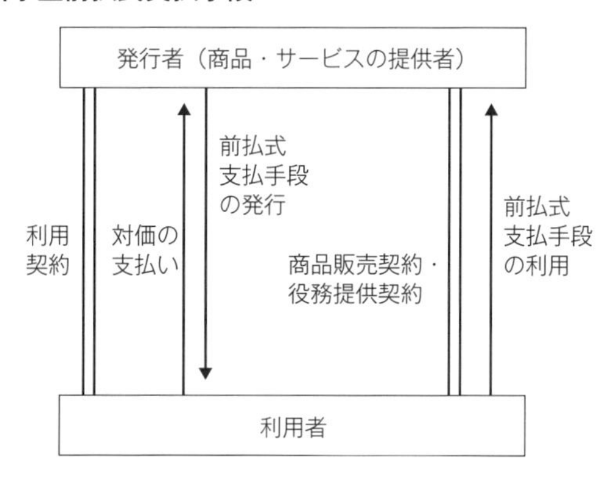

発行する自家型前払式支払手段の内容についても、様々なものが考えられるが、その利用範囲が一定の範囲に限定（発行者やその密接関係者からの物品の購入や役務の提供の代価の弁済のために使用することができ、物品の給付や役務の提供を請求することができるものであること）され、加盟店での利用ができない以外は、第三者型前払式支払手段において検討し

た点と基本的に同様である（前記(i)）。

Q14 自家型前払式支払手段において発行者と同視される「密接関係者」とはどのような者か。

A14 資金決済法は、発行者のほかに、発行者と政令で定める密接な関係を有する者（密接関係者）からの物品の購入等を行うことができる前払式支払手段も自家型前払式支払手段としている（法３条４項）。

この密接関係者とは、資金決済法施行令３条に定義があり、下記のいずれかの関係を有することをいうとされている。

①発行者（個人である場合）の親族である関係

親族とは、民法上の親族、つまり配偶者、６親等内の血族および３親等内の姻族をいう（民法725条）。

例えば、夫がその経営するゴルフ練習場で使えるプリペイドカードを発行し、妻が経営する飲食店でも使用できる場合は、これにあたる。

②法人が他の法人の総株主等の議決権の100分の50を超える議決権を直接または間接に保有する関係

親会社と子会社や孫会社との関係をいう。議決権を直接に保有しているか、間接に保有しているかを問わない。

図表３-４：密接関係者（親子関係）

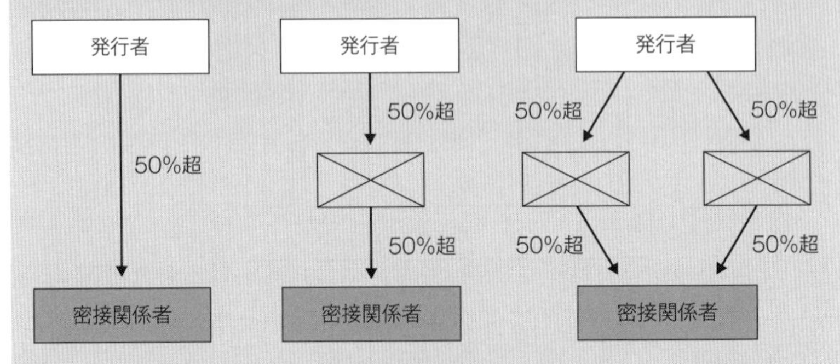

③個人およびその親族が法人の総株主等の議決権の100分の50を超える議決権を直接または間接に保有する場合における当該個人と法人との関係

②と同様である。図表３-４の発行者にあたる者が個人およびその親族である

関係である。

④同一の者（個人である場合は親族も含む）によってその総株主等の議決権の100分の50を超える議決権を直接または間接に保有される法人相互の関係（②に掲げる関係に該当するものを除く）

兄弟会社間の関係をいう。議決権を直接に保有しているか、間接に保有しているかを問わない。

図表3-5：密接関係者（兄弟関係）

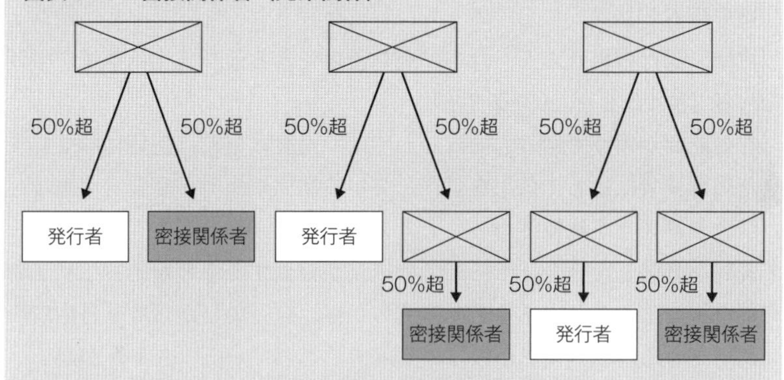

⑤発行者が行う物品の給付または役務の提供と密接不可分な物品の給付または役務の提供を同時にまたは連続して行う者がある場合における当該者と当該発行者との関係（①～④に掲げる関係に該当する者を除く）

物品の給付や役務の提供を行う際に必要不可欠な物品の給付または役務の提供であって、社会通念上物品の給付等と一体と考えられるものをいう。単なる業務提携は含まれない（前払ガイドラインⅠ－1－2）。旧法下では、この場合に該当する例として、例えばⅰ）通信会社の通信網の相互接続による通信サービス、ⅱ）鉄道会社の連絡運輸による旅客運送サービス、ⅲ）商品の販売に伴う配達サービス、ⅳ）消化仕入れを行っている場合における納入業者による百貨店名義による販売（納入業者の前払式支払手段を使用する場合であって、百貨店の前払式支払手段を使用する場合ではない）などが挙げられており（実務解説77頁）、資金決済法の下でも同様の場合がこの類型に該当すると考えられる。

(iii) 適用除外前払式支払手段の内容の立案

資金決済法3条に規定する前払式支払手段に該当するが、同法4条に該当する前払式支払手段については、資金決済法の適用が除外されるものがあることについては、前記第1章3(5)のとおりである。

事業者がこれらの適用除外前払式支払手段を発行するにあたっては、財務（支）局長に対する届出や登録は不要であり、他の法令の定めに反しない限り、誰でも自由に発行することが可能である。

適用除外前払式支払手段のうち、特に発行されるケースが多い類型としては、発行の日から6ヶ月内に限り使用できる前払式支払手段が挙げられる（法4条2号、令4条2項）。

有効期間が短期であるものについては、一般に早期に使い切ってしまうため事業者に対して信用を供与している期間が短く、事業者が破綻した場合のリスクが比較的小さいと考えられるほか、そのようなものにまで規制を及ぼした場合、サービスの提供が縮減するなどかえって利用者利便を損ねるおそれもあるとの考え方から、発行の日から6ヶ月内に限り使用できる前払式支払手段は適用除外とされている（令4条2項）。

この「発行の日」とは、①財産的価値が証票、電子機器その他の物に記載または記録された日と、②利用者に対し、証票等、番号、記号その他の符号を交付または付与された日のいずれか遅い日とすることとされている（前払ガイドラインⅠ－1－3(1)）。

また、法文で規定されている「6月内」とは、「6月以内」とは異なり、期間の最終時点を含まない意味であり、「6月未満」と同義である点に留意を要する（前掲・角田ほか編『法令用語辞典〔第10次改訂版〕』19頁、615頁）。

この6ヶ月内に限り使用できるものであるかどうかは、実質的に判断され、発行時に一定の期間内に限り有効であることを定めていても、実際には当該期間の満了時でも使用できるというような、有効期間が形骸化しているものは、適用除外の対象とはならないことに留意が必要である。

そのため、事業者が発行者となる場合で、加盟店でも利用させる場合には、会員との間の利用約款の中で有効期間を定めるのみならず、加盟店との間で締結される加盟店契約の中でも、有効期間が満了した後の前払式支払手段を利用させてはならない旨を義務づけるなど、有効期間満了後の取扱いについて周知を行い、当該取扱いを徹底させる必要があるものと考えられる。

適用除外前払式支払手段の有効期間を6ヶ月内と定める場合、最短でどの程度の期間とすることができるかについては、日本においては有効期間そのものを規制する法律はなく、基本的には利用者と事業者との間の合意の内容によって定められるものであるから、原則として事業者が自由に設定することができるものと考えられる。

ただし、利用者が適用除外前払式支払手段を購入したものの、実質的にこれを利用できないような短期の有効期間を設定する場合など、消費者にとって極めて不合理な内容である場合には、当該有効期間の定めが消費者契約法10条または民法90条に反し無効とされる場合もあると考えられるため、妥当ではない。

ⅳ 前払式支払手段の発行の業務の実施方法の策定

事業者が、前払式支払手段を発行しようとする場合、前払式支払手段の内容の検討と並行して、当該発行の業務を実施するための方法を検討することとなる。

ア　システムの内容

前払式支払手段の発行の業務を行うにあたり、最も重要となるのが、システムの内容である。前払式支払手段発行者は、前払式支払手段の発行量、回収量および未使用残高等を正確に記録する必要がある（法22条、前払府令46条)。

特に、電磁的方法によって、残高を加算または減算することができる前払式支払手段を発行する場合には、日々、システム上、利用者から受領した対価の額や発行する前払式支払手段の発行量を正確に記録し、利用者がこれを利用するごとに回収量を記録して、未使用残高を算出する仕組みが必要となる。これらのデータは確実に記録され、安全性・信頼性をもって保持されることが不可欠である。

かかるシステムを自前で開発する場合のほか、他社が開発したシステムを利用する場合もある。システムの運用や保守を委託先に委ねる場合もある。

イ　代理店等の要否

前払式支払手段発行者は、その発行する前払式支払手段を、自ら販売するのみならず、代理店や取扱店、加盟店等に委託して販売させる場合もある。これらの代理店等を委託先として利用するか否かを検討する必要がある。

ウ　その他委託先の要否

資金決済法においては、前払式支払手段発行者がその業務を委託するにあたって、委託先の選定について特段の制限はない。

上記アやイに挙げた場合のほか、前払式支払手段の印刷・発券業務、加盟店との決済に必要なデータ作成業務等を委託先に委ねることは可能である。事業者は、自らが提供しようとするサービス内容に応じて、どの場面で委託先を必要とするのかを検討する必要がある。

エ　資産保全の履行

前払式支払手段発行者は、基準日未使用残高（毎年３月31日と９月30日の未使用残高の合計額）が1000万円を超えるときは、当該基準日未使用残高の２分の１の額以上の資産を供託等によって保全することが義務づけられる（法14条、令６条）。

そこで、事業者は、まず、システム上または帳簿上、毎年３月31日および９月30日の未使用残高を確定させることが必要である。また、当該債務に対して、どのような方法で資産保全を行うかについて検討する必要がある。

オ　苦情処理

前払式支払手段発行者は、利用者保護を図るため、前払式支払手段の発行および利用に関する利用者からの苦情または相談に応ずる営業所または事務所を定めて、苦情処理を行う体制を構築する必要がある（法13条１項４号）。

事業者は、自らが提供しようとする前払式支払手段の内容に応じて、どのような相談窓口を設ければよいか等について検討する必要がある。

なお、前払式支払手段発行者には、資金移動業者や暗号資産交換業者とは異なり、金融ADR制度の適用はない。

以上の前払式支払手段の発行の業務の実施方法に応じて、情報の安全管理措置の内容、資産保全のための態勢等が異なることとなる。

⑸ 利用約款の策定

前払式支払手段発行者が発行することのできる前払式支払手段の内容は様々なものが考えられ、前払式支払手段発行者は、発行しようとする前払式支払手段の内容に応じて利用約款を策定する必要がある。詳細については後記２⑴を参照されたい。

⑹ 業務フローの決定

利用約款の策定と並行して、事業者は、前払式支払手段の発行にあたり、代理店を使用するか否か、利用者に対してどの時点で必要な表示を行うか等を決定する必要がある。また、前払式支払手段が加盟店で利用された場合には、加盟店で利用された残高をどのように把握し、加盟店との間でどのように精算を行うかを定めておく必要がある。

第三者型発行者の場合、通常多数の代理店や加盟店を有する場合が多いことから、一律に業務フローを定め、これを周知することが必要である。業務フローの例は図表３－６のとおりである。

この他、問い合わせ等の顧客対応については、事務マニュアルを作成して、従業員等にこれを遵守させることも有用である。

図表3-6：業務フロー例

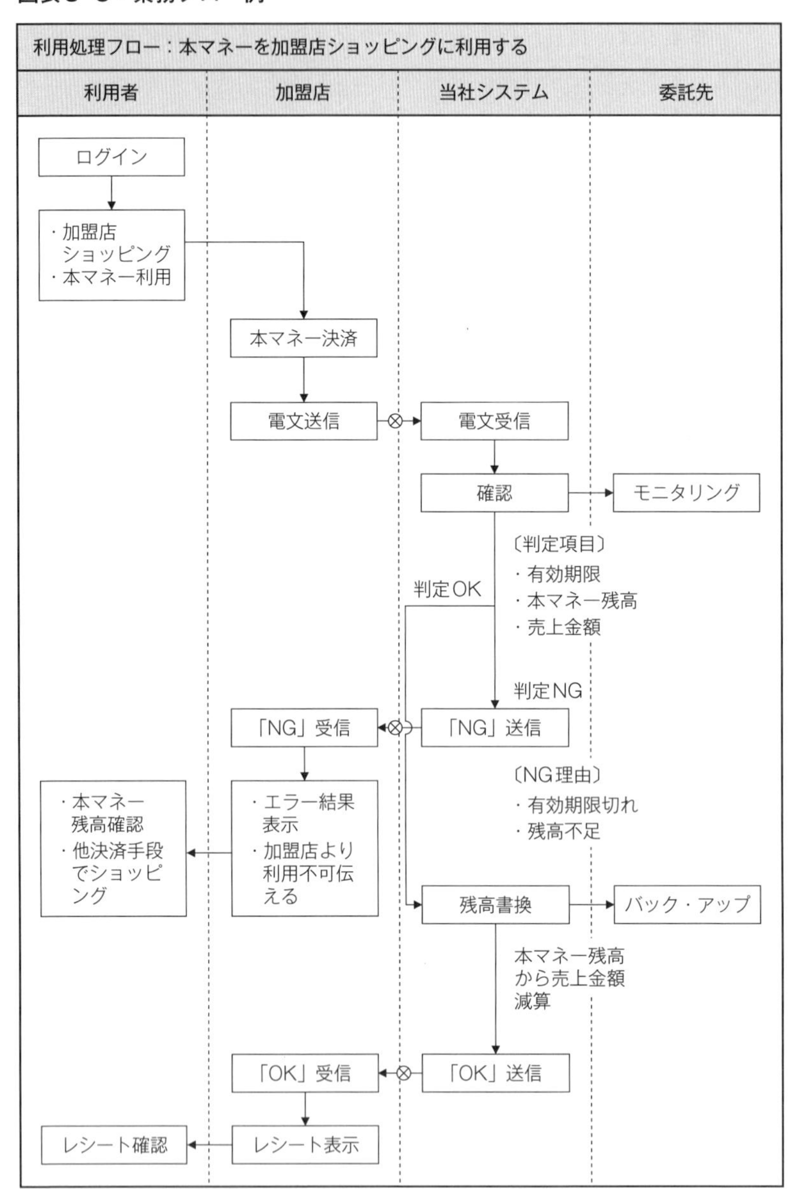

利用処理フロー：本マネーを加盟店ショッピングに利用する
利用者
加盟店
当社システム
委託先
ログイン
・加盟店ショッピング
・本マネー利用
本マネー決済
電文送信
電文受信
確認
モニタリング
〔判定項目〕
・有効期限
・本マネー残高
・売上金額
判定OK
判定NG
「NG」受信
「NG」送信
〔NG理由〕
・有効期限切れ
・残高不足
・本マネー残高確認
・他決済手段でショッピング
・エラー結果表示
・加盟店より利用不可伝える
残高書換
バック・アップ
本マネー残高から売上金額減算
「OK」受信
「OK」送信
レシート確認
レシート表示

図表3-7：業務フロー例

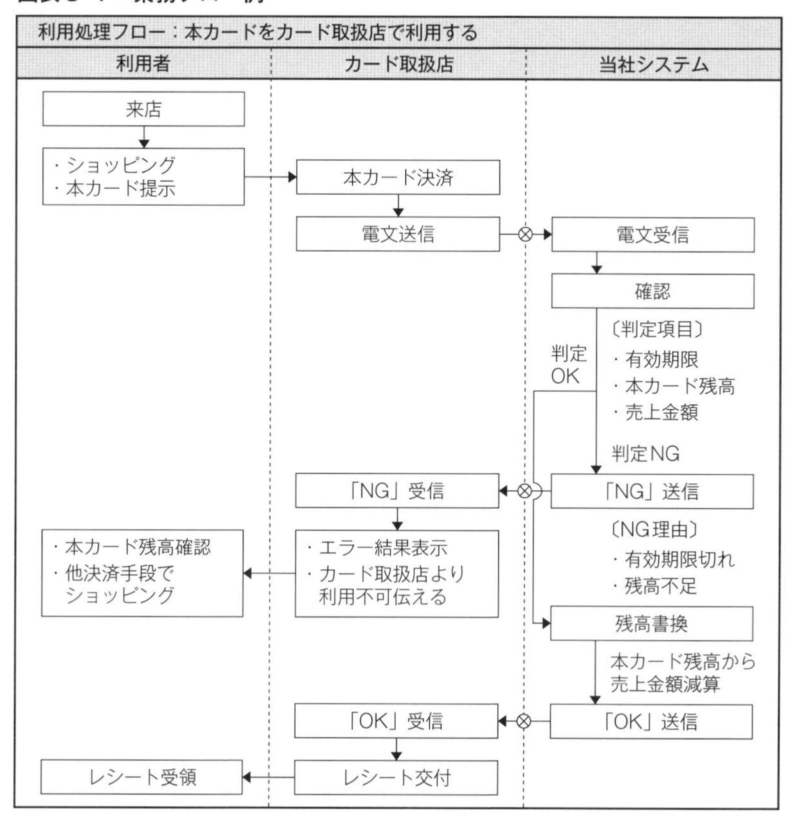

(7) 資産保全義務の範囲と資産保全方法

(i) 基準日未使用残高

前払式支払手段発行者は、基準日未使用残高（毎年3月31日および9月30日の前払式支払手段の残高）が1000万円を超えるときは、当該基準日未使用残高の2分の1の額（以下「要供託額」という）以上の資産を供託等によって保全することが義務づけられている（法14条1項、令9条）。

万が一、前払式支払手段発行者が破綻した場合には、前払式支払手段の保有者は、あらかじめ保全された資産の中から、優先的に弁済を受け

図表３-８：前払式支払手段発行者の資産保全義務

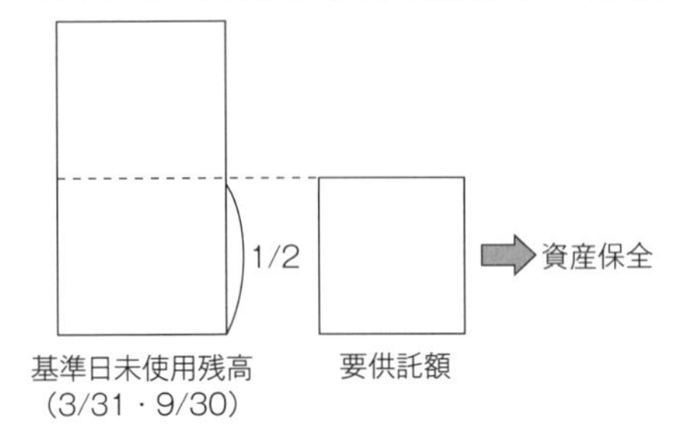

㈱ただし、資産保全義務が課されるのは、基準日未使用残高が1000万円を超えるときに限る

ることができる（法31条１項）。

前払式証票規制法の下でも、前払式証票の発行者には、基準日未使用残高が1000万円を超えるときに、当該基準日未使用残高の２分の１以上の資産保全義務が課せられていたところであり、資金決済法はこれを踏襲している。これによって、前払式支払手段発行者の破綻によって生じる社会的・経済的影響が限定的なものとなり、利用者保護が図られるという仕組みとなっている。

ただし、政令で定める一定の要件を満たす銀行等、保険会社、外国保険会社等、引受社員および割賦販売法35条の４に定める指定受託機関が前払式支払手段発行者である場合については、これらの者が発行保証金保全契約の相手方となることもできる信用力の高い事業者であることに鑑み、資産保全義務は課せられないこととされている（法35条、令８条２項、令12条２項）。

前払式支払手段発行者の資産保全義務の範囲（要供託額）は、次のように算出される基準日未使用残高をもとにして決定される（法14条１項、前払府令４条）。前払式支払手段発行者は、基準日ごとに、基準日未使用残高を算出し、要供託額を把握しなければならない。

ア　基準日未使用残高の算出方法その１（前払府令４条）

①基準日未使用残高に係る基準日（直近基準日）以前に到来した各基準日に係る前払式支払手段の基準期間発行額の合計額－②直近基

図表3-9：基準日未使用残高の算出方法（その1）

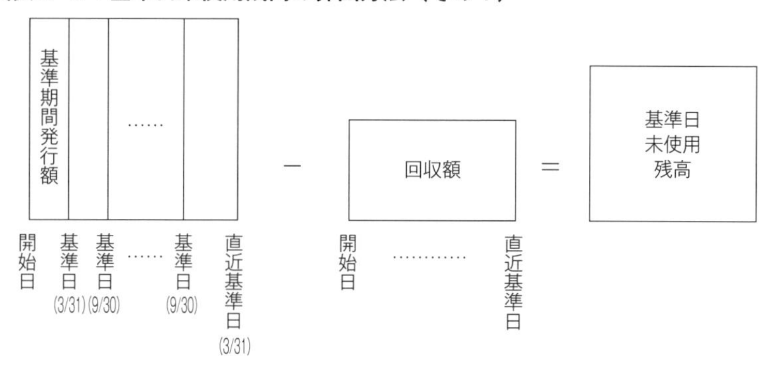

準日までにおける回収額（使用された額のほか、有効期限の到来その他の理由により使用されなくなった額や、払戻手続や還付手続において除斥された額を含む）

イ　基準日未使用残高の算出方法その２（前払ガイドラインⅠ－２－１）

①直近基準日の直前の基準日における基準日未使用残高＋②直近基準日を含む基準期間の発行額－③基準期間回収額

基準日未使用残高には、財務諸表に税法による収益（いわゆる退蔵益）として計上された前払式支払手段の発行残高も含まれる（前払ガイドラインⅠ－２－１⑵）。

図表3-10：基準日未使用残高の算出方法（その2）

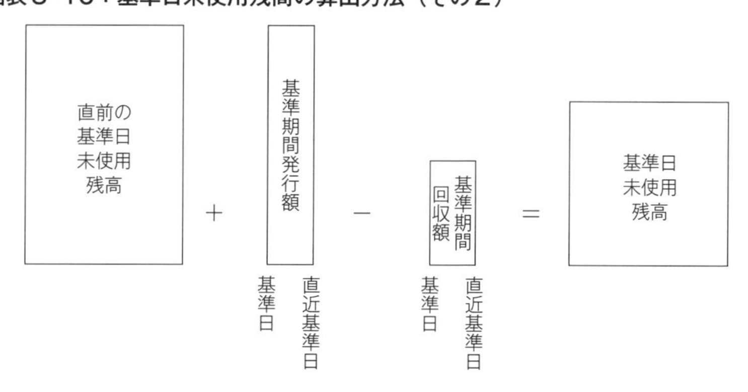

また、クレジット与信業者と前払式支払手段の発行者が同一である場合で、クレジットで購入された前払式支払手段の代金が未収となっており、その額が把握できる場合には、当該未収部分の額を基準日未使用残高の額から控除することができる（前払ガイドラインⅠ－２－２）。

Q15 前払式支払手段をキャンペーンなどによって一部無償で発行した場合、当該無償発行分は未使用残高に計上しないことができるか。

A15 前払式支払手段のうち有償発行分と無償発行分を区分できない場合には、当該前払式支払手段の残高の全額を未使用残高とする必要がある。これに対し、前払式支払手段のうち有償発行分と無償発行分を区分できる場合には、当該無償発行分については未使用残高に計上しないことができる。この「区分」の基準については、前払ガイドラインⅠ－２－１⑶に定められており、①情報の提供内容やデザインによって、対価を得て発行されたものと無償で発行されたものを明確に区別することが可能であること、②帳簿書類上も、発行額、回収額、未使用残高について、有償発行分と無償発行分が区分して管理されていることの２つの要件を満たすことが必要とされている。

ウ　特例基準日

2016年改正法の下では、前払式支払手段発行者が届出を行った場合には、届出日後から３月末日および９月末日の基準日のほか、中間時点である６月末日および12月末日も基準日に加えることができることとし、発行保証金の額の算定の柔軟化が図られることとされた（法29条の２第１項、前払府令50条の２）。この届出によって加えることができる基準日を特例基準日といい、特例基準日の適用を受けようとする旨の届出を行った前払式支払払手段発行者は、特例基準日にも未使用残高の算出および発行保証金の供託を行い、要供託額を下回る供託金を取り戻すことが可能となる。

なお、特例基準日の適用を届け出た前払式支払手段発行者は、かかる適用を受けることをやめようとする旨の届出を行って通常の基準日のみの適用に戻すことができる（法29条の２第２項）。特例基準日の翌日から通常基準日までの基準期間にこの届出を行った場合には、届出日以後に最初に到来する通常基準日後から特例基準日の適用がなくなる（法29条の２第２項）。また。恣意的な制度活用が行われることがないよう、特例基準日の適用を受けようとする旨の届出書を提出した日から１年間は、特例基準日の適用を受けることをやめようとする旨の届出書の提出はできず（法29条の２第３項、令９条の３第２項）、特例基準日の適用を受けることをやめようとする旨の届出書の提出をした日から１年間は、再度の特例基準日の適用を受けようとする旨の届出書を提出することはできない（法29条の２第４項、令９条の３第２項）。

(ii) 資産保全方法

ア　資産保全方法の種類

前払式支払手段発行者は、資産保全方法として、次の①、②または③の方法の中から選択することができる。前払式支払手段発行者は、①、②または③の方法のうちどれを選択してもよく、併用することも認められている（法14条～16条）。

①供託所（法務局等）へ発行保証金等を供託する方法（供託）
②金融機関等との間で発行保証金保全契約を締結することにより、当該発行保証金保全契約で保全される金額について発行保証金の供託に代える方法（金融機関保証）
③信託会社等との間で発行保証金信託契約を締結することにより、当該発行保証金信託契約に基づき信託する方法（信託）

前払式支払手段発行者は、いずれの方法を選択する場合であっても、基準日の翌日から２ヶ月以内に資産保全義務の履行を完了することが必要である（前払府令24条１項）。

イ　資産保全方法①――供託

資産保全方法として原則的に定められているのが供託所へ発行保証金等を供託する方法である。この方法による場合、要供託額以上の額の金銭または有価証券を現実に用意して、供託所に供託する必要がある。

供託金には、利息を付けることが規定されており（供託法3条）、利率は2019年10月から年0.0012％とされている（2021年8月時点）。供託金の利息は、原則として、元金と同時に払い渡されるが、発行保証金のような営業保証のための供託の場合には、利息のみを単独で払い渡すことができる。この場合、供託金受入の翌月から1年経過するごとに1年分の利息を請求することができるが、請求することができるようになった日から5年間のうちに利息を請求しなければ、時効により権利が消滅するため、留意が必要である。

(a) 供託の手順

前払式支払手段発行者が供託により資産保全を行おうとする場合、図表3－11のようなタイミングで供託を行う必要がある。

なお、ある基準日の要供託額が、前基準日までに供託した発行保証金の金額以下であるときは、前払式支払手段発行者に新たに供託義務は生じない（2010年パブコメNo. 93参照）。また、ある基準日の要供託額が、前基準日までに供託した発行保証金の金額を上回るときは、当該上回る金額だけ供託すれば足りるものと考えられる。

(b) 供託財産

供託ができる財産は、金銭が原則であるが、2010年3月1日以降は金銭以外の債券（国債証券、地方債証券、政府保証債券、金融庁

図表3-11：供託による資産保全

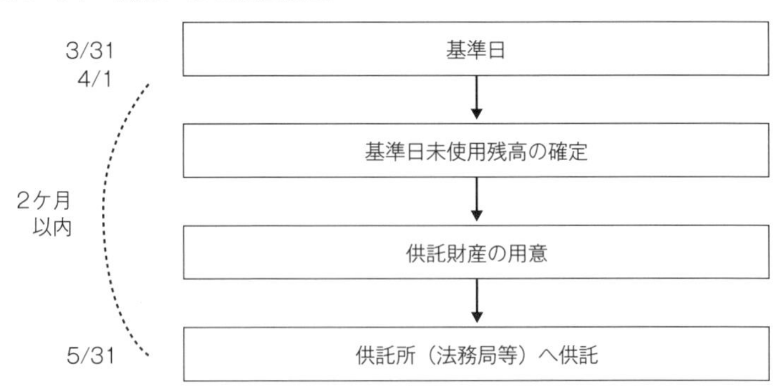

長官の指定する社債券その他の債券）も供託することができる（法14条３項、前払府令28条)。供託ができる金銭は、円貨に限られ、外貨は含まれない。

金融庁長官の指定する社債券その他の債券については、平成22年３月１日金融庁告示第18号「前払式支払手段に関する内閣府令第28条第４号の規定に基づき、金融庁長官の指定する社債券その他の債券を定める件」において指定されている。

同告示においては、多数の種類の社債券が列記されているが、会社法に基づき発行される無担保の社債券についても、上場会社が発行するものに限り（供託を行う前払式支払手段発行者またはその密接関係者が発行する債券や破綻した会社の債券を除く)、供託することが可能とされている（告示１条43号)。上場会社が発行する社債券であれば、他の列記されている社債券と同様、一定の信用力があるといえること、しかし、供託を行う前払式支払手段発行者やそのグループ企業が発行する社債券については、当該前払式支払手段発行者が破綻した場合には無価値となることが予想され、信用力の補完とはならないことから、上記のような定めがなされている。

なお、社債等振替法により、社債も振替制度の対象とされ、この振替制度の下では、その権利の帰属が振替機関の振替口座簿の記載または記録により定まることとなっているが、これらは供託可能財産とはならない点に留意が必要である。現在のところ供託ができる振替債は、振替国債のみであり（前払府令28条１号参照)、振替社債によって資産保全しようとするときは、後述の信託の方法を用いるほかない。

債券を発行保証金に充てる場合、当該債券の評価額は、図表３－12の各号に掲げる債券の区分に応じて決定される（前払府令29条１項)。評価額は当該債券の時価の変動によって影響を受けないので、計算は容易である。割引の方法により発行した債券については、額面金額の計算方法が規定されている（前払府令29条２項・３項)。

図表3-12：発行保証金に充てることができる債券の種類および評価額

債券の種類	評価額
国債証券（振替国債）	額面金額（振替口座簿に記載または記録された金額）
地方債証券	額面金額100円につき90円として計算した額
政府保証債券	額面金額100円につき95円として計算した額
社債券	額面金額100円につき80円として計算した額

(c) 供託所

供託所は、全国に311箇所（2020年11月24日現在。内訳は、法務局8庁、地方法務局42庁、支局261庁）ある。前払式支払手段発行者は、主たる営業所または事務所の最寄りの供託所に供託をする必要がある（法14条1項）。

上記供託所のうち、現金取扱庁は、法務局および地方法務局の各本局、東京法務局八王子支局および福岡法務局北九州支局の合計52庁であり、その他の供託所においては、金銭の受入れの事務は取り扱っていないので、日本銀行またはその代理店に納めるものとされている（https://www.moj.go.jp/MINJI/minji07.html）。

なお、法務省オンライン申請システムを用いたオンラインによる供託手続も可能である（https://www.moj.go.jp/MINJI/minji67.html）。

(d) 保管替えの手続

主たる営業所または事務所の所在地について変更があったため、その最寄りの供託所に変更があったときは、次のような手続が必要となる。

①金銭のみをもって発行保証金を供託している場合

発行保証金を供託している供託所に対し、費用を予納して、所在地変更後の主たる営業所または事務所の最寄りの供託所への発行保証金の保管替えを請求しなければならない（発行保証金規則3条1項）。

②債券または債券および金銭をもって発行保証金を供託している場合

発行保証金と同額の発行保証金を所在地変更後の主たる営業所または事務所の最寄りの供託所に供託しなければならない（発行保証金規則3条2項）。

(e) 取戻しの手続

前払式支払手段発行者が、発行保証金を取り戻すためには、財務（支）局長の承認が必要である。前払式支払手段発行者が、財務（支）局長の承認を受けて発行保証金を取り戻すことができる場合および取戻し可能額は、図表3－13のとおり限定されている。

発行保証金の取戻しを行うためには、財務（支）局長の承認を受けることが必要である（令9条1項）。

具体的には、発行保証金規則様式第1に従い、取戻しの事由および取戻しをしようとする供託物の内容を記載した発行保証金取戻承認申請書を財務（支）局長に提出し、同様式第2に従い作成される発行保証金取戻承認書の交付を受けて、供託物払渡請求書にこの発行保証金取戻承認書を添付して、発行保証金の取戻しを行う（発行保証金規則1条1項・2項、2条）。

なお、当然のことながら、取戻しを求める発行保証金について権利実行の手続や払戻手続が行われている間は、当該発行保証金は利用者への還付にあてられるものであるから、これを取り戻すことができない（令9条3項）。

ウ　資産保全方法②――発行保証金保全契約

前払式支払手段発行者は、一定の要件を満たす銀行等その他政令で定める者（「金融機関等」）との間で発行保証金保全契約を締結したときは、保全金額（当該発行保証金保全契約において供託されることとなっている金額）について供託をしないことができる（法15条）。

資産保全方法のうち、発行保証金保全契約を締結した場合には、金融機関等に対して保証料を支払えば足り、要供託額全額の金銭や有価証券を用意することがないため、資産効率がよいという点で利

図表3-13：発行保証金を取り戻すことができる場合および取戻し可能額

取り戻すことができる場合	根拠条文	取戻し可能額
基準日未使用残高が基準額以下であるとき	法18条1号 令9条1項1号	発行保証金の全額
発行保証金の額が要供託額を超えるとき	法18条2号 令9条1項2号	当該超えている額
権利実行の手続が終了した場合	法18条3号 令9条1項3号および4号	①権利実行の手続が終了した日の未使用残高が1000万円以下であるとき：当該終了日における発行保証金の額から権利実行の手続に要した費用を控除した残額 ②権利実行の手続が終了した日の未使用残高が1000万円を超えるとき：当該終了日における発行保証金の額から権利実行の手続に要した費用と当該未使用残高の2分の1を控除した額
払戻手続が終了した場合	法18条4号 令9条2項1号および2号	①払戻手続が終了した日の未使用残高が1000万円以下であるとき：当該終了日における発行保証金の全額 ②払戻手続が終了した日の未使用残高が1000万円を超えるとき：当該終了日における発行保証金の額から当該未使用残高の2分の1を控除した額

(※)上記の権利実行の手続が終了した日の未使用残高や、払戻手続が終了した日の未使用残高の算出方法は、前払府令40条で定められている。

点がある。保証料については、前払式支払手段発行者の信用力等に応じて、銀行等と前払式支払手段発行者との間の交渉によって決定される。

(a)　発行保証金保全契約の相手方

発行保証金保全契約は、政令で定める要件を満たす金融機関等との間で締結することができる（法15条）。

図表３-14：発行保証金保全契約による資産保全

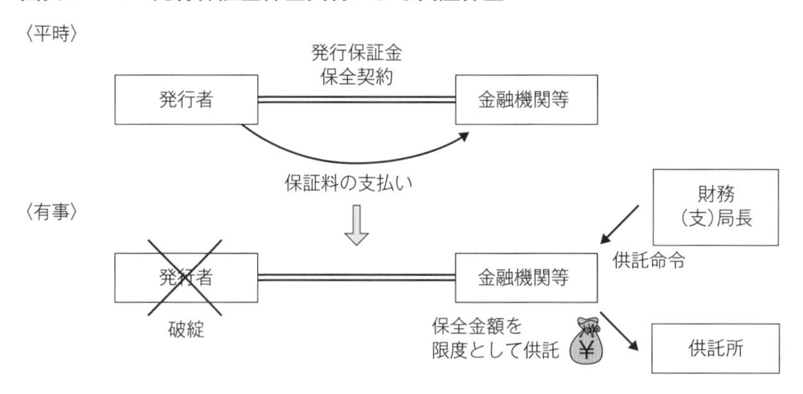

具体的には、図表３－15の者が発行保証金保全契約の相手方となることができる。

(b)　発行保証金保全契約の内容

発行保証金保全契約の仕組みは、発行保証金保全契約を締結した金融機関等は、前払式支払手段発行者が万一破綻した場合等に備えて保全金額を定めて保証を行い、当該破綻等が起こった場合には、財務（支）局長は、金融機関等に対して、保全金額を上限として供託命令を行うので（法17条）、これに応じて金融機関等は供託を行うというものである。

発行保証金保全契約は、前払式支払手段発行者と金融機関等との間で締結されるものであって、財務（支）局や利用者が契約当事者となるものではない。

発行保証金保全契約の内容となるべき事項は、以下の事項である（令７条）。

①当該発行保証金保全契約の相手方が、資金決済法施行令７条１号に掲げる場合に該当することとなったときは、当該相手方が当該前払式支払手段発行者のために財務（支）局長の供託命令に係る額の発行保証金が遅滞なく供託されるものであること

②前払府令30条の２各号に定める場合以外の場合には、当該発

図表3-15：発行保証金保全契約の相手方と要件

相手方	要件
銀行、長期信用銀行、信用金庫連合会、信用金庫	各金融機関等の種類に応じて、自己資金比率が前払府令31条で定める比率を満たすこと
労働金庫、労働金庫連合会、信用協同組合、協同組合連合会、農業協同組合、農業協同組合連合会、漁業協同組合、漁業協同組合連合会、水産加工業協同組合、水産加工業協同組合連合会	
農林中央金庫	
株式会社商工組合中央金庫	
外国銀行支店	外国銀行支店に係る外国銀行が外国において適用される自己資本比率規制を満たしていること
保険会社	業務及び財産の状況に関する説明書類における保険金等の支払能力の充実の状況を示すこと
外国保険会社等	
引受社員	
割賦販売法35条の4第1項に定める指定受託機関	発行保証金保全契約に係る事業につき割賦販売法35条の9ただし書の承認を受けた者

行保証金保全契約の全部または一部を解除することができないこと

上記が法令上の要件となっているが、実務上は、これ以外に、金融機関等による証明書（前払式支払手段発行者が財務（支）局長へ提出する支払保証委託契約締結証明書）の発行、前払式支払手段発行者の通知義務、金融機関等の保証債務の履行、償還の範囲、事前求償、充当の方法や差引計算、費用の負担、合意管轄等の各条項が設けられることが多い。

(c) 発行保証金保全契約の届出

前払式支払手段発行者が、発行保証金保全契約を締結したときは、前払府令別紙様式第13号により作成した発行保証金保全契約届出書に、発行保証金保全契約に係る契約書の写しを添付して、財務（支）局長に提出しなければならない（前払府令30条）。

(d) 発行保証金保全契約の解除

前払式支払手段発行者が、発行保証金保全契約の全部または一部を解除することができる場合とその範囲は、図表3－16のとおり限定されている。

前払式支払手段発行者が発行保証金保全契約を解除したときは、別紙様式第14号により作成した発行保証金保全契約解除届出書を、財務（支）局長に提出しなければならない（前払府令33条）。

エ　資産保全方法③――信託

前払式支払手段発行者は、信託会社等との間で発行保証金信託契

図表3-16：発行保証金保全契約を解除することができる場合とその範囲

解除ができる場合	根拠条文	解除できる範囲
基準日未使用残高が基準額以下である場合	前払府令30条の2第1号	発行保証金保全契約の全部または一部
要供託額がその直前における発行保証金等合計額（供託されている発行保証金の額、保全金額および信託金額の額の合計額をいう）を下回る場合	前払府令30条の2第2号	保全金額の範囲内において、その下回る額に達するまでの額に係る発行保証金保全契約の全部または一部
前払式支払手段発行業の全部または一部について権利実行手続が終了した場合	前払府令30条の2第3号	発行保証金保全契約の全部または一部
前払式支払手段の払戻手続が終了した場合で、未使用残高が基準額以下である場合	前払府令30条の2第4号および第5号	発行保証金保全契約の全部または一部
前払式支払手段の払戻手続が終了した場合で、発行保証金等合計額から未使用残高の2分の1の額を控除した残額がある場合	前払府令30条の2第6号	保全金額の範囲内において、その残額に達するまでの額に係る発行保証金保全契約の全部または一部

約を締結し、財務（支）局長の承認を受けた場合において、当該発行保証金信託契約に基づき信託財産が信託されている間、当該信託財産の額につき、発行保証金の全部または一部の供託をしないことができる（法16条1項）。

(a)　発行保証金信託契約の相手方

発行保証金信託契約は、信託会社等との間で締結することができる（法16条1項）。

信託会社等とは、信託業法3条の免許を受けた信託会社、同法53条1項の免許を受けた外国信託会社、または兼営法1条1項の認可を受けた金融機関（信託銀行）を指す（法2条16項）。

これに対し、信託業法で信託業が認められる管理型信託会社（信託業法2条4項）は、信託会社等には含まれず、発行保証金信託契約の相手方として認められていない。

(b)　発行保証金信託契約の内容

発行保証金信託契約の仕組みは、発行保証金信託契約を締結した信託会社等は、前払式支払手段発行者から信託財産の預託を受け、万一前払式支払手段発行者に破綻等が起こった場合に、財務（支）局長は、信託会社等に対して、信託金額を上限として供託命令を行

図表3-17：発行保証金信託契約による資産保全

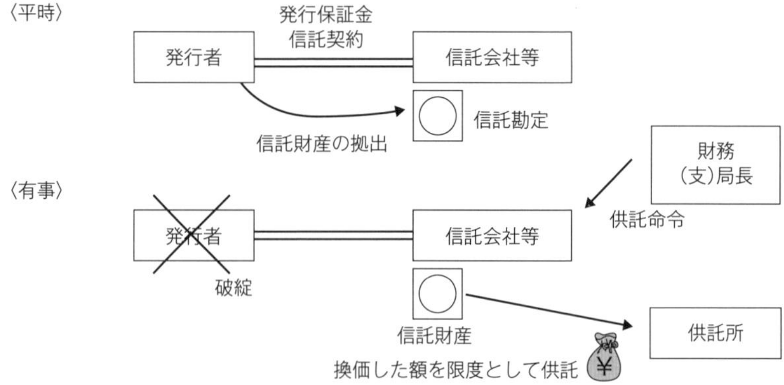

〈平時〉
発行者
発行保証金
信託契約
信託会社等
信託勘定
信託財産の拠出

〈有事〉
発行者
破綻
信託会社等
財務
（支）局長
供託命令
信託財産
供託所
換価した額を限度として供託

い（法17条）、これに応じて信託会社等は、信託財産を換価して供託を行うというものである。

発行保証金信託契約は、前払式支払手段発行者と信託会社等との間で締結されるものであって、財務（支）局が契約当事者となるものではない。

発行保証金信託契約の内容となるべき事項は、以下の事項である（法16条2項、前払府令35条）。

＊当事者等に関する事項

①発行保証金信託契約を締結する前払式支払手段発行者（以下「信託契約前払式支払手段発行者」という）が発行する前払式支払手段の保有者を受益者とすること（法16条2項1号）

②受益者代理人を置いていること（法16条2項2号）

③信託契約前払式支払手段発行者を委託者とし、信託会社等を受託者とし、かつ、当該前払式支払手段の利用者を信託財産の元本の受益者とすること（前払府令35条1号）

④複数の発行保証金信託契約を締結する場合にあっては、当該複数の発行保証金信託契約について同一の受益者代理人を選任すること（前払府令35条2号）

⑤信託契約前払式支払手段発行者が信託会社等または受益者代理人に支払うべき報酬その他一切の費用および当該信託会社等が信託財産の換価に要する費用が信託財産の元本以外の財産をもって充てられること（前払府令35条13号）

＊信託財産の内容、運用および評価額等に関する事項

⑥発行保証金信託契約に基づき信託される信託財産の運用を行う場合にあっては、その運用が次に掲げる方法によること（前払府令35条5号）

・国債証券その他金融庁長官の指定する債券の保有

・銀行等に対する預貯金

・コール資金の貸付け、受託者である信託業務を営む金融機関に対する銀行勘定貸、兼営法6条の規定により元本の補填の

契約をした金銭信託

⑦信託契約前払式支払手段発行者が信託財産を債券とし、または発行保証金信託契約に基づき信託される信託財産を債券の保有の方法により運用する場合には、信託会社等または信託契約前払式支払手段発行者がその評価額を前払府令37条に規定する方法により算定すること（前払府令35条6号）

⑧発行保証金信託契約が信託業務を営む金融機関への金銭信託契約で元本補填がある場合には、その信託財産の元本の評価額を当該金銭信託契約の元本額とすること（前払府令35条7号）

*発行保証金信託契約の解除に関する事項

⑨前払府令35条8号の規定により解除を行う場合以外の場合には、発行保証金信託契約の全部または一部の解除を行うことができないこと（前払府令35条8号）

⑩⑨の解除に係る信託財産を信託契約前払式支払手段発行者に帰属させるものであること（前払府令35条9号）

*有事の場合に関する事項

⑪信託契約前払式支払手段発行者が次に掲げる要件に該当することとなった場合には、信託会社等に対して信託財産の運用の指図を行わないこと（前払府令35条3号）

- 法26条の規定による業務停止命令を受けたとき
- 法27条1項または2項の規定により登録を取り消されたとき
- 破産手続開始の申立て等（法2条18項）が行われたとき
- 前払式支払手段の発行の業務の全部を廃止をしたとき
- 法27条1項の規定による業務停止命令（法27条1項3号または4号に該当する場合に限る）を受けたとき
- 金融庁長官が供託命令を発したとき

⑫⑪の場合には、受益者および受益者代理人が信託会社等に対して受益債権を行使することができないこと（前払府令35条4号）

⑬信託会社等が法17条の供託命令に応じて、信託財産を換価

し、財務（支）局長が指定する供託所に供託をすること（法16条2項3号、前払府令35条10号）

⑭⑬の場合には、当該発行保証金信託契約を終了することができること（前払府令35条11号）

⑮⑭の場合で、当該発行保証金信託契約の全部が終了したときの残余財産を信託契約前払式支払手段発行者に帰属させることができること（前払府令35条12号）

上記が法令上の要件となっているが、実務上は、これ以外に、財務（支）局長の承認取得手続、信託財産の具体的な運用および指図の方法、信託財産に関する公示、信託財産に関する計算期日および計算方法、信託契約前払式支払手段発行者の通知義務、信託会社等の善管注意義務、合意管轄等の各条項が設けられることが多い。

Q16 信託会社等は、信託報酬を元本以外の部分から収受することができるか。

A16 信託報酬は、信託財産の元本以外の財産をもって充てられることとされており、信託財産を運用した結果生じた収益から信託報酬を収受することは可能である（前払府令35条13号、2010年パブコメNo.38）。ただし、収益が元本に組み入れられて元本と一体となった後は、当該収益部分が元本部分と金額的に区分できる場合であっても、当該収益部分から信託報酬を収受することはできないと考えられる。

(c) 発行保証金信託契約の承認

前払式支払手段発行者は、発行保証金信託契約を締結し、その旨を届け出るときは、前払府令別紙様式第15号により作成した発行保証金信託契約届出書に、当該申請書の写し2通および発行保証金信託契約に係る契約書の写しを添付して、財務（支）局長に提出しなければならない（前払府令34条）。

(d) 信託財産

信託財産とできる財産は、金銭のほか、預貯金（法2条17項に定める銀行等に対するものに限る）および債券（国債証券、地方債証券、政府保証債券、金融商品取引法施行令2条の11に規定する債券、外国の発行する債券のうち一定の要件をみたすもの、金融庁長官の指定する社債券その他の債券）に限られている（法16条３項、前払府令36条）。

金銭については、円貨のみならず、外貨を信託財産とすることができる。また、預貯金は、法２条17項に定める銀行等に対するものであればよく、外貨預金を信託財産とすることもできる（2010年パブコメNo. 114参照）。

金融商品取引法施行令２条の11に規定する債券は、外国または外国の者の発行する証券または証書で金融商品取引法２条１項１号から９号までまたは12号から16号に掲げる証券または証書の性質を有するもの（貸付債権信託受益権等を除く）のうち、日本国の加盟する条約により設立された機関が発行する債券で、当該条約によりその本邦内における募集または売出しにつき日本国政府の同意を要することとされているものである。例えば、国際復興開発銀行（世界銀行）の債券などがこれにあたる。

外国の発行する債券のうち、証券情報等の提供又は公表に関する内閣府令13条３号に掲げる場合に該当するものも信託財産として認められる。具体的には、ａ）発行国や発行案件等に関する信頼性のある情報がインターネット等で容易に入手可能であり、かつ、発行国でコンスタントに相当量の国債発行が行われ、十分な国債流通市場があり、そこでの売買価格等に関する情報が日本から容易に入手可能であること、ｂ）日本国内で十分な流通市場があり、投資家は国内での売却可能額が信頼性の高い形で分かり、かつ、実際いつでも売却可能であるといった要件を満たすものを指す（池田唯一ほか『逐条解説 2009年金融商品取引法改正』（商事法務、2009）189頁）。例えば、米国債等の外国国債がこれにあたるが、具体的には、日本証券業協会に確認することが必要である。

金融庁長官の指定する社債券その他の債券については、平成22年３月１日金融庁告示第20号「前払式支払手段に関する内閣府令第36条第２項第６号の規定に基づき、金融庁長官の指定する社債券その他の債券を定める件」において指定されている。

図表３-18：信託財産または運用方法として保有ができる債券の種類と評価額

債券の種類（振替債を含む）	評価額
国債証券	時価×100分の100
地方債証券	時価×100分の90
政府保証債券	時価×100分の95
外国の条約に基づき設立された機関の債券	時価×100分の90
外国国債	時価×100分の85
社債券	時価×100分の80

同告示においては、多数の種類の社債券が列記されており、この種類は、供託財産とすることができる社債券と同様である（前記イ参照）。もっとも、振替債もすべて信託財産とすることができる点において、信託財産として認められる債券の種類は、供託財産として認められる債券の種類と比べて多いということができる（前払府令36条２項本文）。

いったん発行保証金信託契約に基づき信託された信託財産は信託会社等において運用を行うことが認められている。ただし、その運用方法は安全性の高いものに限定されている（(b)⑥）。

具体的には、信託財産として認められている債券の保有や銀行等に対する預貯金は同様に可能である（前払府令35条５号イ・ロ）。その他の方法として、コール資金の貸付け、受託者である信託銀行に対する銀行勘定貸、兼営法６条の規定により元本補填の契約をした金銭信託の方法が認められている（前払府令35条５号ハ）。

債券を信託財産とする場合または運用方法として債券を保有する場合、当該債券の評価額は、次の各号に掲げる債券の区分に応じて決定される（前払府令37条）。時価が変動すれば、評価額に影響を及ぼすこととなるため、前払式支払手段発行者または信託会社等において、基準日ごとに洗い替えが必要である（(b)⑦）。

(e)　発行保証金信託契約の解除

前払式支払手段発行者が、発行保証金信託契約の全部または一部を解除することができる場合およびその範囲は、図表３－19のとおり限定されている。

前払式支払手段発行者が発行保証金信託契約を解除したときは、前払府令別紙様式第16号により作成した発行保証金信託契約解除届出書を、財務（支）局長に提出しなければならない（前払府令38条）。

(8)　社内体制の整備

前払式支払手段発行者は、法令等を遵守して、健全かつ適切な業務運営を行うため、適切な社内体制の整備を行うことが必要である。登録審

図表３-１９：発行保証金信託契約を解除することができる場合およびその範囲

解除ができる場合	根拠条文	解除できる範囲
基準日未使用残高が基準額以下である場合	前払府令35条第８号イ	発行保証金信託契約の全部または一部
要供託額がその直前における発行保証金等合計額（供託されている発行保証金の額、保全金額および信託金額の額の合計額をいう）を下回る場合	前払府令35条第８号ロ	信託金額の範囲内において、その下回る額に達するまでの額に係る発行保証金信託契約の全部または一部
前払式支払手段発行業の全部または一部について権利実行手続が終了した場合	前払府令35条第８号ハ、ニ	発行保証金信託契約の全部または一部
前払式支払手段の払戻手続が終了した場合で、未使用残高が基準額以下である場合	前払府令35条第８号ホ	発行保証金信託契約の全部または一部
前払式支払手段の払戻手続が終了した場合で、発行保証金等合計額から未使用残高の２分の１の額を控除した残額がある場合	前払府令35条第８号ヘ	信託金額の範囲内において、その残額に達するまでの額に係る発行保証金信託契約の全部または一部

査との関係でも、資金決済法第２章の規定を遵守するために必要な体制の整備が行われているか否か（法10条１項５号）等が要件となっているため、登録申請書および添付書類をもとに、ヒアリングおよび調査等により検証がなされることとなる。前払式支払手段の発行の業務を適法・健全かつ適切に行うためには、前払ガイドラインの内容にも配意しつつ、当該前払式支払手段発行者が行おうとする前払式支払手段の発行の業務の規模および特性に照らして、最適な社内体制を整備することが求められる。

一方で、既に他業を行っている会社であれば、他業において構築された社内体制を前提に、特に前払式支払手段発行者に求められる体制を付加的・重点的に構築することが可能であるし、上場会社等において内部統制システムを構築している場合には、これらを活用することも可能である。

以下、個別に考え方を説明し、第三者型発行者が主として前払式支払手段の発行の業務開始までに必要な対応について指摘していきたい。業務開始後は、策定した社内規則等に従って社内体制を実施し、検証を行い、必要に応じて改善していくことが必要である。なお、紙幅の関係上、前払ガイドラインのすべてに触れることは困難であるため、適宜、前払ガイドラインの該当箇所を確認されたい。

(i) 法令等遵守（コンプライアンス）態勢

法令等遵守態勢の整備のためには、コンプライアンス基本方針のほか、具体的な実践計画（コンプライアンス・プログラム）や行動規範（倫理規程、コンプライアンス・マニュアル）等の策定を行い、これらを周知徹底することが必要である（前払ガイドラインⅡ－１－１－１①）。

前払式支払手段発行者は、法令等に則った適切な業務運営を行うことが必要であり、例えば、内部管理部門におけるモニタリング・検証や、内部監査部門による内部監査を実施するなど、前払式支払手段の発行の業務が法令等を遵守し適切に行われているかについて検証し、検証等を通じて発見された不適切な取扱いについて速やかに改善することが求められる（前払ガイドラインⅡ－１－１－１③）。

内部管理部門は、法務部やコンプライアンス部といった部署が担うことが多く、内部監査部門は、被監査部門から独立した検査部、監査部といった部署が担うことが多い。内部監査部門が行う監査は、内部管理部門が営業部門に対して行うモニタリング・検証および改善策の策定とは別に行われ、内部管理部門の業務の適切性についてもあわせて監査を行う必要がある。

なお、前払式支払手段発行者の規模等により、独立した内部監査部門の監査を受けることが難しい場合には、外部監査を導入することも有用である。

CHECK 業務開始までに必要な対応

- □ 対応部署の決定
- □ コンプライアンス基本方針の策定
- □ コンプライアンス・プログラムの策定
- □ コンプライアンス・マニュアル等の策定
- □ 内部管理規定の策定
- □ 内部監査規定や監査計画の策定
- □ 上記規定等の承認・周知徹底
- □ 研修・教育

(ii) 反社会的勢力への対応

前払式支払手段発行者に対する公共の信頼を維持し、前払式支払手段発行者の業務の適切性のため、経営陣には、断固たる態度で反社会的勢力との関係を遮断し、排除していくことが求められる（前払ガイドラインⅡ－１－１－１②）。

「企業が反社会的勢力による被害を防止するための指針について」(2007年６月19日犯罪対策閣僚会議幹事会申合せ）に基づき、既に上場会社においては、有価証券上場規程により反社会的勢力への対応が義務づけられており、反社会的勢力への対応についての基本方針の策定や公表は進んでいるところである。不当要求がなされた場合の対応をあらかじめ定め、経営陣も含めて組織として適切に対応することも重要である。

これらに加えて、前払ガイドラインでは、反社会的勢力とは一切の関係をもたず、反社会的勢力であることを知らずに関係を有してしまった場合には、相手方が反社会的勢力であると判明した時点で可能な限り速やかに関係を解消できるよう、事前審査の実施や、必要に応じて契約書や取引約款に反社会的勢力排除条項を導入すること、定期的に自社株の取引状況や株主の属性情報等を確認することなどが求められている（前払ガイドラインⅡ－１－２－１）。

前払式支払手段発行者としては、反社会的勢力対応部署において、反社会的勢力に関する情報を一元的に管理・蓄積し、当該情報を集約したデータベースを構築する等の方法により、加盟店との契約締結時や、当該前払式支払手段発行者における株主の属性判断等を行う際に活用する体制を構築する必要がある。

CHECK 業務開始までに必要な対応

- □ 対応部署の決定
- □ 反社会的勢力への対応についての基本方針の策定
- □ 反社会的勢力への対応に関する規定の策定
- □ 上記規定の承認・公表・周知徹底
- □ 加盟店契約書等への反社会的勢力排除条項の導入
- □ 反社会的勢力に関する情報を集約したデータベース等の構築
- □ 研修・教育

(iii) 情報提供義務

前払式支払手段発行者は、前払式支払手段を発行する場合には、前払式支払手段の形態に応じて、法令で定める事項を情報提供することが義務づけられている（法13条）。

利用者が前払式支払手段を購入する場合、利用者は前払式支払手段発行者に対して信用を供与することとなる。利用者保護の観点から、利用者が誰にどのような信用供与を行うのかを認識できるよう、情報提供を義務づけるものである。

前払式証票規制法の下でも、表示義務が定められており（旧法12条）、資金決済法でも基本的にこれを踏襲するものであるが（法13条）、資金決済法では、サーバ型前払式支払手段も適用対象となったことに伴い、利用者に有体物が交付される場合と、利用者に有体物が交付されない場合とに分けて、表示または情報提供の方法がそれぞれ規定されていた。

2016年改正法では、技術の発展により、適切な方法による情報提供を可能とするため、情報提供義務に一元化されている。これは、近年インターネットの利用と連動して使用されることが前提となっている多様な形態のプリペイドカード（例えばウェアラブル端末）が出現していることにより、事業者側から強い要望を受け、見直しが行われたものである。その上で、前払府令では、前払式支払手段の発行形態に応じて情報提供の方法が規定されている。

ア　利用者に有体物が交付される場合

(a)　表示義務

前払式支払手段発行者が、前払式支払手段を発行する際に、当該前払式支払手段に係る証票等または当該前払式支払手段と一体となっている書面その他の物を交付するときは、その発行する前払式支払手段（当該前払式支払手段と一体となっている書面その他の物を含む）に、法令で定める事項を表示する方法により、情報提供を行わなければならない（前払府令21条１項）。

例えば、前払式支払手段発行者が、商品券を発行する場合には、商品券そのものが前払式支払手段であり、利用者の手元に当該商品券が交付されることとなることから、当該商品券に法令で定める事項を表示する必要がある。

また、前払式支払手段発行者が、磁気型前払式支払手段や、IC型前払式支払手段を発行する場合には、磁気ストライプやICチップに金額等が記録されていることから、当該磁気ストライプやICチップが前払式支払手段となるが、これらは通常プラスチックカードに貼り付けられたり、内蔵されたりする形で発行される。この場合、プラスチックカードが前払式支払手段と一体となっている書面その他の物に該当することから、利用者の手元に交付されるプラスチックカードに法令で定める事項を表示する必要がある。

前払府令21条１項に規定する「前払式支払手段と一体となっている書面その他の物」とは、利用者が当該前払式支払手段を使用する際に提示または交付する必要があるものを指し、単に、前払式支払手段となる番号、記号その他の符号が記載されているだけで、利用者が当該前払式支払手段を利用する際に、当該書面その他の物を提示または交付することを要しないものは含まれないとされている（前払ガイドラインⅡ－２－１－１①（注２））。

これは、前払式支払手段が繰り返し利用されたり、転々流通する場合に、前払式支払手段そのものに表示を義務づけさせることとすれば、信用供与の状態が利用者にとって明らかとなり適切と考えられるが、利用の場面で前払式支払手段と書面その他の物が区々となる場合には、書面その他の物に表示を義務づけることはそれほど意

図表３-20：前払府令21条１項と２項の適用場面

	前払式 支払手段	発行時 の状態	流通時の 状態	当初 発行	残高 加算
紙型	紙	紙	紙	府令21 条１項	×
磁気型	磁気ストライプ	カード	カード	府令21 条１項	×
IC型	ICチップ	カード	カード	府令21 条１項	府令21 条１項
サーバ型 (ID番号がカードに記録)	ID（符号）	カード	カード	府令21 条１項	府令21 条１項
サーバ型 (ID番号が紙に記載)	ID（符号）	紙	（無体物）	府令21 条２項	府令21 条２項
サーバ型 (ID番号がメールで付与)	ID（符号）	（無体 物）	（無体物）	府令21 条２項	府令21 条２項

㈱上記区分は、［図表３-２：価値の保存・管理方法］の区分に従っている。

味がなく、むしろ府令21条２項を適用して、利用者が購入後も利用者が電磁的方法により表示事項に該当する情報を確認できるようにしておくことが望ましいと考えられたものである（前払ガイドラインⅡ－２－１－１②参照）。

例えば、サーバ型前払式支払手段のうち、ID番号がシートに記載されて利用者に交付される場合、ID番号が前払式支払手段発行者の管理するサーバに保存された財産的価値と紐付いた前払式支払手段に該当するが、利用者は、ID番号をパソコン等に入力してこれを利用する際に、当該シートを提示または交付することは必ずしも必要ではない。この場合、当該シートは、「前払式支払手段と一体となっている書面その他の物」に該当せず、前払府令21条１項ではなく同条２項により有体物が交付されない場合の情報提供義務を負うこととなる。

Q17 前払式支払手段がギフトカードである場合に、当該カードを台紙に貼付して発行することを予定しているが、当該台紙に表示事項の一部を記載することにより、表示義務を履行したことになるか。

A17 当該台紙は、利用者が当該前払式支払手段を利用する際に、提示または交付することを要しないものであることから、当該台紙に法令で定める事項を記載しても、表示義務を履行したことにならない（前払ガイドラインⅡ－２－１－１①（注２））。

(b)　表示事項

前払式支払手段（当該前払式支払手段と一体となっている書面その他の物を含む）に表示すべき事項は、次の各事項である（法13条１項各号、前払府令22条２項）。

①前払式支払手段発行者の氏名、商号または名称

②前払式支払手段の支払可能金額等

③物品の購入もしくは借受けを行い、もしくは役務の提供を受ける場合にこれらの代価の弁済のために使用し、または物品の給付もしくは役務の提供を請求することができる期間または期限

が設けられているときは、当該期間または期限
④前払式支払手段の発行および利用に関する利用者からの苦情または相談に応ずる営業所または事務所の所在地および連絡先
⑤前払式支払手段を使用することができる施設または場所の範囲
⑥前払式支払手段の利用上の必要な注意
⑦電磁的方法により金額または物品もしくは役務の数量を記録している前払式支払手段にあっては、その未使用残高または当該未使用残高を知ることができる方法
⑧前払式支払手段の利用に係る約款もしくは説明書またはこれらに類する書面が存する場合には、当該約款等の存する旨

上記のうち、前払式支払手段の支払可能金額等（前記②）とは、資金決済法３条１項１号の金額表示の前払式支払手段にあっては、その発行された時において代価の弁済に充てることができる金額をいい、資金決済法３条１項２号の数量表示の前払式支払手段にあっては、その発行された時において給付または提供を請求することができる物品または役務の数量をいう（法３条３項)。ただし、電磁的方法により金額や物品または役務の数量を記録している前払式支払手段については、残高を加算したり減算したりすることができるため、当該前払式支払手段の支払可能金額等は、その上限を示すことで足りることとされている（前払府令５条)。

資金決済法上、前払式支払手段の支払可能金額等の上限を画する規定はなく、支払可能金額等を無限として、上限を設定しないことも認められる。その場合には、システム上の上限が存しないか（例えば、システム上金額を記録できる桁数がある場合にはそれが上限となっているケースも存在する）を確認の上、システム上も上限が存しない場合には「上限なし」と記載すれば足りるものと考えられる。

また、資金決済法上、前払式支払手段を使用することができる期間または期限の定め方についての規制はなく、当該期間または期限を定めた場合には、これを表示することが義務づけられているのみである（前記③)。利用者が不測の損害を被ることを防止するた

め、当該期間または期限については、前払式支払手段に表示することはもちろんのこと、実務上十分な周知を図ることが望ましい。

なお、条文上「期間又は期限が設けられているときは」(法13条1項3号)と定められていることから、期間または期限の定めがない場合には、前払式支払手段等に表示する必要はなく、表示がない場合には期間または期限の定めがないものとして取り扱われることとなる。

(c) 表示方法

表示事項は、前払式支払手段を一般に購入し、または使用する者が読みやすく、理解しやすいような用語により、正確に表示しなければならない(前払府令22条1項本文)。

ただし、ギフトカードなどの場合、支払可能金額等を明示することが儀礼上適切でない場合がある。そのため、専ら贈答用のために購入される前払式支払手段のうち、その購入の目的にあわせて支払可能金額等を明示しないこととしているものに係る支払可能金額等の表示については、符号、図画その他の方法による表示をもって足りることとされている(前払府令22条1項ただし書)。

この場合、前払式支払手段発行者は、どの符号や図画がいくらを指すのかについて、リスト化しておき、ウェブサイト上に掲載するか、利用者から問い合わせがあった場合に回答できるようにしておくことが必要である。

(d) 表示義務の特例

前払式支払手段の面積が狭いために、表示事項を明瞭に表示することができないときは、次の要件のすべてを満たす場合に限り、前払式支払手段を使用することができる施設または場所の範囲(前記(b)⑤)および前払式支払手段の利用上の必要な注意(同⑥)については、主要なもののみを表示することで足りることとされている(前払府令22条3項)。

・約款等に前払式支払手段を使用することができる施設または場所の範囲および前払式支払手段の利用上の必要な注意についての表示があること。

・前払式支払手段が一般に購入される際に約款等がその購入者に交付されること。

(e) 加算型前払式支払手段についての表示義務

前払式支払手段発行者は、前払式支払手段を発行する場合に、表示事項を表示することが義務づけられており、電磁的方法によって金額または物品もしくは役務の数量の記録の加算が行われる場合には（加算型前払式支払手段）、当該加算も「発行」の一場面であることから、加算の都度表示事項を表示することが原則である。

しかしながら、加算型前払式支払手段は、利用者に当初交付された時点での表示事項が表示されていることが通常であり、その後表示事項の一部の内容が変更となった場合には、改めてカード等を交換しない限り、表示事項を満たさないという事態が生じることとなる。

そこで、加算型前払式支払手段については、加算が行われる場合において、既に資金決済法13条1項の規定による表示が行われているときは、当該表示をもって、同項の規定による表示をしたものとみなすこととされており（前払府令22条4項）、加算時の表示事項が表示されていなくてもよいこととされている。

なお、前払式支払手段の内容の変更にあたっては、利用者との間で適用される利用約款等の変更の手続が必要であり、上記の表示事項の特例は、これらの手続を不要とするものではない点に留意が必要である。

(f) 協会による代替周知

前払式支払手段発行者が、認定資金決済事業者協会に加入しているときに、当該協会が、前払式支払手段の発行および利用に関する利用者からの苦情または相談に応ずる営業所または事務所の所在地および連絡先（前記(b)④）、前払式支払手段を使用することができる施設または場所の範囲（同⑤）、前払式支払手段の利用上の必要な注意（同⑥）、電磁的方法により金額または物品もしくは役務の数量を記録している前払式支払手段にあっては、その未使用残高または当該未使用残高を知ることができる方法（同⑦）および前払式支払手段の利用に係る約款もしくは説明書またはこれらに類する書面が存する場合には、当該約款等の存する旨（同⑧）を前払式支払手段の利用者に周知する場合には、前払式支払手段発行者は、当該事項を表示しないことができる（前払府令23条）。

現在、認定資金決済事業者協会である一般社団法人日本資金決済業協会では、会員から委託された表示事項の周知を協会のウェブサイトにおいて行っており（https://www.s-kessai.jp/cms/card-data/list/）、利用者はこれを確認することにより、前払式支払手段の内容を確認することができる。

なお、協会による代替周知を行う場合であっても、前払式支払手段発行者の氏名、商号または名称（前記(b)①）、前払式支払手段の支払可能金額等（同②）および期間または期限（同③）については、絶対的表示事項として、前払式支払手段等に表示することが必要である。

イ　利用者に有体物が交付されない場合

(a)　情報提供義務

前払式支払手段発行者は、前払式支払手段に係る証票等または当該前払式支払手段と一体となっている書面その他の物を利用者に対して交付することがない場合には、後記(b)のいずれかの方法により、法令で定める事項に関する情報を利用者に提供しなければならない（前払府令21条2項）。

例えば、前払式支払手段発行者が、IDを発行してメールで通知する場合には、IDそのものが前払式支払手段であり、利用者の手元には何ら有体物が交付されないことから、後記(b)のいずれかの方法により、法令で定める事項に関する情報を利用者に提供する必要がある。

情報提供すべき事項は、前記ア(b)の表示事項と同一である。電磁的方法により情報提供する場合には、書面やカードに表示する場合と異なり面積等に制約があることは通常考えづらいことから、すべての表示事項に関する情報を提供することが必要とされている。

(b)　情報提供方法

利用者に有体物が交付されない場合の情報提供の方法は、次のいずれかの方法とされている（前払府令21条２項）。

①前払式支払手段発行者の使用に係る電子機器と利用者の使用に係る電子機器とを接続する電気通信回線を通じて送信し、当該利用者の使用に係る電子機器に備えられたファイルに記録する方法

②前払式支払手段発行者の使用に係る電子機器に備えられたファイルに記録された情報の内容を電気通信回線を通じて利用者の閲覧に供し、当該利用者の使用に係る電子機器に備えられたファイルに当該情報を記録する方法

③利用者の使用に係る電子機器に情報を記録するためのファイルが備えられていない場合に、前払式支払手段発行者の使用に係る電子機器に備えられたファイル（専ら利用者の用に供するものに限る。以下「利用者ファイル」という）に記録された当該情報を電気通信回線を通じて利用者の閲覧に供する方法

①の方法は、例えば電子メールによって情報提供する方法がこれに当たる。この方法を用いる場合、技術的基準として、利用者がファイルへの記録を出力することにより書面を作成することができるものであることを要する（前払府令21条４項）。携帯電話のメールアドレスに宛てて電子メールを送信して情報提供する場合、利用者は携帯電話からその記録を出力（プリントアウト）することは通常困難であるが、当該記録を他の電子機器（パソコン等）に送信することその他の方法を用いて出力することによっても、上記技術的基準を満たすことができる（前払府令21条４項）。

②の方法は、例えば前払式支払手段発行者のウェブサイト上で表示事項に関する情報を掲載し、利用者の閲覧に供する場合等がこれにあたる。この方法を用いる場合の技術的基準は、①の方法と同様である。

③の方法は、例えばチャージ機等によって表示事項に関する情報を掲載し、利用者の閲覧に供する場合等がこれにあたる。この方法を用いる場合、技術的基準として、利用者ファイルへの記録がされ

た情報を、当該利用者ファイルに記録された時から起算して３ヶ月間は消去または改変できないものであることが必要である。なお、利用者ファイルについては、利用者１人１人に対して専用のファイルを作成することが必要であるわけではなく、利用者用のファイルで情報を提供することで差し支えない（2010年パブコメNo. 29）。

また、上記の各方法によって情報提供する場合には、利用者が発行者から前払式支払手段を購入する際に、必ず、資金決済法13条１項各号に規定する事項に関する情報を確認する手続となっていること、また利用者が前払式支払手段を購入した後にも、当該情報を確認できるようになっていることが必要とされている（前払ガイドラインⅡ－２－１－１②）。

ただし、利用者が前払式支払手段をコンビニエンスストア等に設置されたMMK端末（Loppi、Famiポート等）において前払式支払手段を購入する際には、実態として必ずしもインターネット等にアクセスしてすべての表示事項に関する情報を確認できる手順とはなっていないことから、利用者が操作するMMK端末から出力されるシート、レジ出力レシート、店舗で販売されるカード等のいずれかによって、資金決済法13条１号から３号（可能な限り４号）に規定する表示事項に該当する情報を確認できれば、購入時の確認手続として許容されるとの運用がなされている。

ウ　電子機器と接続して使用する有体物の場合

前記アのとおり、前払式支払手段発行者が、前払式支払手段を発行する場合に、当該前払式支払手段に係る証票等または当該前払式支払手段と一体となっている書面その他の物を交付する場合であっても、発行する前払式支払手段が前払式支払手段発行者の使用に係る電子機器と電気通信回線を介して接続される利用者の使用に係る電子機器（証票等の使用の開始前に、または証票等の使用に際して、当該電子機器と接続される場合における当該証票等を含む）を提示して使用されるものである場合には、法令で定める事項を、前記イ(b)の方法によって情報提供することができる（前払府令21条３項）。

これは、いわゆるウェアラブル端末（アームバンド、指輪等）についての情報提供の方法を定めたものであり、ここでいう電子機器とは、スマートフォン、タブレット端末、スマートウォッチ等の自律的に情報処理を行う機器をいい、ウェアラブル端末の使用の開始前に、またはこれらの使用に際して、電子機器と接続される場合には、前払府令21条２項各号に掲げる方法による情報提供が可能となることを規定している（2017年パブコメ60頁No. 7）。

一方で、情報を保存することができるが表示等を行うことが予定されていない非接触ICチップは前払府令21条にいう電子機器には該当せず、これに情報を保存したとしても情報提供の方法としては認められない点に留意が必要である（2017年パブコメ59～60頁No. 4～6）。

エ　2020年改正で追加された情報提供義務

2020年改正では利用者に情報提供すべき事項が拡充されており、前払式支払手段発行者は、上記のほか、前払式支払手段を発行する場合には、書面の交付その他の適切な方法により、次に掲げる事項に関する情報を利用者に提供しなければならないとされている（前払府令23条の２）。

①法14条１項の規定の趣旨および法31条１項に規定する権利の内容

②発行保証金の供託、発行保証金保全契約または発行保証金信託契約の別および発行保証金保全契約または発行保証金信託契約を締結している場合にあっては、これらの契約の相手方の氏名、商号または名称

③前払式支払手段の発行の業務に関し利用者の意思に反して権限を有しない者の指図が行われたことにより発生した利用者の損失の補償その他の対応に関する方針

加算型前払式支払手段については、既に情報提供をしている場合には加算時に情報提供を行わなくてもよいこと、協会の代替周知の制度を利用することができる点は、前払府令21条１項の場合と同

様である。

●● 記載例 ── △△マネー ●●

○商号：××株式会社
○支払可能金額等：２万円
○有効期間または期限：本マネーのご利用期間は、本マネーを購入した日から３年間です。ご利用期間を経過した本マネーは失効し、ご利用ができなくなります。
○使用できる施設または場所の範囲：本マネーは、「△△マネー」のロゴを表示した当社の加盟店のウェブサイトでの商品の購入またはサービスの提供の代金決済にご利用いただけます。
○利用上の注意：本マネーの残高を払戻しまたは換金することはできません。有効期間が過ぎた場合にも、本マネーの残高の有無にかかわらず返金はなされませんのでご注意下さい。
○未使用残高の確認方法：本マネーの残高は、当社所定のウェブサイトに、IDおよびパスワードを入力することにより、ご確認いただくことができます。
○本マネーの利用約款は、下記URLをご参照下さい。
○苦情または相談窓口：所在地×××
○利用者資金の保全方法：前払式支払手段の保有者の保護のための制度として、資金決済に関する法律第14条第１項に基づき、前払式支払手段の基準日未使用残高の半額以上の額の発行保証金を、法務局に供託等することにより、資産保全することが義務づけられています。万が一の場合、前払式支払手段の保有者は、資金決済に関する法律第31条の規定に基づき、あらかじめ保全された発行保証金について、他の債権者に先立ち弁済を受けることができます。
○発行保証金の供託、発行保証金保全契約又は発行保証金信託契約の別及び相手方：当社は、株式会社○○銀行と、発行保証金保全契約を締結することにより、利用者資金を保全しています。
○無権限取引により発生した損失の補償等の対応方針：当社は、お申出の日から30日前までに発生した無権限取引によりお客様に生じた損失を、お客様に故意または重過失がない限り補償します。

【△△マネーに関するお客様ご相談窓口】
○○－○○○○－○○○○

CHECK 業務開始までに必要な対応

- □　対応部署の決定
- □　利用約款の作成
- □　表示または情報提供の内容および方法の決定
- □　業務フローの決定
- □　担当者に対する周知徹底

(iv)　未使用残高管理・帳簿書類

経営陣には、前払式支払手段の発行に伴うキャッシュ・フローのみならず、当該前払式支払手段の未使用残高についても正確に把握することが重要であることを認識し、その実践のための態勢整備に努めることが求められている（前払ガイドラインⅡ－１－１－１④）。

そして、経営陣は、前払式支払手段の発行に伴うキャッシュ・フローを重視するあまり、当該前払式支払手段の未使用残高が発行者等による商品やサービスの提供能力を著しく上回るような、発行方針を立てることのないよう留意する必要がある（前払ガイドラインⅡ－１－１－１⑤）。

また、前払式支払手段の発行の業務に関する帳簿書類は、前払式支払手段の発行額や未使用残高等を示すものであり、当該帳簿の記載内容をもとに資産保全がなされることから、利用者の利益の保護のために法令で作成・保存が義務づけられるものである。

作成・保存が義務づけられる帳簿書類の内容は、後記⑽(ii)のとおりであるが、これらの記載内容の正確性について、内部監査部門等、帳簿作成部門以外の部門において検証を行うことや、帳簿書類を電磁的に作成している場合には、一定期間ごとにバック・アップをとるなど、データが毀損した場合に帳簿書類を復元できる態勢となっていることが必要である（前払ガイドラインⅡ－２－２－１）。

CHECK 業務開始までに必要な対応

- □　対応部署の決定
- □　帳簿管理規定の策定
- □　業務フローの決定

□　上記規定の承認・周知徹底

(v)　システムリスク管理

前払式支払手段の発行の業務を行うに当たっては、コンピュータシステムの停止や誤作動等、システムの不備等により、または、コンピュータが不正に使用されることにより利用者や前払式支払手段発行者が損失を被るリスクが存在することを認識し、適切にリスク管理を行う必要がある。近年、決済サービスにおいて不正利用被害が相次いでおり、不正アクセス対策やサイバーセキュリティ体制の整備は不可欠である。

特に、サーバ型前払式支払手段については、前払式支払手段ごとの価値情報が、利用者が保有する前払式支払手段ではなく前払式支払手段発行者のサーバに記録され、前払式支払手段の使用についてもシステムを介して行われる。ICカードを用いた前払式支払手段等についてもシステムが担う役割は重大である。

前払式支払手段発行者は、その発行の業務に係る情報の漏洩、滅失または毀損の防止その他の当該情報の安全管理のために必要な措置を講じなければならないとされている（法21条）。ここで管理を求められる情報は、個人情報に限らず、金額情報や取引情報といった発行の業務に係る情報のすべてを含む。

前払府令では、「前払式支払手段発行者は、その業務の内容及び方法に応じ、前払式支払手段の発行の業務に係る電子情報処理組織の管理を十分に行うための措置を講じなければならない」（前払府令43条）との規定があるのみであるが、具体的には、前払ガイドラインⅡ－３－１－１に詳細な内容が規定されている。主な着眼点として挙げられているのは、システムリスクに対する認識等、システムリスク管理態勢、システムリスク評価、情報セキュリティ管理、サイバーセキュリティ管理、システム企画・開発・運用管理、システム監査、外部委託管理、コンティンジェンシープラン、障害発生時の対応の各項目である。

前払式支払手段発行者の発行の形態には様々なものがあるが、上記の着眼点は、基本的にはサーバ型前払式支払手段の発行者が想定されている。ICカードを用いた前払式支払手段や、磁気型・紙型の前払式支払手段を発行する場合にあっても、システム障害により前払式支払手段の発行の業務に支障を来すおそれがある場合には、必要に応じた態勢整備を行う必要があるとされている（前払ガイドラインⅡ－３－１）。

CHECK 業務開始までに必要な対応

- □ 対応部署の決定
- □ システムリスク管理基本方針
- □ システムリスク管理規定の策定
- □ コンティンジェンシープランの策定
- □ 障害発生時の対応計画の策定
- □ 上記規定の承認・周知徹底

⒱ 利用者情報管理

利用者情報管理については、前払府令43条のほかに、個人利用者情報の安全管理措置（前払府令44条）および特別の非公開情報の取扱い（前払府令45条）の規定がある。また、前払式支払手段発行者は、個人情報保護法、個人情報保護ガイドラインおよび個人情報保護実務指針を遵守する必要がある。

前払式支払手段には、無記名のものも多く、前払式支払手段発行者がその発行の業務を行う中で、必ずしも利用者の個人情報を取得するとは限らない。しかしながら、前払式支払手段をクレジットカードなどで購入させる場合や、記名式前払式支払手段を発行する場合など、その発行の業務を行う中で、個人情報を取得する場合も考えられる。クレジットカード情報（カード番号、有効期限等）を含む個人情報は、情報が漏洩した場合、不正使用によるなりすまし購入など二次被害が発生する可能性が高いことから、厳格な管理が求められる（前払ガイドラインⅡ－２－３）。

入手した利用者情報は、あらかじめ定めた規定に従い、不正アクセス、不正持ち出し等を防止し、情報の漏洩、滅失または毀損を防止しなければならない。利用者の情報の漏洩等が発生した場合には、二次被害等の発生防止の観点から、対象となった利用者への連絡、当局への報告および公表が迅速かつ適切に行われる体制の整備が必要である。

CHECK 業務開始までに必要な対応

- □ 対応部署の決定
- □ 情報保護規定・安全管理措置等の策定
- □ 上記規定の承認・周知徹底
- □ 個人情報を取り扱う役職員から情報安全管理に関する誓約書を徴求
- □ 研修・教育

(vii) 苦情処理

前払式支払手段発行者が利用者からの相談・苦情・紛争等（以下「苦情等」という）に真摯に対応して利用者の理解を得ることは、業務の遂行上重要な利用者保護のための方策といえる。

前払式支払手段は、資金移動業と異なり、金融ADR制度の対象ではない。しかしながら、前払式支払手段発行者においても、苦情等処理態勢を整備し、加盟店や委託先の苦情についても直接の連絡体制を設けること、利用者に対し、十分な説明が行われること、苦情等の内容が正確かつ適切に記録・保存されるとともに、蓄積と分析を行うことによって勧誘態勢や事務処理態勢の改善、再発防止策の策定等に十分活用されることなどが必要である（前払ガイドラインⅡ－２－４－１）。

旧法では、前払式支払手段発行者が苦情処理に関する態勢整備義務を負うことについて、法令上の明文の規定はなかった。しかし、2015年８月、消費者委員会の「電子マネーに関する消費者問題についての建議」を受け、金融審決済高度化WGでの検討の結果、2016年改正法では、前払式支払手段発行者における苦情処理をより徹底させる観点から、前払式支払手段発行者が、前払式支払手段の発行および利用に関する利用者からの苦情の適切かつ迅速な処理のために必要な措置を講じる義務を負うことを明文化している（法21条の３）。

具体的な苦情処理の手順については、前記第２章図表２－16を参照されたい。

CHECK 業務開始までに必要な対応

- □ 対応部署の決定
- □ 苦情処理規定の策定
- □ 上記規定の承認・周知徹底
- □ 業務フローの決定
- □ 担当者に対する周知徹底
- □ 利用者への情報提供態勢の整備

(viii) 利用者保護措置

昨今、販売店において匿名で誰でも簡単に購入して利用でき、他人に譲渡でき、IDをインターネット上で入力して利用できるといったサーバ型前払式支払手段を悪用して、架空請求等でサーバ型前払式支払手段を購入させてIDを詐取するといった詐欺被害が発生している。これらを踏まえて、架空請求等詐欺被害の発生が認められているサーバ型前払式支払手段発行者においては、被害発生状況のモニタリングや分析を通じて被害の防止および被害回復に向けた取組みが求められるとしている。具体的には、①被害者からの申出等、詐欺被害に関する情報を速やかに受け付ける体制を整備するとともに、こうした情報等を活用して、詐取された前払式支払手段を特定し、利用停止の措置を迅速かつ適切に講ずる態勢を整備すること、②利用停止を行った前払式支払手段について未使用の残高がある場合には、返金手続等を社内規則で定めることなどにより、円滑かつ速やかに処理するための態勢を整備すること、③被害者からの申出等をもとにした被害発生状況のモニタリングや分析を通じて、被害の防止等の観点から、架空請求等詐欺の手口に応じ、注意喚起の表示や販売方法の見直しといった措置を迅速かつ適切に講ずる態勢を整備することが求められる（前払ガイドラインⅡ－２－５－１）。

また、2020年改正では、前払式支払手段発行者は、前払式支払手段の利用者の保護を図り、および前払式支払手段の発行の業務の健全かつ適切な運営を確保するため、次に掲げる措置を講じなければならないとされている（前払府令23条の３）。

①前払式支払手段（その保有者の指図を受けて、その未使用残高の全部

または一部を前払式支払手段発行者がその使用に係る電子情報処理組織を用いる方法その他の方法により当該保有者から他の利用者に移転できるものに限る）を発行する場合にあっては、移転することができる未使用残高の上限の設定、未使用残高の移転の状況を監視するための態勢の整備その他の当該前払式支払手段の不適切な利用を防止するための適切な措置

②前払式支払手段の発行の業務の内容および方法に照らし必要があると認められる場合にあっては、当該業務に関し前払式支払手段の利用者以外の者に損失が発生した場合における当該損失の補償その他の対応に関する方針を当該者に周知するための適切な措置

金融審決済仲介法制WG報告では、近年、発行者が提供する仕組みの中で、利用者が他者に前払式支払手段のチャージ残高を譲渡することで、個人間で支払手段の移転を行うことが可能なタイプも登場してきていることを背景に、発行者が提供する仕組みの中で、財産的価値を有する支払手段の移転を伴う以上、例えば、公序良俗を害するような不適切な取引に利用されることがないようにすることが必要と考えられ、具体的には、発行者に対し、譲渡可能なチャージ残高の上限設定や、繰り返し譲渡を受けている者の特定等の不自然な取引を検知する体制整備を求めることが考えられるとの指摘が行われている。これを受けて、①の措置を法令でも求めることとしたものである。

かかる措置については、①１回または１日当たりの譲渡可能な未使用残高の上限設定について、不適切な取引に利用されることがないようにするという点を踏まえつつ、実需に応じた合理的なものとなっているか、②一定以上の金額について繰り返し譲渡を受けている者を特定するなど、不自然な取引を検知する体制を整備しているか、③不自然な取引を行っている者に対し、その利用を一旦停止する等の対応を行っているか、また、原因取引の主体や内容等について、必要な確認をしているかといった観点から監督される（前払ガイドラインⅡ－２－６－１）。

また、近年、悪意のある第三者が不正に入手した預金者の口座情報等をもとに当該預金者の名義で資金移動業者のアカウントを開設し、銀行

口座と連携した上で、銀行口座から資金移動業者のアカウントへ資金をチャージすることで不正な出金を行う事象が複数発生したことを踏まえ、利用者への補償方針の情報提供を義務付けた前記(iii)エの措置とあわせて、利用者以外への補償方針の周知を求める②の措置についても、法令で求めることとしたものである。不正取引に対する補償については、後記(xii)も参照されたい。

なお、上記の残高譲渡型の前払式支払手段に加えて、番号通知型の前払式支払手段についても行為規制が強化される見込みである。小口決済等に幅広く使われている前払式支払手段については、原則として利用者に対する払戻しが行えないことを背景として、銀行・資金移動業者と異なり、犯罪収益移転防止法上の取引時確認（本人確認）義務や疑わしい取引の届出義務等が課されておらず、資金決済法上、利用者ごとの発行額の上限も設けられていない。金融審資金決済WG報告では、AML/CFT対策や犯罪抑止の観点から、高額電子移転可能型前払式支払手段（1回あたりの譲渡額（残高譲渡型）・チャージ額（番号通知型）が10万円超または1ヶ月あたりの譲渡額（残高譲渡型）・チャージ額（番号通知型）の累計額が30万円超）の発行者に対し、資金決済法上の登録申請書への記載や、業務実施計画の届出を求め、当局によるモニタリングを強化するほか、犯罪収益移転防止法に基づく取引時確認（本人確認）や疑わしい取引の届出等の規律を適用する方向性が示されている。今後の法改正の内容に注視が必要である。

CHECK 業務開始までに必要な対応

- □ 対応部署の決定
- □ 利用者保護措置を定めた社内規定の策定
- □ 上記規定の承認・周知徹底

(ix) 障害者への対応

前払式支払手段発行者は、障害者への対応にあたって、利用者保護および利用者利便の観点も含め、障害者差別解消法および障害者差別解消対応指針に則り適切な対応を行うこと、対応状況を把握・検証し、対応方法の見直しを行うなど、内部管理体制の整備が必要である（前払ガイドラインⅡ－２－６）。

CHECK 業務開始までに必要な対応
- □　対応部署の決定
- □　障害者への対応に関する規定の策定
- □　上記規定の承認・周知徹底

(x)　前払式支払手段の払戻し

前払式支払手段発行者は、前払式支払手段の発行の業務の全部または一部を廃止する場合等、法令で払戻手続が義務づけられる場合以外の場合には、原則として前払式支払手段の払戻しを行うことは禁止されている（法20条５項）。

前払式支払手段について自由な払戻し（換金、返金等を含む）を認められるとすると、元本の返還が約束されることとなり、出資法２条１項で禁止される「預り金」に当たるおそれがあること、当該前払式支払手段を送金手段として利用することが可能となり、銀行法が禁止する「為替取引」に当たるおそれがあることがその理由とされている。

しかし、すべての場面で払戻しを禁じることはかえって利用者の利便・保護に反する場合がある。このため、前払府令42条では、以下のとおり、例外的に払戻しを行うことができる場合を規定している。

①基準期間における払戻金額の総額が、その直前の基準期間の発行額の20％を超えない場合

②基準期間における払戻金額の総額が、その直前の基準日未使用残高の５％を超えない場合

③保有者のやむを得ない事情により前払式支払手段の利用が著しく困難となった場合

④電気通信回線を通じた不正なアクセスにより前払式支払手段の利用者の意思に反して権限を有しない者が当該前払式支払手段を利用し

た場合その他の前払式支払手段の保有者の利益の保護に支障を来たすおそれがあると認められる場合で当該前払式支払手段の払戻しを行うことがやむを得ないときとして金融庁長官の承認を受けたとき

上記の各場合は、いずれも払戻しを認めても問題がない場合であり、いずれか１つでも該当すれば払戻しが認められる。

①の「基準期間の発行額」とは、基準期間に発行した前払式支払手段の発行額の総額をいい、個々の前払式支払手段の金額をいうものではない。そのため、例えば、発行額の総額と比較して基準内に収まるのであれば、1000円の前払式支払手段のうち200円以上の金額を払い戻しても問題ない。

前払式支払手段発行者は、①の場合または②の場合により払戻しを認める場合には、払戻しに応じた金額を管理しておき、基準期間ごとに払戻金額が基準内に収まることを確認することが必要である。払戻金額の総額が前払府令42条に定める額を超える場合には期中であっても払戻しができなくなることを踏まえ、必要に応じて期中にあっても払戻実績を把握することとするなど、法令に定める上限を超えて払戻しが行われることを防止するための態勢を整備する必要がある（前払ガイドラインⅡ－３－４－１②イ）。

③の場合により払戻しを認める場合には、利用者から申し出のあった払戻しの理由を管理することが必要である。

いずれの場合であっても、前払式支払手段発行者が、前払式支払手段の払戻しを行う場合には、払戻しに応じる場合を利用約款に限定的に列挙しておくことが考えられる。前払ガイドラインにおいても、利用者に対して払戻手続について適切な説明を行うことが必要とされており、例えば、利用者が、「常に払戻しが可能である」と誤認するおそれのある説明を行うことは許容されていない（前払ガイドラインⅡ－３－４－１②ロ）。

なお、法20条２項の規定により払い戻した金額は、法23条１項に基づく報告を行う際に、基準期間回収額に含めて報告すれば足り、払戻金額そのものを報告する義務はない（2010年パブコメNo. 45）。

④の場合は2020年改正法で追加された規定である。利用者から意思に反する利用がなされた可能性がある等の申出があった場合に、少額の払戻しとして①の場合や②の場合により払戻しを行うことは引き続き可能である。④の場合は、少額の範囲に収まらない大規模な払戻しを行う場合に金融庁長官の承認を受けることが必要とされたものである（2021年パブコメNo. 135～137）。

CHECK 業務開始までに必要な対応
- □ 対応部署の決定
- □ 利用約款の策定
- □ 業務フローの決定
- □ 担当者に対する周知徹底

Q18 使用範囲が限られている前払式支払手段を複数発行している場合に、利用者がAに使用できると勘違いしてBに使用できる前払式支払手段を購入してしまった場合、当該利用者の求めに応じて返金することができるか。

A18 利用者の錯誤等によって前払式支払手段の購入自体が無効であった場合等には、そもそも払戻しの問題とならず、不当利得返還として返金をすることが可能である（2010年パブコメNo. 42参照）。

Q19 例えば、商品券で買い物をした際の釣り銭の支払いも払戻しに該当するか。

A19 釣り銭の支払いも法20条5項の規定によって規制される払戻しに該当し、法令で定める範囲内において適切に行う必要がある（2010年パブコメNo. 46～48）。

(xi) 連携サービスを提供する場合の対応

前払式支払手段の中には、銀行等の提供する口座振替サービスなど、他の事業者の提供するサービスと連携するサービス（以下「連携サービス」という）が存在する。このような連携サービスについては、前払式支払手段の利用者にとっては利便性の高いサービスとなり得る一方、例えば、悪意のある第三者が連携する預貯金口座（以下「連携口座」という）の預貯金者になりすまし、前払式支払手段を介して不正取引を行うなど、前払式支払手段発行者のみで完結するサービスとは異なるリスクが介在するおそれがある。また、技術革新の進展により、今後、事業者間の連携は増え、連携に伴うリスクも高まる可能性がある。こうした背景を踏まえ、連携サービスを提供する前払式支払手段発行者においては、前払式支払手段の利用者や連携先の利用者（利用者等）の利益の保護を含む前払式支払手段の発行の業務の適正かつ確実な遂行の観点から、当該リスクに応じた管理態勢を連携先と協力して構築することが重要とされる。具体的には、主に、口座振替サービスとの連携を行う場合と、同様にセキュリティ上の不備等により利用者等に経済的損失が生じ得る他の連携サービスを提供する場合においても、そのリスクに応じ、内部管理態勢の整備、セキュリティの確保、外部委託管理等、利用者等への通知、不正取引の検知（モニタリング）、利用者等からの相談対応が求められる（前払ガイドラインⅡ－２－８－１）。

「連携サービス」にはどのようなものが入るのかについては、前記Q&A９を参照されたい。

CHECK 業務開始までに必要な対応

- □ 対応部署の決定
- □ リスクに応じた管理態勢の構築
- □ 業務フローの決定
- □ 事務マニュアルの策定
- □ 利用約款の策定
- □ 担当者に対する周知徹底

(xii) 不正取引に対する補償

前払式支払手段に関する不正取引により、利用者等に被害が生じるおそれがあり、このような被害が発生した場合、前払式支払手段発行者においては、利用者等の利益の保護を含む前払式支払手段の発行の業務の健全かつ適切な運営の確保の観点から、被害者に対して適切かつ速やかな対応（連携サービスを提供する場合にあっては連携先と協力した対応を含む）を実施することが重要である。

具体的には、前払府令23条の２第１項第３号および23条の３第２号に基づき、前払式支払手段の発行の業務に関し、不正取引が行われたことにより発生した損失の補償その他の対応に関する方針（以下「補償方針」という）を策定し、前払式支払手段の利用者への情報提供を行うとともに、不正取引が発生した場合に損失が発生するおそれのある前払式支払手段の利用者以外の者も容易に知りうる状態におくことが必要とされる。また、補償方針を定める際には、以下の事項を定めることが必要とされる（前払ガイドラインⅡ－２－９－１）。

①前払式支払手段の発行の業務の内容に応じて、損失が発生するおそれのある具体的な場面毎の被害者に対する損失の補償の有無、内容及び補償に要件がある場合にはその内容

②補償手続の内容

③連携サービスを提供する場合にあっては前払式支払手段発行者と連携先の補償の分担に関する事項（被害者に対する補償の実施者を含む）

④補償に関する相談窓口及びその連絡先

⑤不正取引の公表基準

上記③に定める事項については、前払府令23条の２第１項３号および23条の３第２号に基づき、当該事項に関する連携先との契約内容のすべてについて利用者への情報提供等を行う必要まではないが、少なくとも、被害者に対する補償の実施者については利用者への情報提供等を行う必要があることに留意するものとされている。

また、策定した補償方針に従い、適切かつ速やかに補償を実施するための態勢（連携サービスを提供する場合にあっては、連携先との協力態勢を含む）の整備や、不正取引に係る利用者等からの相談等、不正取引に係るリスクおよび認識した不正取引事案について、連携先（連携先がある場合）や認定資金決済事業者協会（同協会の協会員である場合）等と必要な情報の共有も必要とされる（前払ガイドラインⅡ－２－９－１）。

不正取引を認識したときには、「不正取引発生報告書」にて当局宛に報告を行うことも必要である（前払ガイドラインⅡ－2－9－2）。

CHECK 業務開始までに必要な対応

- □ 対応部署の決定
- □ 補償方針の策定および利用者への周知
- □ 業務フローの決定
- □ 事務マニュアルの策定
- □ 担当者に対する周知徹底

(9) 外部委託先の管理

(i) 外部委託先への委託

前払式支払手段発行者は、その業務の一部を第三者に委託することが可能である（前払府令別紙様式第3号第5面参照）。委託先の選定等についての制限は特に設けられていない。

前払式支払手段発行者から委託を受けた第三者が、その委託業務を再委託することも可能である。

第三者に委託することのできる業務の内容についても、特に制限はないが、前払式支払手段発行者が、その発行の業務の全部を委託できるかについては、資金決済法12条によって名義貸しが禁止されていることから、同規定との関係で消極的に解される。少なくとも、前払式支払手段発行者は、委託先における業務の監督を行う必要があり、そのために必要な委託先からの委託業務の報告を受けること、帳簿書類等の保管を行うこと、委託先に問題があった場合にはこれを是正・指導を行うといった業務を行うことが必要であると考えられる。

前払式支払手段発行者が、その業務を第三者に委託する場合には、受託者の名称および委託業務の内容を登録申請書に記載して財務（支）局長に提出することが必要である（同別紙様式第3号第5面）。

委託先として登録申請書に記載しなければならないのは、前払式支払手段発行者と委託契約を締結した第三者であり、当該第三者から再委託を受けた再委託先は含まれない。また、登録申請書のうち、営業所の名称および所在地には、委託先において委託業務を取り扱う場合の当該委託先の営業所の名称および所在地は含まれない（同別紙様式第３号第３面）。

(ii) 外部委託管理態勢

2020年改正法では、前払式支払手段発行者についても、その前払式支払手段の発行の業務の一部を第三者に委託した場合には、前払府令45条の２で定めるところにより、委託先に対する指導その他の委託業務の適正かつ確実な遂行を確保するために必要な措置を講じなければならないとしている（法21条の２、前払府令45条の２）。

前払式支払手段発行者が講じなければならない措置は、①当該業務を適正かつ確実に遂行することができる能力を有する者に委託するための措置、②委託先における当該業務の実施状況を、定期的に又は必要に応じて確認すること等により、委託先が当該業務を適正かつ確実に遂行しているかを検証し、必要に応じ改善させる等、委託先に対する必要かつ適切な監督等を行うための措置、③委託先が行う前払式支払手段の発行の業務に係る利用者からの苦情を適切かつ迅速に処理するために必要な措置、④委託先が当該業務を適切に行うことができない事態が生じた場合には、他の適切な第三者に当該業務を速やかに委託する等、前払式支払手段の利用者の保護に支障が生じること等を防止するための措置、⑤前払式支払手段の発行の業務の健全かつ適切な運営を確保し、当該業務に係る利用者の保護を図るため必要がある場合には、当該業務の委託に係る契約の変更または解除をする等の必要な措置を講ずるための措置である（前払府令45条の２）。

これを受けて、具体的には、前払ガイドラインに詳細な内容が規定されている。

ア　外部委託（前払ガイドラインⅡ－３－３－１）

外部委託先の管理において、留意すべき点は、以下のとおりである。

・委託先の選定基準や外部委託リスクが顕在化したときの対応など

を規定した社内規則等を定め、役職員が社内規則等に基づき適切な取扱いを行うよう、社内研修等により周知徹底を図っているか。

・委託先における法令等遵守態勢の整備について、必要な指示を行うなど、適切な措置が確保されているか。また、外部委託を行うことによって、検査や報告命令、記録の提出など監督当局に対する義務の履行等を妨げないような措置が講じられているか。

・委託契約によっても当該前払式支払手段発行者と利用者との間の権利義務関係に変更がなく、利用者に対しては、当該前払式支払手段発行者自身が業務を行ったものと同様の権利が確保されていることが明らかとなっているか。

・利用者との現金の受払いを委託する場合には、委託先が利用者との現金の受払いを行った際に、適切に当該現金の受払いに係る未使用残高の増減を把握できる措置を講じているか。

・委託業務に関して契約どおりサービスの提供が受けられない場合、前払式支払手段発行者は利用者利便に支障が生じることを未然に防止するための態勢を整備しているか。

・個人である利用者に関する情報の取扱いを委託する場合には、当該委託先の監督について、当該情報の漏えい、滅失または毀損の防止を図るために必要かつ適切な措置として、金融分野ガイドライン10条の規定に基づく措置および実務指針Ⅲの規定に基づく措置が講じられているか。

・外部委託先の管理について、責任部署を明確化し、外部委託先における業務の実施状況を定期的または必要に応じてモニタリングする等、外部委託先において利用者に関する情報管理が適切に行われていることを確認しているか。

・外部委託先において情報漏えい事故等が発生した場合に、適切な対応がなされ、速やかに委託元に報告される体制になっていることを確認しているか。

・外部委託先による利用者に関する情報へのアクセス権限につい

て、委託業務の内容に応じて必要な範囲内に制限しているか。その上で、外部委託先においてアクセス権限が付与される役職員およびその権限の範囲が特定されていることを確認しているか。さらに、アクセス権限を付与された本人以外が当該権限を使用すること等を防止するため、外部委託先において定期的または随時に、利用状況の確認（権限が付与された本人と実際の利用者との突合を含む）が行われている等、アクセス管理の徹底が図られていることを確認しているか。

・二段階以上の委託が行われた場合には、外部委託先が再委託先等の事業者に対して十分な監督を行っているかについて確認しているか。また、必要に応じ、再委託先等の事業者に対して自社による直接の監督を行っているか。

・委託業務に関する苦情等について、利用者から委託元である前払式支払手段発行者への直接の連絡体制を設けるなど適切な苦情相談態勢が整備されているか。

イ　システム管理（前払ガイドラインⅡ－３－１－１(8)）

・システムに係る外部委託業務について、リスク管理が適切に行われているか。システム関連事務を外部委託する場合についても、システムに係る外部委託に準じて、適切なリスク管理を行っているか。

CHECK 業務開始までに必要な対応

- □　対応部署の決定
- □　委託先の選定基準、外部委託管理規定の策定
- □　委託契約書の締結
- □　業務フローの決定
- □　担当者に対する周知徹底

(iii)　外部委託契約の内容

前払式支払手段発行者が委託先と委託契約を締結する場合、当該委託契約書の形式や内容には様々なものが考えられるが、前記(ii)を踏まえ

て、前払式支払手段発行者が適切な措置を講じられるようにしておく必要があると考えられる。

外部委託契約書においては、委託業務の範囲、委託料、個人情報や機密情報の取扱いなどが通常定められるが、前払ガイドラインとの関係では、特に再委託先の監督規定や、リスク管理規定をどのように規定するかがポイントとなると考えられる。

業務委託契約書の例については、前記第２章１⑼(iii)のとおりであるが、具体的な委託業務の内容およびリスクの所在によって、必要な規定が異なる点に留意されたい。

⑽ 登録・届出後の手続

(i) 変更届出

第三者型発行者は、登録申請時に提出した登録申請書記載事項のいずれかに変更があったときは、遅滞なく、前払府令別紙様式第11号により作成した変更届出書に所定の添付書類を添えて、財務（支）局長に対し、届け出なければならない（法11条１項、前払府令20条１項）。

このように変更があった事項については、事後的に届出を行えば足りることとなるが、前払式支払手段の発行の業務の内容および方法に重要な変更が生じる場合等には、財務（支）局に対して事前説明等を行うことが肝要である。

届出事項は、第三者型発行者登録簿に登録されることとなる（法11条２項）。

新たに役員となった者が資金決済法10条１項９号イからホまでのいずれかに該当することが明らかになった場合には、届出者に対し、登録の取消し等の措置が行われることとなる（前払ガイドラインⅢ－２－１⑺①）。また、変更事項が財務（支）局の管轄区域を越える本店の所在地の変更である場合には、管轄変更が行われることとなる（前払ガイドラインⅢ－２－１⑺②）。

自家型発行者は、届出書記載事項のいずれか（未使用残高を除く）に変更があったときは、遅滞なく、前払府令別紙様式第２号により作成した変更届出書に所定の添付書類を添えて、財務（支）局長に対し、届け出なければならない（法5条3項、前払府令12条1項）。届出事項は、自家型発行者名簿に記載される（前払府令12条2項）。

(ii) 帳簿書類の作成・記録保存

前払式支払手段発行者は、前払式支払手段の発行の業務に関する帳簿書類を作成し、これを保存しなければならない（法22条）。

前払式支払手段発行者が作成すべき帳簿書類の種類および保存期間は図表3－21のとおりである（前払府令46条）。

前払式支払手段発行者は、前払式支払手段の発行の業務に関する帳簿書類の作成・保存が適正に行われるような態勢の整備を行うことが必要である（前払ガイドラインⅡ－2－2－1）。

前払式支払手段およびその支払可能金額等の種類ごとに、発行数、発行量、在庫枚数および回収量を定期的に把握できる態勢を構築することが必要である。ただし、回収量については、前払式支払手段の支払可能金額等の種類ごとに回収量を把握することが困難であると認められる場合には、前払式支払手段の種類ごとに把握できる態勢を構築することが必要であるとされている（前払ガイドラインⅡ－2－2－1①イ）。

証票等を複数箇所で発行している場合には、本部において各発行箇所における発行枚数と在庫枚数を正確に把握することが必要である（同

図表3-21：帳簿書類の種類および保存期間

前払式支払手段の種類	帳簿書類の種類	保存期間
すべての前払式支払手段	①前払式支払手段およびその支払可能金額等の種類ごとの発行数、発行量および回収量を記帳した管理帳	5年
数量表示の前払式支払手段	②物品または役務の1単位当たりの通常提供価格を記帳した日記帳	5年
在庫がある前払式支払手段	③前払式支払手段およびその支払可能金額等の種類ごとの在庫枚数管理帳	5年

ロ)。

数量表示の前払式支払手段を発行している場合には、当該前払式支払手段に係る物品等の１単位当たりの通常提供価格を把握できる態勢を構築することが求められる（同ハ)。

これらの帳簿書類の記載内容の正確性については、内部監査部門等、帳簿作成部門以外の部門において検証を行う（前払ガイドラインⅡ－２－２－１②)。必ず複数の目でチェックをすることにより、正確性を担保することとしている。

また、帳簿書類のデータファイルは、一定期間ごとにバックアップをとるなど、データが毀損した場合にも、帳簿書類を復元できる態勢となっていることが必要である（同③)。

なお、保存期間の起算点となる「帳簿の閉鎖の日」とは、各事業年度の最終日に帳簿を締める日を指す（2010年パブコメNo. 58)。

ⅲ　報告

前払式支払手段発行者は、基準日ごとに、前払府令別紙様式第23号により作成した前払式支払手段の発行の業務に関する報告書（以下「基準日報告書」という）を、最終の貸借対照表および損益計算書を添付して、当該基準日の翌日から２ヶ月以内に提出する必要がある（法23条１項・２項、前払府令47条)。提出期限は、３月31日を基準日とする基準日報告書であれば５月31日までに、９月30日を基準日とする基準日報告書であれば11月30日までであり、この義務は、すべての前払式支払手段発行者に共通である。

基準日報告書の提出を受けた財務（支）局は、基準日未使用残高が前基準日未使用残高に比べて、急激に増加または減少している場合には、必要に応じてヒアリングを実施するなど、その原因を把握するものとされている（前払ガイドラインⅢ－２－４(1)①)。

また、財務（支）局は、基準日報告書に添付される財務書類を確認し、当該純損失の計上、債務超過など、前払式支払手段発行者の経営状態に著しい変化が見られた場合には、今後の経営状況の見通しおよび前払式支払手段の発行の業務に係る今後の計画等について、ヒアリング等を通じて確認するものとされている（同②）。

⑾　権利実行の手続

(i)　権利実行の手続

前払式支払手段発行者が利用者から預かった資産は、資産保全義務の履行によって基準日未使用残高の２分の１以上の額が保全されることとなることは、前記７(i)のとおりである。

前払式支払手段の保有者は、前払式支払手段に係る債権に関し、発行保証金について、他の債権者に先立ち弁済を受ける権利を有する（法31条１項）。

財務（支）局長は、前払式支払手段の保有者から権利の実行の申立てがあった場合、または前払式支払手段について破産手続開始の申立て、再生手続開始の申立て、更生手続開始の申立て、特別清算開始の申立てまたは外国倒産処理手続の承認の申立て（外国の法令上これらに相当する申立てを含む。これらは法令上、「破産手続開始の申立て等」と定義される（法２条18項））が行われた場合において、前払式支払手段の保有者の利益の保護を図るため必要があると認めるときは、権利の実行の手続（以下「権利実行の手続」という）を開始することができる（法31条２項）。

権利実行の手続は、図表３－22のとおり実施される（令11条）。

(ii)　配当

権利実行の手続が開始されると、既に供託されている発行保証金（債券供託の場合の換価代金を含む）に加えて、財務（支）局長の供託命令に応じて（法17条）、発行保証金保全契約を締結した金融機関から供託される保全金額相当額または発行保証金信託契約を締結した信託会社等から供託される信託財産の換価額が発行保証金に加わり、これらが前払式支払手段の保有者への引当財産となる。

前払式支払手段の保有者は、債権の申出をする際には、申出書に当該申出に係る前払式支払手段または当該申出に係る権利を有することを証

図表3-22：前払式支払手段発行者に関する権利実行の手続

権利実行の申立てまたは
破産手続開始の申立て等
債権申出の公示
※60日以上
債権申出期間の終了
仮配当表の公示
意見聴取会
配当表の公示
※110日経過後
配当の実施
保有者
申出
配当金の受領
※申出期間中に申出を行わない場合は、
権利実行の手続から除斥される

保全契約を
締結した
金融機関
信託契約を
締結した
信託会社等
保全金額
相当額
信託財産を
換価した額
供託命令
財務（支）局
法務局
支払委託書を
送付
還付申請
発行保証金
（供託金・債権
換価代金）
証明書を
付与
還付
前払式支払手段の保有者

する書面を添えて、財務（支）局長に提出しなければならない（発行保証金規則6条）。申出期間内にこの債権の申出を行った保有者のみが、権利実行の手続に参加することができ、申出を行わなかった保有者は権利実行の手続から除斥される（法31条2項）。

前払式支払手段の保有者が配当を受けることができるのは、上記の手続によって供託されている発行保証金の額から、権利実行の手続に係る費用（公示の費用、権利実行事務代行者の報酬その他の発行保証金の還付の手続に必要な費用であり、債券の換価費用を除いたもの）を控除した後の発行保証金の額であり（令11条9項）、当該発行保証金の額が申出債権の総額を下回る場合には、前払式支払手段の保有者に対する弁済は、債権額に応じた按分弁済（プロラタ弁済）となる。

(iii) 権利実行の手続完了後の債権債務関係

前払式支払手段の保有者は、権利実行の手続において全額の弁済を受けられなかった場合には、残余の債権について、破産手続、再生手続、更生手続、特別清算手続等において、発行者に対し、一般債権として債権届出をすることが可能であると考えられる。

また、権利実行の手続から除斥された前払式支払手段の保有者も、あくまでも資金決済法に基づく権利実行の手続に参加できなくなるにすぎず、私法上の権利を失うわけではないため、発行者に対して、一般債権として債権届出をすることが可能であると考えられる。

なお、前払式支払手段発行者は、権利実行の手続が終了し、一定の要件を満たす場合には、発行保証金を取り戻すことができる（法18条3号、令9条1項3号・4号)。

⑿ 廃止等の手続

(i) 廃止等の届出

前払式支払手段発行者は、前払式支払手段の発行の業務の全部または一部を廃止したとき、または破産手続開始の申立て等が行われたときは、遅滞なく、前払府令別紙様式第27号により作成した届出書を財務（支）局長に提出して、届け出なければならない（法33条1項、前払府令53条1項・2項)。

前払式支払手段の発行の業務の「一部」の廃止とは、発行者が複数の種類の前払式支払手段を発行している場合に、そのうちの1つまたは複数の種類の前払式支払手段を廃止する場合をいい、原則として登録申請書に記載された種類ごとに判断される。ただし、同一の種類の前払式支払手段であっても、発行日等により区別が可能な場合で、当該区別に従って一部の利用を廃止する場合も、「一部」の廃止に含まれる。

また、前払式支払手段の発行の業務の「廃止」とは、当該前払式支払手段の発行および使用の双方を取りやめる場合を指す（前払ガイドラインⅢ－2－2⑴（注2))。単にデザインや一部の機能等を変更するにとどまるような場合や、新規発行は停止したものの既に発行された前払式支払手段を引き続き利用させているような場合には、「廃止」にはあたらない（2010年パブコメNo. 52)。

第三者型発行者が前払式支払手段の発行の業務の全部を廃止したときは、当該第三者型発行者の登録の効力は失われる（法33条2項）。

もっとも、第三者型発行者は、登録の効力が失われても、その発行した第三者型前払式支払手段に係る債務の履行を完了する目的の範囲内においては、なお第三者型発行者とみなされる（法34条）。

(ii) 払戻手続等

前払式支払手段発行者が、前払式支払手段の発行の業務の全部または一部を廃止しようとする場合（他の事業者において前払式支払手段の発行の業務が承継される場合を除く）または第三者型発行者の登録を取り消された場合には、払戻手続を行わなければならない（法20条1項1号・2号）。なお、その他に払戻手続が必要な場合として「内閣府令で定める場合」が挙げられているが（法20条1項3号）、現在のところ内閣府令の定めはない。

図表3-23：前払式支払手段発行者の払戻手続

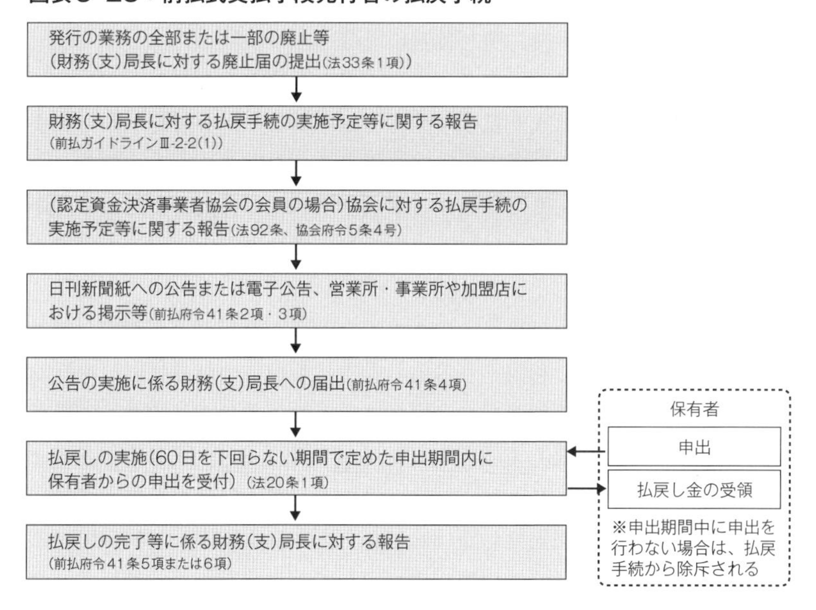

ア　払戻手続

払戻手続は、前払式支払手段の残高を前払式支払手段の保有者に払い戻す手続であり、その手続の内容は法定されている（法20条2項～4項、前払府令41条）。この場合に必要な手続は以下のとおりである。

払戻手続において、前払式支払手段発行者が公告すべき事項は、次のとおりである（法20条2項、前払府令41条5項）。

①払戻しを行う旨
②保有者は、60日を下回らない一定の期間内に申出をすべきこと
③申出をしない保有者は、払戻手続から除斥されるべきこと
④払戻しを行う前払式支払手段発行者の氏名、商号・名称
⑤払戻しに係る前払式支払手段の種類
⑥払戻しに関する問い合わせに応ずる営業所等の連絡先
⑦保有者の申出方法
⑧払戻しの方法
⑨その他払戻手続に関し参考になるべき事項

前払式支払手段の保有者が不測の損害を被ることがないよう、払戻手続を行う前払式支払手段発行者は、少なくとも前記①から⑤までに掲げる事項を日刊新聞紙または電子公告により公告するとともに、前記①から⑨までに掲げる事項をすべての営業所または事務所および加盟店の公衆の目につきやすい場所に掲示するための措置を講じなければならない（前払府令41条2項）。

また、物品の給付または役務の提供がインターネットを通じてのみ行われる場合に利用される前払式支払手段について払戻しを行おうとするときは、加盟店での掲示に代えて、通常前払式支払手段発行者が利用者に対して提供している情報提供方法（前払府令21条1項）のいずれかの方法と同一の方法によって、前記①から⑨までに掲げる事項を情報提供しなければならない（前払府令41条4項）。この場合には、物理的に加盟店に掲示しても意味がなく、利用者が発

行者から通常提供を受ける方法によって情報提供をすることが適切であるためである。

前払式支払手段発行者は、前記の公告を行ったときは、直ちに財務（支）局長に届出書を提出しなければならない（前払府令41条6項）。

Q20 地域限定の前払式支払手段を発行している場合に、払戻手続を行う際の新聞公告としては、全国紙による公告を行わなければならないか。

A20 前払式支払手段の使用可能な地域の全域をカバーできる場合には、全国紙ではなく地方紙による公告も認められる（2010年パブコメNo. 41）。

Q21 払戻手続において、廃止する前払式支払手段以外の前払式支払手段と交換することも認められるか。

A21 払戻手続においては、発行の業務を廃止した前払式支払手段発行者の利用者を保護する観点から、原則として金銭で払戻しを行うことが必要である。ただし、前払式支払手段発行者が、利用者に対して金銭に換えて別の前払式支払手段と交換することも選択肢として表示し、当該交換を希望した利用者に対して、廃止した前払式支払手段以外の前払式支払手段を交付することは、利用者の個別の合意を得ていると認められることから、払戻しの方法の1つとして認められると考えられる。

イ　払戻しを行うべき金額

払戻しを行うべき前払式支払手段の残高は、払戻しをする旨の公告をした日において、利用者が保有する前払式支払手段の未使用残高の全額である（前払府令41条1項）。

具体的には、次のように計算される。

払戻手続に係る公告を行った日（払戻基準日）以前に到来した直近の基準日における基準日未使用残高

＋）直近の基準日の翌日から払戻基準日までに発行した前払式支払手段の発行額の合計額

－）直近の基準日の翌日から払戻基準日までに代価の弁済に充てられた金額

－）直近の基準日の翌日から払戻基準日までに請求された物品・役務の数量を払戻基準日において金銭に換算した額

プレミアムを付して前払式支払手段を発行している場合には、発行者が利用者に対して負っている債務の額はプレミアムを加えた金額であるため、利用者に対してはプレミアム分を含めて払戻しをすることが必要となる（2010年パブコメNo. 42)。

なお、払戻期間中に有効期間が到来したものや、消滅時効が完成したものがあっても、上記のとおり公告を行った日が払戻基準日とされていること、公告を行えば債務の承認があったものと認められることから、公告を行った日の未使用残高の全額について払い戻す必要があると考えられる。

ウ　払戻し

前払式支払手段発行者は、払戻しが完了したときは、前払府令別紙様式第19号に従い、払戻完了報告書を財務（支）局長に提出しなければならない（前払府令41条7項)。

前払式支払手段発行者は、払戻手続が終了し、一定の要件を満たす場合には、発行保証金を取り戻すことができる（法18条4号、令9条2項1号・2号)。

これに対し、払戻しの原資不足等により、払戻しが完了することができないときは、速やかに、前払府令別紙様式第20号により作成した届出書を金融庁長官に提出しなければならない（前払府令41条8項)。

この場合、権利実行の手続が開始され、前払式支払手段保有者に対して、供託されている発行保証金の中から還付が行われることとなる（法31条)。

エ　払戻手続完了後の債権債務関係

払戻手続の対象となる前払式支払手段の保有者のうち、払戻手続に従って申出を行った者は、当該払戻手続の中で払戻しを受けることとなる。

これに対し、払戻手続の対象となる前払式支払手段の保有者のうち、払戻手続に従い申出を行わなかった者は、申出期間が終了した時点で除斥されることとなる。除斥された前払式支払手段については、未使用残高から控除され（前払府令4条）、権利実行の手続（法31条）の対象からも除かれることとなるが、保有者が前払式支払手段発行者に対して私法上有する債権そのものを消滅させるものではない。

例えば、一般的な利用約款に基づけば、前払式支払手段の保有者は、前払式支払手段の発行者に対し、当該前払式支払手段を自己または加盟店で商品または役務の代価の弁済に使用することができる権利や、これと引きかえに商品または役務の提供を請求する権利を有し、発行者は保有者に対して当該債務を負担していると考えられる。このような私法上の法律関係の下で、当該前払式支払手段の発行の業務が廃止された場合には、もはや本来的な前払式支払手段の利用ができなくなることから、保有者の発行者に対する当該債務の履行請求権は履行不能により消滅し、以後は債務不履行に基づく損害賠償請求権または契約解除に基づく原状回復請求権が発生するものと考えられる。

払戻手続は、利用者保護を図りつつ監督規制からの合理的な退出ルールを定めたものであるから、払戻手続によって除斥された保有者は、資金決済法に基づき保全された発行保証金から優先弁済を受けることができなくなるが、保有者が、別途上記の権利を行使することは妨げられるものではなく、発行者としては払戻手続によって除斥されたことを理由としてこれらを拒んではならない。

オ　消滅時効の援用

従来、消滅時効が完成した前払式支払手段の残高を基準日未使用残高から控除できるかについては、議論がなされてきた（2007年9月14日付「金融庁における一般的な法令解釈に係る書面照会手続（回答書）」、2008年10月3日付「金融庁における一般的な法令解釈に係る書面照会手続（回答書）」および2009年5月25日付「金融庁における一般的な法令解釈に係る書面照会手続（回答書）」）。

資金決済法において払戻手続に関する規定が設けられたことにより、発行者は、消滅時効の問題と離れて、払戻手続を行えば、発行者は払戻しを行った前払式支払手段について供託義務を免れることとなり、監督規制から退出することができることとなった（詳説95頁）。

しかし、前記エのとおり、払戻手続は私法上の債権を消滅させるものではなく、例えば発行を停止してから長期間経過している場合などにおいては、払戻手続とは別に、消滅時効を援用することは可能であると考えられる。払戻手続を経ていない前払式支払手段の消滅時効の援用については、上記の書面照会手続において示されている解釈に従い、①消滅時効が完成しているか（債務の承認等はないか）、②時効完成後に時効の利益の放棄等が行われていないか、③前払式支払手段を使用させない債務者（前払式支払手段発行者）の意思が利用者の通常知りうる方法により外部に明らかにされているかといった観点から、消滅時効を援用して債権が消滅したといえるかによって判断されるものと考えられる。これに対し、払戻手続を経た前払式支払手段の消滅時効の援用については、前記イのとおり、払戻しの公告を行ったことにより債務の承認があったものと認められることから、時効の中断の効力が発生していると考えられ、当該公告の時点から起算してさらに消滅時効が完成した場合に援用が可能となるものと考えられる。

(iii) 第三者型前払式支払手段の発行の業務の承継

第三者型発行者が前払式支払手段の発行の業務を廃止するものの、事業譲渡、合併または会社分割その他の事由によって、他の事業者が当該発行の業務を行うときは、次の手順に従い、発行の業務を承継する必要がある。

なお、他の事業者に承継して発行の業務を廃止する第三者型発行者においては、当該承継に係る届出（廃止届出）を行えば足り、払戻手続を実施する必要はない（法20条１項１号）。

ア　他の第三者型発行者に承継させる場合

第三者型発行者が第三者型前払式支払手段の発行の業務を他の第三者型発行者に承継する場合、承継する第三者型発行者は既に登録を受けていることから、承継する第三者型発行者が第三者型前払式支払手段の発行の業務の承継を受けた時点で、当該第三者型前払式支払手段も自己の発行の業務の内容および方法の１つとすることについて、変更届出を行えば足りる。

イ　自家型発行者を含む第三者型発行者以外の者に承継させる場合

第三者型発行者が第三者型前払式支払手段の発行の業務を自家型発行者を含む第三者型発行者以外の者に承継させる場合、承継者において登録を受けてから承継を受けることが必要となる。

この場合、承継者においては、承継する第三者型前払式支払手段の発行の業務の内容および方法も踏まえて登録審査を求めることとなるが、承継者において一定の態勢（純資産額規制等）も整える必要があり、どの程度承継する第三者型前払式支払手段の業務の内容および方法を加味して承継者自身の態勢整備と認められるかについては、財務（支）局に事前に確認することが必要である。

例えば、会社分割によって第三者型前払式支払手段を第三者型発行者以外の者に承継する場合等には、登録までの標準処理期間が原則として２ヶ月とされていることなどを踏まえ（前払府令56条１項）、効力発生日において確実に事業を継続できるよう、余裕のあるスケジュールをもって登録申請を行うことが必要であると考えられる。

なお、合併により第三者型発行者が消滅会社となる場合には、効力発生後に新会社において登録申請するか、存続会社において登録申請しておくことが必要である。新会社が申請者となる場合には、効力発生後から申請が可能となり、登録を受けるまでは新規発行が制限されるため、留意が必要である。

ウ　資産保全義務についての留意点

承継者においては、第三者型発行者から発行の業務を承継する場合、資産保全義務の履行方法についても検討する必要がある。この義務の履行方法としては、①承継元の発行保証金の供託等に係る権利義務を承継する方法、②新たな発行保証金の供託等によって自ら資産保全義務を履行する方法のいずれかが考えられるが、発行の業務の承継の前後で間断なく資産保全義務が履行されることが必要である。

発行保証金の供託等に係る権利義務は民法や会社法等の規定に従って承継されることは第２章１⑿(ii)イと同様である。発行の業務の承継が行われた場合に、承継者（譲受人）が承継や新たな供託等によって資産保全義務を履行するまでの間は、承継元（譲渡人）が行っていた発行保証金の供託等は承継者のために行ったものとみなされ（前払府令24条２項）、承継元は発行保証金の取戻しや発行保証金保全契約等の解除を行うことはできない。

⒀ 監督処分等

(i) 第三者型発行者に対する監督処分

資金決済法には、第三者型発行者に対する監督処分として、次の内容が規定されている。

ア　報告徴求等

財務（支）局長または金融庁長官は、前払式支払手段発行者の発行の業務の健全かつ適切な運営を確保するため必要があると認めるときは、前払式支払手段発行者に対し、前払式支払手段発行者の業務もしくは財産に関し参考となるべき報告もしくは資料の提出を命じ、または当該職員に前払式支払手段発行者の営業所、事務所その他の施設に立ち入らせ、その業務もしくは財産の状況に関して質問させ、もしくは帳簿書類その他の物件を検査させることができる(法24条１項)。

また、前払式支払手段発行者の委託先に対しても、前払式支払手段発行者の発行の業務の健全かつ適切な運営を確保するため特に必要があると認めるときは、その必要の限度において、当該委託先に対し、前払式支払手段発行者の業務もしくは財産に関し参考となるべき報告もしくは資料の提出を命じ、または当該職員に委託先の施設に立ち入らせ、前払式支払手段発行者の業務もしくは財産の状況に関して質問させ、もしくは帳簿書類その他の物件を検査させることができる（法24条2項）。委託先は、正当な理由があるときを除き、当該報告もしくは資料の提出または質問もしくは検査を拒むことができない（法24条3項）。

イ　業務改善命令

財務（支）局長は、前払式支払手段発行者の業務の運営に関し、前払式支払手段の利用者の利益を害する事実があると認めるときは、その利用者の利益の保護のために必要な限度において、前払式支払手段発行者に対し、業務の運営の改善に必要な措置をとるべきことを命ずることができる（法25条）。

資金決済法25条の規定に基づき業務改善命令が発出された場合には、前払式支払手段発行者は、原則として、業務改善計画を提出し、当該業務改善計画の履行状況の報告を行わなければならない（前払ガイドラインⅢ－3(5)）。

ウ　業務停止命令および登録取消し

財務（支）局長は、第三者型発行者が、①法10条1項各号に定める登録拒否事由に該当することとなったとき、②不正の手段により第三者型発行者の登録を受けたとき、③資金決済法もしくは資金決済法に基づく命令またはこれらに基づく処分に違反したとき、④前払式支払手段に係る権利の実行が行われるおそれがある場合において、当該前払式支払手段の利用者の被害の拡大を防止することが必要であると認められるときは、第三者型発行者の登録を取り消し、または6ヶ月以内の期間を定めて第三者型前払式支払手段の発行の業務の全部もしくは一部の停止を命ずることができる（法27条1項）。

また、第三者型発行者の営業所もしくは事務所の所在地を確知できないとき、または第三者型発行者を代表する役員の所在を確知できないときは、その事実を公告し、公告日から30日を経過しても第三者型発行者から申し出がないときは、第三者型発行者の登録を取り消すことができる（法27条2項）。

業務改善命令、業務停止命令および登録取消しの行政処分は、第三者型発行者における行為の重大性・悪質性、当該行為の背景となった経営管理態勢および業務運営態勢の適切性、軽減事由等を勘案して、最終的な処分内容が決定されることとされている（前払ガイドラインⅢ－3(3)）。

第三者型発行者の登録が取り消されたときは、その登録は抹消され（法28条）、その旨の公告がなされる（法29条）。

(ii) **自家型発行者に対する監督処分**

資金決済法には、自家型発行者に対する監督処分として、次の内容が規定されている。

ア　報告徴求等

財務（支）局長または金融庁長官は、前払式支払手段発行者の発行の業務の健全かつ適切な運営を確保するため必要があると認めるときは、前払式支払手段発行者に対し、前払式支払手段発行者の業務もしくは財産に関し参考となるべき報告もしくは資料の提出を命じ、または当該職員に前払式支払手段発行者の営業所、事務所その他の施設に立ち入らせ、その業務もしくは財産の状況に関して質問させ、もしくは帳簿書類その他の物件を検査させることができる（法24条1項）。

また、前払式支払手段発行者の委託先に対しても、前払式支払手段発行者の発行の業務の健全かつ適切な運営を確保するため特に必要があると認めるときは、その必要の限度において、当該委託先に対し、前払式支払手段発行者の業務もしくは財産に関し参考となるべき報告もしくは資料の提出を命じ、または当該職員に委託先の施設に立ち入らせ、前払式支払手段発行者の業務もしくは財産の状況に関して質問させ、もしくは帳簿書類その他の物件を検査させることができる（法24条2項）。委託先は、正当な理由があるときを除き、当該報告もしくは資料の提出または質問もしくは検査を拒むことができない（法24条3項）。

イ　業務改善命令

財務（支）局長は、前払式支払手段発行者の業務の運営に関し、前払式支払手段の利用者の利益を害する事実があると認めるときは、その利用者の利益の保護のために必要な限度において、前払式支払手段発行者に対し、業務の運営の改善に必要な措置をとるべきことを命ずることができる（法25条）。

資金決済法25条の規定に基づき業務改善命令が発出された場合には、前払式支払手段発行者は、原則として、業務改善計画を提出し、当該業務改善計画の履行状況の報告を行わなければならない（前払ガイドラインⅢ－3(5)）。

ウ　業務停止命令

財務（支）局長は、自家型発行者が、①資金決済法もしくは資金決済法に基づく命令またはこれらに基づく処分に違反したとき、②前払式支払手段に係る権利の実行が行われるおそれがある場合において、当該前払式支払手段の利用者の被害の拡大を防止することが必要であると認められるときは、6ヶ月以内の期間を定めて自家型発行者の発行の業務の全部または一部の停止を命ずることができる（法26条）。

業務改善命令および業務停止命令の行政処分は、自家型発行者における行為の重大性・悪質性、当該行為の背景となった経営管理態勢および業務運営態勢の適切性、軽減事由等を勘案して、最終的な処分内容が決定されることとされている（前払ガイドラインⅢ－3(3)）。

2　第三者型前払式支払手段の発行

(1)　第三者型前払式支払手段の利用約款

前払式支払手段発行者が発行することのできる前払式支払手段の内容は様々なものが考えられ、前払式支払手段発行者は、発行しようとする前払式支払手段の内容に応じて利用約款を策定する必要がある。

本書では、モデル例として、サーバ型の前払式支払手段発行者が第三者型前払式支払手段（事業者の管理するサーバに財産的価値が記録されており、利用者に対して、インターネット上で当該記録と結びついた電子マネーを発行するタイプを想定する）を提供する場合の利用約款を示し、各項目について解説を行う。

●●　記載例──利用約款　●●

△△マネー規定

第１条（適用範囲）

本規定は、当社の発行する△△マネー（以下「本マネー」といいます）に関する取扱いについて定めるものです。お客様は、本規定の内容を十分に理解し、本規定にご同意いただいた上で、本マネーを購入し、ご利用いただくものとします。

第２条（利用範囲）

本マネーは、「△△マネー」のロゴを表示した当社の加盟店のウェブサイトにアクセスし、第○条の規定に従い、本マネーの残高の範囲内で、当該加盟店における商品の購入またはサービスの提供の代金決済にご利用いただけます。

第３条（本マネーの発行）

1．本マネーは、当社のウェブサイトにおいて、当社所定のクレジットカードを用いて、購入することができます。

2．当社は、本マネーの購入者に対して、電子メールを送信する方法により、IDおよびパスワードを通知します。

3．本マネーの購入は、１円単位で行うことができます。

4．本マネーの購入額および残高の上限額は２万円です。

第４条（IDおよびパスワード）

1．本マネーは、発行されたIDおよびパスワードを入力することによりご利用されるものですので、お客様は、当該IDおよびパスワードを秘密として管理してください。お客様は、IDおよびパスワードを、お客様の責任により管理し、他人に知られることのないように十分ご注意ください。
2．お客様がIDまたはパスワードを失念した場合、当社所定の方法でご連絡いただくことにより、IDまたはパスワードを再発行いたします。
3．本マネーが盗取、偽造もしくは変造された場合、またはお客様の許可なくIDまたはパスワードが第三者に使用された場合であっても、そのために生じた損害について、当社は責任を負いません。

第５条（本マネーのご利用）

1．お客様は、当社加盟店のウェブサイトにアクセスし、希望する加盟店との取引を選択いただきます。この取引の決済のため、当社所定のウェブサイトに遷移した上で、お客様のIDおよびパスワードを入力していただくことにより、本マネーを利用することができます。
2．お客様が選択した取引の代金額が、本マネーの残高の範囲内であることが確認された場合には、当社は、加盟店に対してその旨を通知します。加盟店がこれを承認した場合には、本マネーの残高を上限として、本マネーの残高から取引代金相当額を差し引くことにより、当該代金額のお支払いがあったものとみなされます。
3．前項の場合、代金額およびお支払い後の本マネーの残高が当社所定のウェブサイト上に表示されますので、お客様はそれらに誤りがないことをご確認ください。
4．お客様から提示を受けた本マネーの残高が代金額に満たない場合には、取引の決済は完了いたしませんので、その余の方法により別途お支払いいただくことになります。
5．お客様と加盟店との取引において、本マネーをご利用された後、万一、返品、瑕疵その他の問題が生じた場合には、お客様と加盟店との間で解決していただくものとします。

第６条（本マネーの残高の確認方法）

本マネーの残高は、当社所定のウェブサイトに、IDおよびパスワードを入力することにより、ご確認いただくことができます。

第7条（本マネーの払戻し等）
お客様は、本マネーの残高を払戻しまたは換金することはできません。ただし、当社が経済情勢の変化、法令の改廃その他当社の都合により本マネーの取扱いを全面的に廃止した場合には、お客様に対して当社所定の方法により本マネーの残高の払戻しをいたします。

第8条（本マネーのご利用停止）
当社は、次のいずれかに該当するときは、本マネーの利用を停止し、または本マネーを失効させることができるものとします。
⑴ お客様が不正な方法により本マネーを取得し、または不正な方法で取得された本マネーであることを知ってご利用される場合
⑵ 本マネーが偽造または変造されたものである場合
⑶ お客様が本規定に違反した場合
⑷ 前各号に掲げるほか、当社が本マネーのご利用の停止を必要とする相当の事由があると判断した場合

第9条（本マネーのご利用期間）
本マネーのご利用期間は、本マネーを購入した日から3年間とします。ご利用期間を経過した本マネーは失効し、ご利用ができなくなりますのでご留意ください。この場合、本マネーの残高にかかわらず返金はしないものとします。

第10条（本マネーのご利用の中止または中断）
当社は、システムの保守、通信回線または通信手段、コンピュータの障害などによるシステムの中止または中断の必要があると認めたときは、お客様に事前に通知することなく、本マネーのご利用を中止または中断することができるものとします。

第11条（本規定の変更または廃止等）
1．本規定およびご利用いただける加盟店の範囲は、経済情勢の変化、法令の改廃その他当社の都合により、変更または廃止することがあります。また、かかる変更または廃止のために、本マネーの全部または一部の利用を停止することがあります。
2．本規定を変更または廃止するときは、本規定を変更する旨および変更後の内容ならびにその効力発生時期を、本マネー取扱店の店頭における掲示および当社のウェブサイトにおける表示により告知します。

第12条（譲渡等の禁止）
本マネーについては、譲渡その他の処分、質入れその他の担保権を設定することはできません。

第13条（管轄）
本規定に基づく取引に関して訴訟の必要が生じた場合は、東京地方裁判所を第一審の専属的合意管轄裁判所とします。

【本マネーに関するお客様ご相談窓口】
○○－○○○○－○○○○（連絡先）

(i) 第三者型前払式支払手段の法的性格

第三者型前払式支払手段の法的性格については、様々な考え方がある。

前払式証票規制法の下、商品券・プリペイドカード等の法的性質をどう考えるかについては、前払式証票を商品・役務の給付請求権を表章した有価証券であるととらえる説、証券自体が表示された金額に相当する価値を有するもので、特定の法律関係において金銭と同様に支払いとしての効力を有する金券であるとみる説、免責を受ける地位を表章する有価証券であるとみる説、金銭代用証券たる有価証券であるとみる説などの諸説があった（実務解説17頁、法律と実務34～35頁、92～93頁）。

もっとも、前払式証票規制法においては、前払性の証票が発行されているという事実に鑑み、規制対象となる「前払式証票」を定義したものに過ぎず、商品券やプリペイドカードなどが法的に如何なるものかについての判断を下していなかった（実務解説18頁）。資金決済法においても、引き続き同様に、前払式支払手段の法的性質は規定されていない。

思うに、前払式支払手段には、金額表示（金額が記載または記録されるもの。法３条１項１号）と数量表示（物品または役務の数量が記載または記録されるもの。法３条１項２号）があり、これらを同一に論じることは適切ではないと考えられる。また、前払式支払手段は、前払式証票よりもその対象が拡大し、ID等が通知されるものを含み必ずしも証券の提示・

交付が不可欠ではないことから、従来のような証券を前提とした議論がそのまま妥当するものではないと考えられる。

第三者型前払式支払手段の定義からすれば、少なくとも第三者型前払式支払手段の法的性質としては、前払式支払手段発行者が、前払式支払手段の利用者に対して、前払式支払手段が使用されたときには、発行者自らまたは加盟店において提供する商品や役務の代価の弁済があったものとすること（金額表示の場合）、または発行者自らもしくは加盟店が商品やサービスを提供する義務を負うものであること（数量表示の場合）は異論がないと考えられる。

その上で、発行者としては、利用者との法律関係および加盟店との法律関係をどのように整理するかについては、まさに私法上の契約内容によって決せられ、利用約款や加盟店規約によって定まるものと考えられる。特に現在においては、様々な形態の前払式支払手段が発行されるようになったことに伴い、利用約款や加盟店規約でその内容や効果を定める必要性が高まっていると考えられる。

(ii) 適用範囲に関する規定

本利用約款においては、本マネーを購入し、利用する者に対して適用があるものとされている（記載例第１条）。

前払式支払手段の発行にあたっては、通常、利用約款の適用があることが情報提供されており（法13条）、利用者側でこの利用約款を確認することが必要とされている。利用約款が十分周知されていない場合には、利用約款の定めを当該利用者に主張することができなくなるため、利用者が利用約款の内容を確認できるよう、十分に周知することが必要と考えられる。

(iii) 利用範囲に関する規定

第三者型前払式支払手段を利用することができる加盟店が少数であれば、利用約款において個別の加盟店を表示することが考えられるが、加盟店が多数である場合には、すべての加盟店を利用約款上表示することが不可能であるため、ロゴ・マーク等によって特定する方法も認められている。本利用約款では、加盟店のウェブサイトをロゴで特定する旨の規定例を設けている（記載例第２条）。

なお、加盟店契約の新規締結や終了等により、加盟店の数が増減することが考えられるが、本利用約款では、その旨を注意的に記載することとしている（記載例第11条第１項）。利用範囲は利用者が前払式支払手段を利用するにあたり重要な内容となるため、例えば発行者のウェブサイト等で表示することも望ましいと考えられる。

(iv) 発行に関する規定

本利用約款では、本マネーを、発行者のウェブサイトにより申し込むことができることとし、電子メールを送信する方法により、IDおよびパスワードを通知することを定めている（記載例第３条第１項・第２項）。

サーバ型の電子マネーは、電磁的方法によって財産的価値が記録されるため、入金単位は、１円単位で行うことができることとしているが、最低入金単位を定めることも可能である（記載例第３条第３項）。

本マネーの購入額および支払可能金額の上限は２万円としている（記載例第３条第４項）。本マネーのように加減算型の前払式支払手段の場合には、上限を定めることが一般的であるが、無制限とすることもできることは前記１(4)(i)イのとおりである。

(v) ID・パスワードに関する規定

本利用約款では、本マネーを利用する際に、購入時に発行されたIDおよびパスワードを入力させることにより、財産的価値との紐付けを確認することとしている。そのため、IDおよびパスワードが、不十分な状態で管理されれば、他人に知られることとなり、他人に当該財産的価値が盗取されたり、偽造・変造されたりする可能性があるため、厳重な管理を求めることとしている（記載例第４条第１項）。

また、本利用約款では、購入者本人のみがIDおよびパスワードを利用することを予定しているため、IDおよびパスワードを失念した場合には、当初購入時に購入者本人が登録した情報等をもとに、当該本人であることを確認できれば、IDおよびパスワードを再発行することを認めている（記載例第4条第2項）。

さらに、本利用約款では、前記の注意喚起を十分に行っていることを前提として、本カードが盗取、偽造もしくは変造され、または利用者の許可なくIDまたはパスワードが第三者に使用された場合であっても、前払式支払手段発行者は、利用者に対して責任を負わないこととしている（記載例第4条第3項）。

(vi) 免責規定

発行者の責めによらない事由によって、前払式支払手段の利用ができない場合や、前記(v)のとおり、前払式支払手段の盗取、偽造もしくは変造、第三者によって使用された場合など、発行者の責めによらない事由によって、利用者に損害が発生した場合であっても、発行者が責任を負わないことを念のため明らかにすることが考えられる（記載例第4条第3項）。

前払式支払手段の利用者は、通常「消費者」に該当すると考えられることから、消費者契約法によって、事業者が損害賠償責任を負う場合に、これを一方的に減免する条項は無効とされる可能性がある点に留意が必要である（消費者契約法8条1項）。

(vii) 利用に関する規定

前払式支払手段の利用方法はあらかじめ定めておく必要がある（記載例第5条第1項）。本利用約款では、加盟店のウェブサイトにアクセスし、当該加盟店の取引を特定させた上で、発行者のウェブサイトに遷移して、IDおよびパスワードを入力することにより、本マネーを利用することを規定している。また、加盟店では、本マネーの残高から当該取引の代金相当額を差し引くことにより、当該代金額の支払いがあったものとみなす旨の効果を定めることとしている（記載例第5条第2項）。また、本利用約款では、利用者がその処理を確認できるよう、発行者所定のウェブサイトで代金額および支払後の本マネーの残高を表示することを予定している（記載例第５条第３項）。そのほか、利用者は、発行者所定のウェブサイトでIDおよびパスワードを入力することにより、本マネーの残高を確認することができることとしている（記載例第６条）。

また、本利用約款では、加盟店と利用者との間でなされた取引について、返品や瑕疵等の紛争が生じた場合には、加盟店と利用者との間で解決することを定めている（記載例第５条第５項）。発行者としては、前払式支払手段支払手段を提供するのみであり、当該前払式支払手段の利用は、原因契約上の代金の支払いの効力を生じさせるものであるが、利用者と加盟店との間の原因契約の無効・取消しによって当該効力に影響が生じるものではないことを念のため明らかにしておく趣旨である。

ⅷ　払戻しに関する規定

資金決済法上、前払式支払手段の払戻しについては、前払式支払手段の発行の業務の全部または一部を廃止した場合（業務の承継が行われる場合を除く）および第三者型発行者の登録を取り消された場合を除き、原則として禁止されている（法20条５項）。

例外的に払戻しが認められるのは、①基準日を含む基準期間における払戻金額の総額が、当該基準日の直前の基準期間において発行した前払式支払手段の発行額の100分の20を超えない場合、②基準日を含む基準期間における払戻金額の総額が、当該基準期間の直前の基準日における基準日未使用残高の100分の５を超えない場合、③保有者のやむを得ない事情により当該前払式支払手段の利用が著しく困難となった場合のいずれかである（前払府令42条）。

本利用約款では、法令で払戻手続が義務づけられる場合の１つである本マネーの取扱いの全面的廃止の場合以外には、前払式支払手段の払戻しや換金は行わないことを明らかとしている（記載例第７条）。

仮にやむを得ない事情による払戻しを認める場合には、あらかじめどのような場合に払戻しを認めるかについて、利用約款に規定しておく必要がある。例えば、地域限定の前払式支払手段について、当該地域から退出する場合や、社員限定の前払式支払手段について、退職等により当該社員でなくなった場合などが想定される場合には、あらかじめ利用約款に規定しておくことが考えられる。このように想定される場合を特定できない場合には、「お客様は、やむを得ない事由により本マネーのご利用が困難となった場合には、当社所定の方法で通知いただくことにより、本マネーの残高から所定の手数料等を控除した金額の払戻しを受けることができます。」などの定めを置くことも考えられる。この場合には、利用者がどのような事由によって払戻しを求めるのかを確認することや、具体的な払戻方法を確認することが必要と考えられる。

なお、利用者が前払式支払手段を誤って購入してしまった場合など、利用者の錯誤等によって前払式支払手段の購入自体が無効であった場合等には、そもそも払戻しの問題とならず、不当利得返還義務の履行として返金を行えば足りるものと考えられ、そのような場合まで利用約款に規定しておく必要はないと考えられる（2010年パブコメNo. 42）。

(ix) 前払式支払手段の利用停止、取扱いの中止・中断

利用者が、不正な方法により前払式支払手段を取得し、または不正な方法で取得された前払式支払手段であることを知って利用する場合、前払式支払手段が偽造または変造されたものである場合、利用約款に違反する場合など、前払式支払手段の利用を停止する必要がある場合がある。利用者にとっての予測可能性を担保するためにも、あらかじめ一定の事由を定めておき、停止することができる旨の規定を設けておくことが考えられる（記載例第８条）。

前払式支払手段の発行の業務においては、システムの維持・メンテナンスが不可欠である。そのため、システムの保守、通信回線または通信手段、コンピュータの障害などによるシステムの中止または中断の必要があると認めたときは、サービスを一時中止または中断することができる旨の規定をあらかじめ設けておくことが必要であると考えられる（記載例第10条）。

(x) 期間・期限に関する規定

前払式支払手段の利用ができる期間や期限を設ける場合には、必ず利用約款に定めを置き、利用者の周知を図る必要がある。本利用約款では、本マネーの利用ができる期間を「本マネーを購入した日から3年間」と定めているが（記載例第9条）、期間や期限の設定の仕方については、様々なものが考えられ、最後に前払式支払手段を利用した日を起点とするものなども考えられる。また、期間についても様々な設定が考えられる。

(xi) 改廃規定

利用約款の内容を変更する場合に備えて、あらかじめ改廃規定を設けておくことは必要である。

民法548条の2では、定型取引（ある特定の者が不特定多数の者を相手方として行う取引であって、その内容の全部または一部が画一的であることがその双方にとって合理的なものをいう）を行うことの合意（「定型取引合意」という）をした者は、①定型約款（定型取引において、契約の内容とすることを目的としてその特定の者により準備された条項の総体をいう）を契約の内容とする旨の合意をしたとき、または②定型約款を準備した者（「定型約款準備者」という）があらかじめその定型約款を契約の内容とする旨を相手方に表示していたときには、定型約款の個別の条項についても合意をしたものとみなすとしている。

そして、この定型約款の合意をした定型約款準備者は、次に掲げる場合には、定型約款の変更をすることにより、変更後の定型約款の条項について合意があったものとみなし、個別に相手方と合意をすることなく契約の内容を変更することができる（民法548条の4第1項）。

①定型約款の変更が、相手方の一般の利益に適合するとき
②定型約款の変更が、契約をした目的に反せず、かつ、変更の必要性、変更後の内容の相当性、民法548条の4の規定により定型約款の変更をすることがある旨の定めの有無およびその内容その他の変

更に係る事情に照らして合理的なものであるとき

この規定によって定型約款の変更を行う定型約款準備者は、その効力発生時期を定め、かつ、定型約款を変更する旨および変更後の定型約款の内容ならびにその効力発生時期をインターネットの利用その他の適切な方法により周知しなければならない（民法548条の4第2項）。

本利用約款は、前払式支払手段発行者が、その発行の業務を取り扱うにあたり、画一的に定められた定型約款の一種であるといえる。改廃規定では、本利用約款および加盟店の範囲が、当社の都合によって、変更または廃止されることがあることを規定しつつ（記載例第11条第1項）、上記民法548条の4第1項の規定に従うことを明らかにする規定を置いている（記載例第11条第2項）。

(xii) 譲渡等の禁止規定

本利用約款では、本マネーを購入した本人のみに利用させることとしており、本マネーの利用にあたっては、本人であることを確認するためのパスワードを付与し、当該パスワードの提示をもって本人の利用であることを担保するとともに（記載例第4条第1項）、譲渡その他の処分や、質入れその他の担保権を設定することを禁止している（記載例第12条）。

(2) 第三者型発行者の加盟店の管理

(i) 加盟店の管理態勢

第三者型発行者においては、利用者に商品やサービスを提供するのは主に加盟店であるため、前払式支払手段に係る不適切な使用を防止する観点から、加盟店が販売・提供する商品やサービスの内容について、公の秩序または善良の風俗を害し、または害するおそれがあるものでないことを確保するために必要な措置を講じることが必要とされている（法10条1項3号）。

また、前払式支払手段の決済手段としての確実性を確保するため、第三者型発行者は、加盟店に対する支払いを適切に行うために必要な体制の整備を行うことが必要とされている（法10条１項４号）。

これらを受けて、前払ガイドラインでは、以下の点を着眼点として挙げている（前払ガイドラインⅡ－３－５－１）。

①加盟店契約を締結する際には、当該契約相手先が公序良俗に照らして問題のある業務を営んでいないかを確認しているか

②加盟店契約締結後、加盟店の業務に公序良俗に照らして問題があることが判明した場合、速やかに当該契約を解除できるようになっているか

③加盟店契約締結後、加盟店が利用者に対して販売・提供する物品・役務の内容に著しい変更があった場合等には当該加盟店からの報告を義務づけるなど、加盟店契約締結時に確認した事項に著しい変化があった場合に当該変化を把握できる態勢を整備しているか

④各加盟店に対して、前払式支払手段の使用実績について、一定期間ごとに報告を求めているか。また、加盟店からの使用実績について管理している部署とは別の部署が、当該報告を受けた支払金額の正確性について検証する態勢となっているか

上記の態勢を構築するためには、加盟店との間で加盟店契約を締結する際には、加盟店の実在および商品や役務の内容について確認するため、実地・ヒアリング・ウェブサイト等の閲覧によって調査し、上記①から④を満たす内容の加盟店契約を締結する必要があると考えられる。

また、加盟店契約締結後も、継続して調査を行い、その商品や役務の内容に変更がないか等を確認する必要があると考えられる。

CHECK 業務開始までに必要な対応

- □ 対応部署の決定
- □ 加盟店の調査
- □ 加盟店契約の策定・締結
- □ 業務フローの決定
- □ 担当者に対する周知徹底

(ii) 加盟店契約の内容

前払式支払手段発行者が加盟店と加盟店契約を締結する場合、前記(i)を踏まえて、前払式支払手段発行者が適切な措置を講じられるようにしておく必要があると考えられる。前払式支払手段発行者が、単一または少数の事業者と加盟店契約を締結する場合には、個別の加盟店契約が作られることがあるが、多数の事業者と加盟店契約を締結する場合には、画一的な取扱いを行うため、加盟店契約のひな型を作成したり、加盟店との間で適用される加盟店規約等を作成し、これに承認した者を加盟店とし、手数料その他の個々の加盟店との契約条件については、別途の書面で確認されることが多い。

加盟店契約の内容は前払式支払手段発行者の業務の内容および方法に従い、様々なものが考えられるが、以下では、前記(1)で示した利用約款にあわせて、サーバ型前払式支払手段である電子マネーを加盟店のウェブサイトにおける商品またはサービスの代金の決済に利用させる場合の加盟店規約を例として表示する。

●● 記載例 ── 加盟店規約例 ●●

加盟店規約

第１条（適用範囲）

本規約は、当社の発行する△△マネーにより商品またはサービスを提供する加盟店との間の契約関係について定めるものです。加盟店は、本規約の各条項に従い、△△マネーにより商品またはサービスを提供することに同意するものとします。

第２条（定義）

本規約において、次の用語は以下に規定されたとおりの意義を有するものとします。

(1)「△△マネー」とは、当社が発行する電子マネーをいいます。

(2)「△△システム」とは、△△マネーを入力および送信することによって、所定の金額を限度として、インターネット上での取引代金を決済することができる当社のシステムをいいます。

⑶ 「加盟店」とは、当社所定の手続に従い、加盟店としての登録の申込みを行い、当社が承認の上加盟店として登録された個人または法人をいいます。

⑷ 「利用者」とは、加盟店から商品またはサービスを購入し、△△システムを利用して△△マネーを取引代金の決済に利用する者をいいます。

⑸ 「加盟店サイト」とは、加盟店が運営するウェブサイトのうち、加盟店が当社に届け出て、当社の承認を得たウェブサイトをいいます。

⑹ 「対象商品」とは、加盟店が提供する商品またはサービスのうち、加盟店が当社に届け出て、当社の承認を得た商品またはサービスをいいます。

第３条（加盟店契約の成立）

１．加盟店となることを希望する者（以下「申込者」といいます）は、当社所定の申込書および必要書類を当社に提出し、当社所定の登録手続を行っていただきます。申込者は、申込書には真実かつ正確な内容を記載しなければなりません。

２．当社は、前項の手続によって提出された申込書の内容につき、必要な審査を行い、申込者を加盟店として登録を承諾する場合、申込者を加盟店として登録し、加盟店番号を付与して、当該加盟店番号を申込者に対して通知するものとします。申込者に対して加盟店番号が通知された時点で加盟店契約が成立するものとします。

３．当社は、申込者の登録を承諾しなかった場合においても、申込者に対して拒絶の理由を開示せず、損害賠償その他名目のいかんを問わず何らの義務または責任を負わないものとします。

第４条（加盟店の遵守事項）

１．加盟店は、次に掲げる事項を遵守するものとします。

⑴ 加盟店は、利用者が対象商品の決済に△△マネーを利用した場合には、利用者が当該対象商品の代金を支払ったものとして取り扱うものとします。

⑵ 加盟店は、加盟店サイト上に当社所定の加盟店マーク（△△マネー）を表示するものとします。

⑶ 加盟店は、当社に対して届け出て、当社の承認を得た加盟店サイトまたは対象商品についてのみ△△システムを利用することができるものとします。

⑷ 加盟店は、△△システムを利用して、法令その他の規制により許認可または届出が必要となる対象商品の提供を行う場合、監督官庁から交付を受けた許認可証または届出書等の写しを当社に提出するものとし、かかる許認可または届出が取消しまたは無効となった場合には、当該対象商品に係る△△システムの利用を停止するものとします。

⑸　加盟店は、利用者からの対象商品に関する問い合わせまたは苦情等に対応する窓口を設置の上、自己の責任において利用者からの問い合わせまたは苦情等に対応するものとします。

⑹　加盟店は、対象商品の提供にあたっては、特定商取引に関する法律、景品表示法、著作権法、資金決済に関する法律その他の法令その他の規制に違反してはなりません。

⑺　加盟店は、加盟店サイトにおいては利用者に誤認を与える表示をしないものとします。

⑻　加盟店は、加盟店サイトにおいて△△マネーにより対象商品の提供を行うことを表示したときは、△△マネーの利用を拒むことはできないものとします。ただし、△△マネーが盗取されたものであるとき、△△マネーの保有者が△△マネーを違法に取得したとき、または違法に取得した△△マネーであることを知りながら、もしくは知り得べくして取得した場合はこの限りではありません。

⑼　加盟店は、利用者に対し、△△マネーにより対象商品の提供を行う場合には、現金その他の支払手段を用いる利用者より不利な取扱いを行ってはなりません。

⑽　加盟店は、△△マネーの偽造、変造および不正行為を防止するため、善良なる管理者の注意をもって必要な措置を講じるものとします。

⑾　加盟店は、当社が△△マネーの利用状況等につき調査を行う場合においては、これに必要な協力を行うものとします。

2．加盟店は、加盟店サイトにおいて次に掲げる行為（対象商品の提供を含みます）を行ってはならないものとします。

⑴　詐欺等の犯罪に結びつく行為

⑵　第三者（加盟店の顧客や△△システムを利用する他の加盟店を含みますが、これらに限られません。以下同じ）の著作権、商標権等の知的財産権を侵害する行為、または侵害するおそれのある行為

⑶　第三者の財産、プライバシーもしくは肖像権を侵害する行為、または侵害するおそれのある行為

⑷　有害なコンピュータプログラム等を送信し、または第三者が受信可能な状態におく行為

⑸　政治団体、宗教団体その他の団体への加入もしくは寄付を勧誘し、または選挙の事前運動、選挙運動および公職選挙法に抵触する行為（これらに類似する行為を含みます）

⑹　アダルト、わいせつ、児童ポルノ、児童虐待、売春、暴力行為、賭博、麻薬等に該当する画像、動画、文書等を送信もしくは表示する行為

⑺　第三者に対し、無断で、広告・宣伝・勧誘等の電子メールまたは嫌悪感を抱く電子メール（そのおそれのある電子メールを含みます）を送信する行為、第三者のメール受信を妨害する行為または連鎖的なメール転送を依頼する行為および当該依頼に応じて転送する行為
⑻　通常利用の範囲を超えてサーバに負荷をかける行為もしくはそれを助長するような行為、その他△△システムの運営・提供もしくは他の加盟店による△△システムの利用を妨害し、またはそれらに支障をきたす行為
⑼　本人の同意を得ることなくまたは詐欺的な手段（いわゆるフィッシングおよびこれに類する手段を含みます）により第三者の情報を取得する行為
⑽　当社または第三者に不利益を与え、当社または第三者を誹謗中傷し、またはこれらの営業を妨害する行為
⑾　上記各号の他、法令または本規約に違反する行為、または公序良俗に違反する行為
⑿　上記各号のいずれかに該当するもの（第三者が行っている場合を含みます）にこれらを助長する目的でリンクを張る行為
⒀　その他当社が不適当と判断した行為
3．当社は、加盟店の行為または加盟店が提供する対象商品が前項各号のいずれかに該当すると判断した場合には、加盟店に対し、是正を要請することができるものとし、加盟店は速やかにこれに応じなければならないものとします。
4．加盟店は、対象商品を、利用者に提示した条件に従い提供するものとします。加盟店は、対象商品に関連する一切の事項について責任を負うものとし、△△システムを利用してなされた対象商品の提供およびその結果についてその責任を負うものとします。
5．加盟店は、△△システムを利用してなされた対象商品の提供に関し、他の利用者その他の第三者および当社に損害または不利益を与えた場合、自己の責任と費用においてこれを解決するものとします。
6．加盟店契約締結後、加盟店が利用者に対して提供する対象商品の内容または加盟店サイトの内容（ただし、サイト構成等の軽微な変更は除きます）を変更しようとするときには、当社所定の方法により届け出て、当社の承認を受けるものとします。

第5条（△△システムの利用）
1．加盟店は、△△システムを利用するために必要な通信機器、ソフトウェアその他これらに付随して必要となるすべての機器を、自己の費用と責任において準備し、利用可能な状態に置くものとします。また、△△システムの利用にあたっては、自己の費用と責任において、加盟店が任意に選択し、電気通信サー

ビスまたは電気通信回線を経由してインターネットに接続するものとします。
2．加盟店は、関係官庁等が提供する情報を参考にして、自己の利用環境に応じ、コンピュータ・ウィルスの感染、不正アクセスおよび情報漏洩の防止等セキュリティを保持するものとします。
3．加盟店は、△△システムを複製、修正、改変または解析してはならないものとします。

第6条（知的財産権）
1．△△システムに含まれる一切のプログラム、コンテンツおよび情報に関する財産権は当社にすべて帰属し、著作権法、商標法、意匠法等により保護されています。
2．△△システムに関連して使用されているすべてのソフトウェアは、知的財産権に関する法令等により保護されている財産権および営業秘密を含んでいます。

第7条（手数料）
1．加盟店は、当社の△△システムにおいて利用者が決済した金額（以下「決済額」といいます）に応じ、別途当社と加盟店との間で定める手数料を支払うものとします。
2．加盟店は、決済額につき、毎月末日までに当月分の決済額を当社に報告するものとします。
3．当社は、前項の規定に基づき報告された決済額と△△システム上に記録された決済額を対照して当月分の決済額を確定した上で、当月分の決済額からこれに対する手数料の額を差し引いて、その残額を翌月末日までにあらかじめ加盟店が届け出た支払口座に支払うものとします。ただし、当該支払日が銀行休業日に該当するときは、翌銀行営業日を支払日とするものとします。

第8条（守秘義務）
1．当社および加盟店は、加盟店契約に関連して知り得たお互いの技術上、営業上その他一切の情報（以下「秘密情報」といいます）を善良な管理者の注意義務をもって秘密として厳重に管理するものとします。また、相手方の事前の書面による同意を得ることなく、第三者に対してこれらの秘密情報を開示し、またはこれらの秘密情報を含む一切の資料を交付しないものとします。
2．前項の規定にかかわらず、次の各号の1つに該当する情報は秘密情報から除外されるものとします。
(1) 取得以前に既に公知であるもの

⑵　取得後に取得者の責めによらず公知となったもの
⑶　取得以前に既に所有していたものでその事実が立証できるもの
⑷　正当な権限を有する第三者から守秘義務を負わずに入手したもの

3．当社および加盟店は、裁判所、政府もしくはその他の行政機関による秘密情報の開示の要請または命令を受けた場合には、かかる要請または命令を受けたことを相手方に通知した上で、かかる秘密情報を最小限の範囲で開示することができるものとします。

4．本条は、加盟店契約終了後３年間は有効に存続するものとします。

第９条（個人情報の取扱い）

1．当社は、当社が加盟店から取得した個人情報に関し、別途定める「個人情報保護方針」および「個人情報の取扱いについて」に基づき、適切に取り扱うものとします。

2．加盟店は、当社が△△システムの管理業務の一部または全部を第三者に委託する場合、当社が必要な措置を講じた上で、加盟店から取得した個人情報を、委託先に提供し、委託先が委託の範囲内で利用することについて同意するものとします。

第10条（△△システムの中止・停止）

1．当社は、△△システムを管理運営し、△△マネーによる決済業務を行うものとします。ただし、加盟店が次に掲げるいずれかの事由に該当する場合、当社は、加盟店による△△システムの利用および決済業務を留保しまたは拒否することができるものとします。
⑴　加盟店が本規約に違反し、または違反するおそれがある場合
⑵　加盟店が当社に提出した申込書または届出書その他の書類の内容に虚偽または不正確な記載があることが判明した場合
⑶　△△マネーの利用につき不正行為が行われ、または行われたおそれがある場合において、加盟店が当該不正行為の事実を知り、または重大な過失により知らなかった場合
⑷　上記のほか、当社が合理的に不適切であると判断した場合

2．当社は、システムの保守、通信回線または通信手段、コンピュータの障害などによるシステムの中止または停止の必要があると認めたときは、加盟店に事前に通知の上、△△システムの利用を中止または停止することができるものとします。ただし、緊急やむを得ない場合はこの限りではありません。

3．当社が合理的に必要と判断した場合には、いつでも△△システムの内容を変更し、または△△システムの利用を中止または停止することができるものとし

ます。これにより、加盟店の△△システムの利用に重大な影響が生じる可能性があるときは、当社は加盟店に対して事前に通知をするものとします。ただし、緊急やむを得ない場合はこの限りではありません。

4．本条の規定に基づく△△システムの利用および決済業務の留保もしくは拒否または△△システムの利用の中止もしくは停止により加盟店に生じた損害について、当社は故意または重過失がある場合のほか責任を負いません。

第11条（契約期間）

1．加盟店契約の有効期間は、第３条に基づき加盟店契約が成立した日から１年間とします。ただし、加盟店契約の期間満了日の１ヶ月前までに、当社または加盟店のいずれからも書面による申し出がないときは、加盟店契約は更に１年間自動的に更新されるものとし、以後も同様とします。

2．前項または次条の規定により、加盟店契約が終了した場合、加盟店は直ちに△△システムの利用を停止するものとし、当社の商標および当社所定の加盟店マークを削除し、加盟店サイト上から当社および△△マネーに関する記述を削除するものとします。また、加盟店は、当社から加盟店契約に基づき付与された物品等を速やかに当社に返却するものとします。

第12条（損害賠償）

加盟店は、その責めに帰すべき事由により当社に損害を与えた場合、これを賠償する責めを負うものとします。

第13条（契約の解除）

1．当社は、加盟店が次の各号に定める事由に該当する場合、加盟店に対し何ら催告その他の手続を要することなく、加盟店契約を直ちに解除することができるものとします。

⑴　本契約に違反し、相当の期間を定めて催告したにもかかわらず、その期間内に違反が是正されないとき

⑵　手形または小切手の不渡りがあったとき、支払停止になったとき、信用状態に重大な不安が生じたとき

⑶　監督官庁により営業の取消、停止等の処分を受けたとき

⑷　仮差押、仮処分、差押、強制執行、競売等の申立を受けたとき

⑸　破産手続開始、再生手続開始、更生手続開始、特別清算開始等の申立を受け、または自ら申し立てたとき

⑹　合併、解散、減資または事業の全部若しくは重要な一部の譲渡の決議があったとき

(7) 加盟店およびその役員、従業員、株主その他の関係者が、暴力団、暴力団員、暴力団準構成員、暴力団関係企業、総会屋等、社会運動等標榜ゴロまたは特殊知能暴力集団等、カルト的宗教団体その他これらに準ずる者であること、またはそれらの可能性があることが判明したとき

(8) その他信用不安事由が生じ、または契約を継続しがたい事由が生じたとき

(9) 前各号の事由が生じるおそれがあると合理的に判断されるとき

2．前項各号の事由が生じた加盟店は、このために当社に生じた損害を賠償しなければならないものとします。なお、前項各号の事由が生じた加盟店は、加盟店契約に基づき負担する一切の債務について期限の利益を優先し、直ちに当該債務を一括して当社に支払うものとします。

第14条（免責）

1．天災事変、戦争、内乱、法令の制定改廃、公権力による命令処分、労働争議、通信回線もしくは諸設備の故障、その他当社および加盟店の責めに帰することのできない事由に起因する損害については、当社および加盟店は互いに何らの責任も負わないものとします。

2．前項に掲げる事由その他事由の如何を問わず、加盟店契約の履行が困難となり、もしくはそのおそれが生じ、または加盟店契約の履行に重大な影響を及ぼす事態が生じたときは、当社および加盟店は直ちに相手方にその旨を通知して協議を行い、双方の事業運営への影響を最小限とするよう努めるものとします。

第15条（譲渡禁止等）

加盟店は、加盟店契約および本規約によって当社に対して有する一切の権利および加盟店契約または本規約の地位を、第三者に譲渡、賃貸、質入れその他の担保設定等の処分をしてはならないものとします。

第16条（通知）

1．加盟店に対する通知は、あらかじめ加盟店が届け出た宛先に、郵便、ファックスまたは電子メールにより送付または送信することによって行うものとします。

2．加盟店は、氏名、商号、所在地、支払口座、対象商品その他申込書に記載された事項に変更があった場合には、速やかにその旨を当社に届け出るものとします。ただし、対象商品については、当社が当該届出を受けて、承認したもののみ変更の効力が生じるものとします。

3．加盟店が前項の届出を行わなかったことにより、当社から加盟店に対する通

知もしくは送付書類が延着し、到達しなかった場合、または第７条の支払いが遅れ、支払いができなかった場合には、通常到達または支払いすべき時に到達または支払ったものとみなすものとし、これにより加盟店に損害が発生した場合であっても、当社は一切責任を負わないものとします。

第17条（本規約の改定）

1．当社は、相当の事由があると判断した場合には、加盟店の事前の承諾を得ることなく、当社の判断により、本規約をいつでも変更することができるものとします。

2．変更後の本規約は、当社が別途定める場合を除いて、加盟店に通知し、または当社のウェブサイト上にて告知します。本規約の変更は、当該規約の末尾に記載する改訂日より効力を生じるものとします。また、本規約の変更の効力が生じた後、加盟店が△△システムを利用した場合には、変更後の本規約に同意したものとみなします。

第18条（準拠法）

加盟店契約および本規約の準拠法は、日本法とします。

第19条（合意管轄裁判所）

加盟店契約または本規約に関連する訴訟については、東京地方裁判所を第一審の専属的合意管轄裁判所とします。

第20条（協議）

加盟店契約もしくは本規約に定めなき事項または加盟店契約の履行に関し疑義を生じた場合には、当社と加盟店との間で誠意を持って協議し、円満解決を図るものとします。

3　自家型前払式支払手段の発行

(1)　自家型発行者の利用約款

前払式支払手段発行者が発行することのできる前払式支払手段の内容は様々なものが考えられ、前払式支払手段発行者は、発行しようとする前払式支払手段の内容に応じて利用約款を策定する必要がある。

本書では、モデル例として、前払式支払手段発行者が、サーバ型の自家型前払式支払手段（事業者の管理するサーバに財産的価値が記録されており、利用者に対して、サーバ上の記録と結びついた番号が記録されているカードを発行するタイプを想定する）を提供する場合の利用約款を示すこととし、各項目について解説を行う。

●●　記載例――利用約款　●●

△△プリペイドカード規定

第１条（適用範囲）

本規定は、当社の発行する△△プリペイドカード（以下「本カード」といいます）に関する取扱いについて定めるものです。お客様は、本規定の内容を十分に理解し、本規定にご同意いただいた上で、本カードをご利用いただくものとします。

第２条（ご利用いただける店舗）

本カードは、「△△カード取扱店」の掲示がある日本国内の当社店舗（以下「カード取扱店」といいます）でのお買物にご利用いただけます。

第３条（本カードの発行）

1．本カードは、お客様から、当社所定の方法により、カード取扱店においてお申込みいただいたときは、お客様に対して本カードを交付する方法で発行するものとします。

2．お客様は、本カードを受け取った後、本カードをご利用いただくためには、次条に定める方法により、本カードに入金していただくことが必要となります。

第４条（本カードへの入金）

1．本カードへの入金は、カード取扱店において承ります。本カードへの入金は、現金またはカード取扱店の指定するクレジットカードによって行うことができます。

2．本カードへの入金は、１円単位で行うことができます。

3．本カードに蓄積できる上限額は２万円です。

4．お客様が本カードを複数枚お持ちの場合であっても、これらの残高を他の本カードの残高と合算し、または他の本カードに移行することはできません。

第５条（本カードのご利用）

1．お客様は、カード取扱店において、商品を購入される際には、レジで本カードを提示して、本カードをご利用いただくことができます。

2．カード取扱店では、本カードの提示を受けた場合、本カードの残高（ご入金額からご利用額を引いた額をいいます。以下同じ）を上限として、商品購入代金から本カードの残高を差し引くことにより、商品購入代金のお支払いがあったものとみなします。

3．前項の場合、商品購入代金およびお支払い後の本カードの残高がレシートに表示されますので、お客様はそれらに誤りがないことをご確認ください。

4．お客様から提示を受けた本カードの残高が商品購入代金に満たない場合には、本カードに入金いただくか、または不足額を現金もしくはカード取扱店の指定するクレジットカードによって別途お支払いいただくことになります。

5．お客様は、お支払いの際に本カードを複数枚ご利用いただくこともできますが、一度にご利用いただくことができるカードの枚数は、３枚までとします。この場合、第２項および前項の適用にあたっては、本カードの残高を本カードの残高の合計額と読み替えるものとします。

第６条（本カードの残高の確認方法）

本カードの残高は、レシートに表示されるほか、カード取扱店所定の端末でご確認いただくことができます。

第７条（本カードの払戻し等）

1．お客様は、本カードの残高を払戻しまたは換金することはできません。ただし、当社が経済情勢の変化、法令の改廃その他当社の都合により本カードの取扱いを全面的に廃止した場合には、お客様は当社に対して本カードの残高の払戻しを求めることができるものとし、当社所定の方法により払戻しをいたします。

2．お客様が本カードを紛失した場合、本カードが盗取、偽造もしくは変造された場合、またはお客様の許可なく第三者に使用された場合であっても、そのために生じた損害について、当社は責任を負いません。
3．本カードを汚損したり、折り曲げたり、磁気に近づけたりしないでください。本カードの交換・再発行はできませんので、ご留意下さい。

第8条（本カードのご利用停止）
1．当社は、次のいずれかに該当するときは、お客様の本カードのご利用をお断りし、本カードを当社にお引渡しいただくものとします。
(1) お客様が不正な方法により本カードを取得し、または不正な方法で取得された本カードであることを知ってご利用される場合
(2) 本カードが盗取、偽造または変造されたものである場合
(3) お客様が本規定に違反した場合
(4) その他当社が本カードのご利用を不適切であると判断した場合
2．当社は、前項各号の場合に該当するか否かを確認するため、一時的にお客様の本カードをお預かりすることができるものとします。

第9条（本カードのご利用期間）
本カードは、最後に本カードに入金いただいた日の翌日から3年間ご利用がない場合には、失効し、ご利用ができなくなります。この場合、本カードの残高の有無にかかわらず返金はしないものとします。3年間のご利用の有無は、本カードのデータに基づき当社が判断するものとし、お客様にご利用ができなくなった旨のご連絡はいたしません。長期間ご利用いただかない場合には、失効することになりますので、ご留意下さい。

第10条（本カードの取扱いの中止または中断）
当社は、システムの保守、通信回線または通信手段、コンピュータの障害などによるシステムの中止または中断の必要があると認めたときは、お客様に事前に通知することなく、本カードの取扱いを中止または中断することができるものとします。

第11条（本規定の変更または廃止等）
1．本規定およびご利用いただけるカード取扱店の範囲は、経済情勢の変化、法令の改廃その他当社の都合により、変更または廃止することがあります。また、かかる変更または廃止のために、本カードの全部または一部の取扱いを停止することがあります。

2．本規定を変更または廃止するときは、本規定を変更する旨および変更後の内容ならびにその効力発生時期を、本カード取扱店の店頭における掲示における表示により告知します。

第12条（管轄）
本規定に基づく取引に関して訴訟の必要が生じた場合は、東京地方裁判所を第一審の専属的合意管轄裁判所とします。

【本カードに関するお客様ご相談窓口】
○○－○○○○－○○○○（連絡先）

(i) 自家型前払式支払手段の法的性格

自家型前払式支払手段の法的性格についても、第三者型前払式支払手段と同様、前記2(1)(i)のとおり、様々な考え方がある。

自家型前払式支払手段の定義からすれば、その法的性質としては、少なくとも、前払式支払手段発行者が、前払式支払手段の利用者に対して、前払式支払手段が使用されたときには、発行者において提供する商品や役務の代価の弁済があったものとすること（金額表示）、または発行者が物品や役務を給付・提供する義務を負うものであること（数量表示）は異論がないと考えられる。

なお、自家型前払式支払手段については、発行者と利用者との間の二者関係になることから、発行者、利用者および加盟店との間の三者関係が発生する第三者型前払式支払手段と比べて、法律関係としては簡明なものとなると考えられる。

(ii) 適用範囲に関する規定

本利用約款においては、本カードの利用者に対して適用があるものとされており、本カードの発行者から発行を受けた利用者のみならず、当該利用者から譲渡を受けた者や単なる占有者等、すべての利用者に適用されることとなる（記載例第１条）。

前払式支払手段の発行にあたっては、通常、利用約款の適用があることが表示または情報提供されており（法13条）、利用者側でこの利用約款を確認することが必要とされている。利用約款が十分周知されていない場合には、利用約款の定めを当該利用者に主張することができなくなるため、利用者が利用約款の内容を確認できるよう、十分に周知することが必要と考えられる。

ⅲ　利用範囲に関する規定

自家型前払式支払手段については、その利用範囲が、発行者または密接関係者が提供する商品または役務の提供に限定されている（法３条４項）。本利用約款では、「△△カード取扱店」の掲示がある店舗で利用できる旨の規定例を設けているが（記載例第２条）、これは発行者の店舗の中でも、本カードが利用できない店舗があることを想定した規定である。

ⅳ　発行に関する規定

本利用約款では、本カードを、カード取扱店で申し込むことができることとし、利用者に対して本カードを交付する方法によって発行することを定めている（記載例第３条第１項）。

サーバ型前払式支払手段については、財産的価値の記録が発行者のサーバにおいてなされるため、本カードが発行されても、カードに入金する手続を経なければ利用できないことを注意的に規定している（記載例第３条第２項）。

ⅴ　入金に関する規定

本利用約款では、本カードへの入金を、カード取扱店において、現金またはクレジットカードによって行うことができることを定めている（記載例第４条第１項）。その他の入金方法を定めることも可能である。

電磁的方法によって金額が記録されるため、入金単位は、１円単位で行うことができることとしているが（記載例第４条第２項）、最低入金単位を定めることも可能である。

本カードの支払可能金額の上限は２万円としている（記載例第４条第３項）。加減算型の場合には、上限を定めることが一般的であるが、無制限とすることもできることは前記２⑴ⅳのとおりである。

サーバ型前払式支払手段の場合、カードの残高が発行者のサーバで管理されているため、カード番号などによって特定できる場合には、残高を合算したり、残高を移すことを認めることも可能である。もっとも、本利用約款では、本カードを複数枚所有する場合の合算や移行はできないこととしている（記載例第４条第４項）。

ⅵ　利用に関する規定

前払式支払手段の利用方法はあらかじめ定めておく必要がある（記載例第５条第１項）。また、本利用約款では、カード取扱店では、商品購入代金から本カードの残高を差し引くことにより、商品購入代金の支払いがあったものとみなす旨の効果を定めることとしている（記載例第５条第２項）。さらに、本利用約款では、利用者がその処理を確認できるよう、レシートを発行することを予定している（記載例第５条第３項）。そのほか、利用者は、カード取扱店所定の端末で残高を確認することができることとしている（記載例第６条）。

前払式支払手段の残高が不足する場合の取扱いや、複数枚の前払式支払手段の使用を認めるか否か等についても、あらかじめ定めておくことが望ましい（記載例第５条第４項・第５項）。

ⅶ　払戻しに関する規定

自家型前払式支払手段についても、資金決済法上、前払式支払手段の払戻しが原則として禁止されること、例外的に払戻しが認められる場合が法令上限定されていることについては、前記２⑴ⅷのとおり、第三者型前払式支払手段の場合と同様である。

本利用約款では、法令で払戻手続が義務づけられる場合の１つである本カードの取扱いの全面的廃止の場合以外には、前払式支払手段の払戻しや換金は行わないことを明らかとしている（記載例第７条第１項）。

また、本利用約款では、本カードが紛失、盗取、偽造もしくは変造され、第三者に使用された場合であっても、責任を負わないこと、本カードの汚損、折り曲げ、磁気不良等による本カードの交換・再発行はできないこととしているが（記載例第７条第２項・第３項）、カードの残高を、カード番号などによって特定できる場合には、カードの交換や再発行を行うことも可能であり、そのような定めとすることも可能である。

ⅷ　免責規定

発行者の責めによらない事由によって、前払式支払手段の利用ができない場合や、前払式支払手段の紛失、盗取、偽造もしくは変造、第三者によって使用された場合など、発行者の責めによらない事由によって、利用者に損害が発生した場合であっても、発行者が責任を負わないことを念のため明らかにすることが考えられる（記載例第７条第２項）。

前払式支払手段の利用者は、通常「消費者」に該当すると考えられることから、消費者契約法によって、事業者が損害賠償責任を負う場合に、これを一方的に減免する条項は無効とされる可能性がある点に留意が必要である（消費者契約法８条１項）。

ⅸ　前払式支払手段の利用停止、取扱いの中止・中断

利用者が、不正な方法により前払式支払手段を取得し、または不正な方法で取得された前払式支払手段であることを知って利用する場合、前払式支払手段が偽造または変造されたものである場合、利用約款に違反する場合など、前払式支払手段の利用を停止する必要がある場合がある。利用者にとっての予測可能性を担保するためにも、あらかじめ一定の事由を定めておき、停止することができる旨の規定を設けておくことが考えられる（記載例第８条第１項）。また、本利用約款においては、本カードに不審な点が存在するが、上記の場合に該当するかを確認するため、一時的に預かることができる旨を注意的に規定している（記載例第８条第２項）。

前払式支払手段の発行の業務においては、システムの維持・メンテナ

ンスが不可欠である。そのため、システムの保守、通信回線または通信手段、コンピュータの障害などによるシステムの中止または中断の必要があると認めたときは、本カードの取扱いを一時中止または中断することができる旨の規定をあらかじめ設けておくことが考えられる（記載例第10条）。

(x) 期間・期限に関する規定

前払式支払手段の利用ができる期間や期限を設ける場合には、必ず利用約款に定めを置き、利用者の周知を図る必要がある。本利用約款では、本カードの利用ができる期間を「最後に本カードにご入金いただいた日の翌日から３年間」と定めているが（記載例第９条）、期間や期限の設定の仕方については、様々なものが考えられ、前払式支払手段の発行の日を起点とするものなども考えられる。また、期間についても様々な設定が考えられる。

(xi) 改廃規定

利用約款の内容を変更する場合に備えて、あらかじめ改廃規定を設けておくことは必要である。

利用約款の変更についても、前記２(1)(xi)のとおり、第三者型前払式支払手段の場合と同様である。

本利用約款では、本利用約款およびカード取扱店の範囲が、当社の都合によって、変更または廃止されることがあることを規定しつつ（記載例第11条第１項）、民法548条の４第１項の規定に従うことを明らかにする規定を置いている（記載例第11条第２項）。

(xii) 譲渡等の禁止規定

本カードは、ギフトカードとして他人に譲渡することも可能なものとして整理しているため、特に譲渡や質入れ等を禁止する旨の条項は設けていない。

⑵　自家型前払式支払手段の発行の業務の承継

前払式支払手段発行者（自家型前払式支払手段のみを発行する自家型発行者のみならず、第三者型前払式支払手段とあわせて自家型前払式支払手段を発行する第三者型発行者を含む）が自家型前払式支払手段の発行の業務を廃止するものの、相続、事業譲渡、合併または会社分割その他の事由によって、他の事業者が当該発行の業務を行うときは、次の手順に従い、発行の業務を承継する必要がある。

なお、他の事業者に承継して発行の業務を廃止する前払式支払手段発行者においては、当該承継に係る届出（廃止届出）を行えば足り、払戻手続を実施する必要はない（法20条１項１号）。

(i)　他の自家型発行者に承継させる場合

前払式支払手段発行者が自家型前払式支払手段の発行の業務を他の自家型発行者に承継する場合、承継する自家型発行者は既に届出を行い、監督を受けていることから、承継する自家型発行者が自家型前払式支払手段の発行の業務の承継を受けた時点で、当該自家型前払式支払手段も自己の発行の業務の内容および方法の１つとすることについて、変更届出を行えば足りる。

(ii)　他の第三者型発行者に承継させる場合

前払式支払手段発行者が自家型前払式支払手段の発行の業務を他の第三者型発行者に承継させる場合、承継する第三者型発行者は登録を受けていることから、承継する第三者型発行者が自家型前払式支払手段の発行の業務の承継を受けた時点で、当該自家型前払式支払手段も自己の発行の業務の内容および方法の１つとすることについて、変更届出を行えば足りる。

(iii)　前払式支払手段発行者以外の者に承継させる場合

前払式支払手段発行者が自家型前払式支払手段の発行の業務を自家型発行者または第三者型発行者以外の者に承継する場合には、承継した前払式支払手段の基準日未使用残高が基準額を超えるときは、承継者を自家型発行者とみなして資金決済法が適用される（法30条1項）。

この場合、自家型発行者とみなされた承継者は、①自家型前払式支払手段の発行の業務を承継した旨、②法5条1項1号から4号までに掲げる事項、③自家型前払式支払手段の承継が行われた日の直前の基準日未使用残高、④承継した自家型前払式支払手段に係る法5条1項6号から11号までに掲げる事項を、前払府令別紙様式第26号により作成した届出書に記載して、添付書類とともに、財務（支）局長に提出しなければならない（法30条2項・3項、前払府令51条）。

また、自家型発行者とみなされた者が、上記届出書を提出した後、法30条2項2号または4号に掲げる事項のいずれかに変更があったときは、遅滞なく、その旨を財務（支）局長に届け出ることが必要である（法30条4項）。

この規定により、自家型発行者とみなされた者により届出書が提出された場合には、財務（支）局において、承継の対象となった前払式支払手段に係る物品・役務の提供手段や発行保証金が承継者に引き継がれているかなど、承継者が当該前払式支払手段の発行の業務を適切に行っていくことができる態勢となっているかが確認されることとされている（前払ガイドラインⅢ－2－2(4)）。

(iv) 資産保全義務についての留意点

承継者が自家型前払式支払手段の発行の業務を承継する場合の資産保全義務についての留意点は、第三者型前払式支払手段の発行の業務を承継する場合と同様であるから、前記1(12)(iii)ウを参照されたい。

4　適用除外前払式支払手段

(1)　適用除外前払式支払手段発行者の利用約款

適用除外前払式支払手段の利用約款については、基本的には第三者型前払式支払手段や自家型前払式支払手段の利用約款と同様であると考えられるため、前記2(1)または3(1)を参照されたい。

有効期間の定めについては、以下の定め方が考えられる。

(i)　有効期間を6ヶ月内とする定め

（例1）
第○条（本ポイントのご利用期間）
　本ポイントのご利用期間は、本ポイントを購入した日から6ヶ月内とします。

（例2）
第○条（本マネーのご利用期間）
　本マネーのご利用期間は、本マネーを購入した日から起算して3ヶ月間とします。

有効期間については、法文上は「6月内」となっているとおり、発行日を起点として6ヶ月未満とすることが必要である。例1は、上記法令の文言どおりの定め方である。

日、週、月または年によって期間を定めたときは、期間の初日は算入しないこととされているから（初日不算入。民法140条）、例2では購入日から起算することを特に定める規定例を示している。民法140条は、強行法規ではなく任意規定であるから、法律行為の中に別段の定めを置くことが可能である（川島武宜編集『注釈民法(5)』（有斐閣、1967）〔野村好弘〕3頁）。

加減算型の前払式支払手段を発行する場合に、最終入金日や最終利用日を起点として6ヶ月と定めると、当初発行日から起算したときには、実質的に6ヶ月以上使用できる場合が生じ、適用除外の要件を満たさない場合があり得ることから留意が必要である。

(ii) 保有上限の定め

> 第○条（ポイントの付与・利用）
> 　当社は、お客様に対して、毎月1日に100ポイントを付与します。
> 　お客様が保有することのできるポイント数の上限は600ポイントとします。
> 　お客様がポイントを利用される場合、付与日の古いポイントから利用されるものとします。新たに付与するポイント数を加算すると上限を超える場合には、付与日の古いポイントから消滅し、新たなポイントが付与されるものとします。

有効期間の定めを設けるのではなく、毎月自動的にポイントを付与する場合において、保有上限を設けることにより、実質的に発行日を起点として6ヶ月未満に限り使用できるものとすることも考えられる。この場合、発行日が新しいものから使用されると考えると、実質的に6ヶ月以上使用できるものが生じてしまうことから、利用者がポイントを利用する場合には、発行日の古いものから利用されること、上限を超える場合には発行日の古いものから消滅すること（先入れ先出しの方法によること）を規定しておく必要があると考えられる。

(2) コンプライアンスと利用者保護

適用除外前払式支払手段の発行を行うにあたっては、当該適用除外前払式支払手段の有効期間は契約上最も重要な内容となるものと考えられ、有効期間の存在およびその具体的な期間を利用者が認識した上で購入することができるよう、利用約款に記載するほか、掲載する広告や前払式支払手段の券面等にも分かりやすく明示する必要があるものと考えられる。利用者保護の観点から、消費者契約法や特定商取引に関する法律などの法律の遵守が必要である。

また、資金決済法の適用除外であっても、個人情報の保護については、個人情報保護法その他ガイドラインによって遵守が義務づけられる場合があることから、これらの態勢の整備が必要と考えられる。

Q22 適用除外前払式支払手段について、特定商取引に関する法律の適用はあるか。

A22 2009年12月1日より施行された特定商取引に関する法律の改正法により、訪問販売・通信販売・電話勧誘販売における規制対象を政令で規定する従来の限定列挙方式から、原則すべての商品の販売または役務の提供につき規制対象とする原則適用方式への改正が行われた。そして、他の法律により購入者等の利益を保護することができると認められる商品の販売または役務の提供については、特定商取引に関する法律の第2章第2節から第4節までの規定の全面的適用除外が定められており、前払式支払手段発行者が発行する前払式支払手段については、適用除外とされている（特定商取引法26条1項8号、特定商取引法施行令5条、別表第2第49号）。もっとも適用除外前払式支払手段については、この規定の適用はないため、通信販売等により適用除外前払式支払手段を販売する場合には、原則どおり、特定商取引に関する法律の適用を受けることとなる。

第4章 暗号資産交換業

1　総論

(1)　暗号資産の取引と暗号資産の管理

2016年5月25日に国会で成立し、同年6月3日に公布された「情報通信技術の進展等の環境変化に対応するための銀行法等の一部を改正する法律」によって改正された資金決済法では、仮想通貨交換業に関する章が追加され、仮想通貨交換業者が新たに規制対象とされた。

2017年3月24日に、仮想通貨交換業者に関する内閣府令、事務ガイドライン等が公布され、同年4月1日より2016年改正法が施行された。

その後の環境変化をふまえ、2019年5月31日に国会で成立し、同年6月7日に公布された「情報通信技術の進展に伴う金融取引の多様化に対応するための資金決済に関する法律等の一部を改正する法律」では、資金決済法や金融商品取引法が改正された。

本書では暗号資産交換業について解説することを目的としていることから、主として資金決済法について触れることとする。また、暗号資産交換業者が備えるべき態勢については、一般社団法人日本暗号資産取引業協会（以下、「協会」という）が策定する自主規制規則の内容も参照されたい。

⑵　登録を行うことができる主体

暗号資産交換業を営むためには、所管の財務（支）局長の登録を受けることが必要である（法63条の２）。

登録を行うことができるのは、会社法に基づき設立された株式会社か、一定の要件を満たす外国暗号資産交換業者に限られる（法63条の５第１項１号）。

(i)　株式会社

暗号資産交換業者は、単発で暗号資産の売買または他の暗号資産との交換等の取引を行うのみならず、ウォレット等の開設を行い、利用者の金銭や暗号資産を預かり管理し、反復継続して暗号資産の売買または他の暗号資産の交換等を行うことが可能である。このような暗号資産交換業は、当該事業者の経済的信用をもって営んでいるといえる。また、暗号資産は電子的に交換・移転がなされるが、インターネットを用いた様々な暗号資産に関するサービスが定着している昨今、システムの脆弱性を突いたサイバー犯罪の発生も増加している。こうした中、取引の安全性を確保するためには、システムの運営・管理体制の構築を含めたサイバーセキュリティ対策を組織的かつ継続的に実施する仕組みが必要とされている。

個人の場合は、死亡により業務の継続が困難となり、人格なき社団の場合は、責任財産が不明確で、権利関係が複雑となる場合もありうるため、利用者保護の観点から、個人事業者が暗号資産交換業者を営むことは認められていない。

また、法人の中でも、株式会社であることが必要とされているのは、多様な資金調達手段による弾力的かつ機動的な業務運営や、会社法に基づくコーポレート・ガバナンス機能の活用による効率的な業務運営が期待できるためである。

株式会社であれば、業種業態を問わず、暗号資産交換業を営むことが可能である。暗号資産交換業を専業で営む会社でなければ登録を受けることができないわけではなく、暗号資産交換業者には兼業も認められていることから、例えば、情報通信業、運輸業・郵便業、卸売業・小売業、製造業、貸金業・クレジットカード業、不動産業・物品賃貸業、宿泊・飲食サービス業など様々な業務を営む株式会社が暗号資産交換業に参入することが可能である。ただし、暗号資産交換業のもつリスクの大きさに鑑み、暗号資産交換業者は暗号資産に関連するサービスのみを営むケースが多い。

これに対し、銀行（銀行持株会社、長期信用銀行、協同組織金融機関、商工中央金庫を含む）も株式会社ではあるが、暗号資産交換業や、暗号資産に関連する業務を営むことが可能であるかは論点である。すなわち、銀行には他業禁止規制が課せられており（銀行法10条～12条）、暗号資産交換業や、暗号資産に関連する業務は法令上列記された業務ではないことから、「その他の付随業務」（銀行法10条２項）として認められるかが問題となる。

この点、「その他の付随業務」としていかなる業務が認められるかについては、主要行等向けの総合的な監督指針（以下「監督指針」という）Ｖ－３－２に記載されているとおりであり、暗号資産交換業や、暗号資産に関連する業務が「その他の付随業務」の範疇にあるかどうかの判断に当たっては、銀行法12条において他業が禁止されていることに十分留意し、以下のような観点を総合的に考慮した取扱いとなっているかによって判断されると考えられる（監督指針Ｖ－３－２(4)）。

①当該業務が銀行法10条１項各号および２項各号に掲げる業務に準ずるか
②当該業務の規模が、その業務が付随する固有業務の規模に比して過大なものとなっていないか
③当該業務について、銀行業務との機能的な親近性やリスクの同質性が認められるか
④銀行が固有業務を遂行する中で正当に生じた余剰能力の活用に資するか

なお、監督指針Ｖ－６では暗号資産に関する留意事項が記載されており、銀行グループによる暗号資産の取得は必要最小限度の範囲とする必要があり、かつ銀行グループの業務において、暗号資産の取得・保有または処分等が生じる場合には十分な態勢整備が必要としている。

また、銀行業以外の金融業（保険業、金融商品取引業、信託業）を営む株式会社が、暗号資産交換業や、暗号資産に関連する業務を営むことができるかは、当局から個別に兼業等の承認等が必要となり、かかる承認にあたって個別に判断されることとなる。

Q23 銀行の子会社が暗号資産交換業を行うことができるか。また、暗号資産交換業を営む会社を銀行の子会社とすることはできるか。

A23 銀行が子会社とすることができる会社は、銀行法が定めるものに限定されている（銀行法16条の２第１項）。暗号資産交換業を営む会社を子会社とすることが認められるかは、内閣府令等において暗号資産交換業が金融関連業務として列記されていないため、当然に認められるものではない。銀行業や子会社が営む業務において、暗号資産を利用していかなるサービスを行おうとするのかによって、個別具体的に判断されるものと考えられる。また、2016年改正法の下で新たに子会社とすることが認められた銀行業高度化等会社の認可を受けることも検討される。

(ii) 外国暗号資産交換業者

外国暗号資産交換業者とは、資金決済法に相当する外国の法令の規定により、当該外国において、資金決済法に基づく暗号資産交換業者の登録と同種類の登録（当該登録に類する許可その他の行政処分を含む）を受けて暗号資産交換業を業として営む者をいう（法２条９項）。

2015年６月のＧ７エルマウ・サミットでの首脳宣言や、FATFガイダンスを踏まえ、外国においても、暗号資産交換業に対する規制導入が進んでいる。仮に外国の法令の規定に基づき、当該外国において、同種の登録等を行って暗号資産交換業を営む事業者については、日本において会社法に基づき改めて株式会社を設立しなくても、当該事業者自身に暗号資産交換業者の登録を認めることがふさわしいと考えられることから、外国暗号資産交換業者も登録を行うことができることとされている。

ただし、外国暗号資産交換業者が日本で暗号資産交換業者の登録を行うためには、一定の要件を満たす必要があり、①国内に営業所を有する外国会社であること、②国内における代表者（国内に住所を有する者に限る）を置くことが必要である（法63条の5第1項1号・2号)。

外国暗号資産交換業者は、暗号資産交換業者の登録を受けると、外国暗号資産交換業者以外の登録業者と同じく、資金決済法上の「暗号資産交換業者」として取り扱われる（法63条の2)。営むことができる暗号資産交換業の内容も、遵守すべき規制の内容も同一である。

なお、資金決済法では、暗号資産交換業者の登録を受けていない外国暗号資産交換業者が、国内にある者に対して、暗号資産の売買または他の暗号資産との交換、これらの行為の媒介、取次ぎまたは代理、これらの行為に関して利用者の金銭または暗号資産の管理をすることの勧誘を行うことを禁止している（法63条の22)。本条が上記の「勧誘」を行うことだけを禁止しているのは、暗号資産交換業者の登録を受けていない外国暗号資産交換業者に限らず、資格のない者が上記の行為を行うこと自体は資金決済法63条の2によって禁止されているためである。

どのような行為が「勧誘」にあたるかについては、暗号資産ガイドラインにその解釈および留意点が示されているため、参照されたい。ウェブサイト等に暗号資産交換業に係る取引に関する広告等を掲載する行為については、原則として、「勧誘」行為に該当するが、①日本国内にある者が当該サービスの対象とされていない旨の文言が明記されていること（担保文言)、②日本国内にある者との暗号資産交換業に係る取引を防止するための措置が講じられていること（取引防止措置等）をはじめとして、日本国内にある者との暗号資産交換業に係る取引につながらないような合理的な措置が講じられている限り、日本国内にある者に向けた「勧誘」には該当しないとされている（暗号資産ガイドラインⅡ－5－2)。

Q24 外国暗号資産交換業者に該当する外国の事業者には、どのような者があるか。

A24 例えば、米国においては、ＮＹ州で行政規制（NEW YORK CODES, RULES AND REGULATIONS TITLE 23. DEPARTMENT OF FINANCIAL SERVICES CHAPTER I. REGULATIONS OF THE SUPERINTENDENT OF FINANCIAL SERVICES PART 200. VIRTUAL CURRENCIES）が制定されており、これに基づき免許（License）を受けている事業者は、外国暗号資産交換業者に該当する。また、ドイツにおいては銀行法で免許制が、フランスでは通貨金融法典で免許制が、スイスでは銀行法で免許制がとられている（2015年11月16日決済高度化ワーキング・グループ第４回事務局説明資料）。これらに基づき暗号資産交換業を営むことについて免許を受けている事業者は、外国暗号資産交換業者に該当する。

⑶　登録手続

(i)　登録申請書の作成・提出

暗号資産交換業者は、暗号資産交換業を営むためには、登録を受けることが必要である（法63条の２）。この登録を受けようとする者は、登録申請書に必要書類を添付して、財務（支）局長に提出しなければならない（法63条の３、暗号資産府令４条～６条）。

登録申請書の様式は、内閣府令の別紙様式として定められている。国内の株式会社については暗号資産府令別紙様式第１号を、外国暗号資産交換業者については同別紙様式第２号を利用することとされている（暗号資産府令４条）。

(ii)　登録審査

登録申請者が、登録申請書を提出すると、財務（支）局において、登録審査が行われる。登録申請者が、資金決済法63条の５第１項各号のいずれかに該当するときは、登録が拒否されることとなる（法63条の５第１項）。

登録拒否の事由は以下のとおりである。

ア　株式会社または外国暗号資産交換業者（国内に営業所を有する外国会社に限る）でないもの

前記(2)のとおり、暗号資産交換業者は、会社法に基づき設立された株式会社か、外国暗号資産交換業者であって、国内に営業所を有する外国会社でなければならない。

イ　外国暗号資産交換業者にあっては、国内における代表者（国内に住所を有するものに限る）のない法人

前記(2)(ii)のとおり、外国暗号資産交換業者については、国内における代表者を定めなければならない。当該代表者は、国内に住所を有することが必要である。

ウ　暗号資産交換業を適正かつ確実に遂行するために必要と認められる財産的基礎を有しない法人

暗号資産交換業者が、暗号資産交換業を行うにあたっては、経済的信用を有し、セキュリティ対策を講じたシステムを開発・維持等するための財力が必要となるため、財産的基礎を有することが必要とされている。

暗号資産交換業者において必要となる財産的基礎は、資本金の額が1000万円以上であることと、純資産額が負の値でないことである（暗号資産府令９条）。

なお、経営陣は、上記の財産的基礎を遵守するだけでなく、業容や特性に応じた財産的基礎を確保するよう努めることが必要とされている（暗号資産ガイドラインⅡ－１－２④）。

登録審査にあたっては、登録申請書および添付書類（最終の貸借対照表および損益計算書、事業開始後３事業年度における暗号資産交換業に係る収支の見込みを記載した書面、暗号資産交換業に関する社内規則等）を踏まえ、利用者財産の管理の方法を聴取して、確認することとされているため（暗号資産ガイドラインⅢ－２－１(2)）、登録申請にあたってはこれらを説明することが必要である。

暗号資産交換業開始後に、上記で申請された内容と乖離が生じた場合や、財務（支）局において、経営実態を確認した結果、財産的

基礎を有しない疑いがあると認められた場合には、後記(9)(iii)のとおり、ヒアリングや報告書の提出が求められる可能性があるため、留意が必要である（暗号資産ガイドラインⅢ－２－２(1)）。

エ　暗号資産交換業を適正かつ確実に遂行する体制の整備が行われていない法人

暗号資産交換業者において暗号資産交換業を適正かつ確実に遂行するために必要な社内体制は、後記(7)に記載したとおりである。

オ　資金決済法第３章の２の規定を遵守するために必要な体制の整備が行われていない法人

暗号資産交換業者において必要な法令遵守体制は、後記(7)に記載したとおりである。

カ　暗号資産交換業者をその会員とする認定資金決済事業者協会に加入しない法人であって、当該認定資金決済事業者協会の定款その他の規則（暗号資産交換業の利用者の保護または暗号資産交換業の適正かつ確実な遂行に関するものに限る）に準ずる内容の社内規則を作成していない法人または当該社内規則を遵守するための体制を整備していない法人

暗号資産交換業者は、協会が策定する自主規制規則に準拠した社内規則を作成し、これを遵守するための体制を整備することが必要である。

キ　他の暗号資産交換業者が現に用いている商号もしくは名称と同一の称号もしくは名称または他の暗号資産交換業者と誤認されるおそれのある商号もしくは名称を用いようとする法人

他の暗号資産交換業者と同一または類似の商号や名称を使用する法人は、暗号資産交換業の利用者からみて事業者の区別ができず、利用者保護に欠けるおそれがあることから、登録が認められない。暗号資産交換業者登録簿については、財務（支）局において公衆縦覧され（法63条の４）、金融庁のウェブサイトにも登録されている暗号資産交換業者の名称が掲載されていることから（https://www.fsa.go.jp/menkyo/menkyoj/kasoutuka.pdf）、登録申請にあたっては、同一または類似の称号や名称を有する暗号資産交換業者がいないか

を確認する必要がある。

ク　過去５年間に、暗号資産交換業の登録を取り消され、または資金決済法に相当する外国の法令の規定により同種の登録、許可を取り消されたことがある法人

過去に暗号資産交換業を営む事業者として不適格とされた法人は、登録が認められない。

ケ　出資法またはこれに相当する外国の法令の規定に違反し、罰金の刑またはこれに相当する外国の刑に処せられ、その刑の執行を終わり、またはその刑の執行を受けることがなくなった日から５年を経過しない法人

過去に出資法に関する法令に違反し、法令遵守に問題があると考えられる法人は、登録が認められない。

コ　他に行う事業が公益に反する法人

暗号資産交換業者は、兼業が可能であるが、他に行う事業が公益に反する場合には、暗号資産交換業者としての信頼性を確保することができないことから、登録が認められない。

「公益に反する事業」とは、違法事業のみならず社会的に不当と認められる事業も含み、例えば、暴力団をはじめとする反社会的勢力と関係する事業や、その事業内容が社会的に批判を受け、または受けるおそれがあるものなどを指すと解される。

サ　取締役等に不適格者がいる法人

暗号資産交換業を行う上で、不適格な者が業務の執行やその執行を監査することを防止するため、取締役等に不適格者がいる法人は、登録が認められない。

(iii)　登録

登録申請者からの登録申請に対して審査が行われた結果、登録拒否事由があると認められるとき、または登録申請書もしくはその添付書類のうちに重要な事項について虚偽の記載があり、もしくは重要な事実の記載が欠けているときを除き、当該登録申請者について暗号資産交換業の登録がなされる（法63条の４第１項）。

登録が行われたときは、財務（支）局長からその旨が登録申請者に通知される（法63条の４第２項、暗号資産府令７条）。

登録が拒否されたときは、財務（支）局長から、その理由とともに、登録申請者に通知される（法63条の５第２項、暗号資産府令10条）。

ⅳ　名簿の縦覧

登録された暗号資産交換業者については、その本店の所在地を管轄する財務（支）局に暗号資産交換業者登録簿が備え置かれ、公衆の縦覧に供される（法63条の４第３項、暗号資産府令８条）。

登録簿には、登録申請書のうち暗号資産府令別紙様式第１号第２面から第13面まで、または同別紙様式第２号第２面から第14面までが綴られる（暗号資産ガイドラインⅢ－２－1⑹）。

暗号資産交換業者が、登録審査において、システムに関する事項や営業秘密・企業秘密に関する事項を開示する際には、財務（支）局と協議の上、登録申請書ではなく添付書類として提出するなどの対応をする必要がある場合も考えられる。

ⅴ　スケジュール

事業者が、財務（支）局長に対して登録申請を行ってから、当該申請に対する処分（登録または登録拒否）がなされるまでにかかる標準処理期間は、２ヶ月とされている（暗号資産府令44条１項）。

しかし、この期間には、①当該申請を補正するために要する期間、②申請者が当該申請の内容を変更するために要する期間、③申請者が当該申請に係る審査に必要と認められる資料を追加するために要する期間は含まれない（暗号資産府令44条２項）。

財務（支）局の登録審査においては、登録申請書や添付書類について、補正、内容変更、資料追加を求められることが往々にしてあり、それによって申請から登録までに２ヶ月以上の期間がかかることは通例である。

したがって、事業者としては、サービス開始希望日から逆算して、余裕をもって準備を行うとともに、登録申請にあたっては、なるべく後日大幅な指摘を受けることのないよう、提供するサービス内容やサービスの実施方法を十分検討の上で確定し、利害関係者（委託先等）ともよく条件等を詰めた上で契約を締結することが望ましい。全体の内容について弁護士・税理士等の必要なチェックを経て、登録申請を行うことがスケジュール管理の上で望ましいと考えられる。

(4) サービスの立案・策定

(i) サービス内容の立案

事業者が、暗号資産交換業に参入しようとする場合、まず利用者に対して提供するサービスの内容を検討することとなる。暗号資産の利用・提供可能性については、他の多くのビジネス書で述べられているところであり、ここでは特に言及することはしないが、暗号資産交換業者が遵守すべき規制との関係で、とりわけ検討しておくべき内容を以下に列記しておく。

ア　取り扱う暗号資産の種類

資金決済法では、現時点で暗号資産が通貨と同等の性質を有しないということを前提としつつ、暗号資産はその財産的価値が承認され、支払・決済手段としての機能を事実上有することがあることに鑑みて、暗号資産と法定通貨の交換業者について一定の規制を設けることとしている。

資金決済法における暗号資産の定義およびその該当性の判断基準は、第１章４(1)から(4)に詳述したとおりである。

現在、暗号資産交換業者が取り扱っている暗号資産の種類とその概要説明書は協会のウェブサイト（https://jvcea.or.jp/news/main-info/20181130-001/）に公表されている。

暗号資産交換業者は、自社で取り扱う暗号資産の審査項目をあらかじめ定め、暗号資産の特性を踏まえた上で、当該暗号資産を取り扱った場合に直面しうるリスク（取扱リスク）を包括的かつ具体的に検証し、取扱リスクを審査項目に基づいて適切に評価して、当該暗号資産の取扱いの可否を決定しなければならない。取り扱おうとする暗号資産の特性に鑑み、法令または公序良俗に違反する方法で利用され、利用されるおそれが高い暗号資産や、犯罪、マネー・ローンダリングおよびテロ資金供与に利用され、または利用されるおそれが高い暗号資産は、その取扱いの適否を慎重に判断する必要がある。なお、2016年改正法の下では、暗号資産交換業者が取り扱う暗号資産を追加するときは事後届出でよいとされていたが、2019年改正法の下では、事前届出が必要となった。

なお、従来から発行が行われてきた、いわゆる電子マネー、ゲーム内通貨、ポイントは、これらを使用可能な店舗等が、発行者との間で契約し、利用者に対しても特定されて表示された加盟店等に限られ、これらを交換する不特定の者が存在しない場合には、「暗号資産」には該当しない。

また、国債、地方債、預金通貨、企業が発行する債券などは、通貨建資産に該当し、「暗号資産」には該当しない。

イ　取り扱うサービスの範囲

資金決済法において、暗号資産交換業を営む者には登録が必要とされている（法63条の２）。「暗号資産交換業」とは、以下のいずれかを業として行うことをいうとされている（法２条７項）。

①暗号資産の売買または他の暗号資産との交換
②①に掲げる行為の媒介、取次ぎ、または代理
③その行う①②に掲げる行為に関して、他人の金銭の管理をすること
④他人のために暗号資産の管理をすること

顧客に対して暗号資産を販売する販売所や交換所は①に該当する。ATMで暗号資産の売買等を行う場合も①に該当する。

②の媒介、取次ぎまたは代理の具体的な定義は規定されていないが、一般に「売買」とは、他人の間に立って両者を当事者とする法

律行為の成立に尽力する事実行為をいい、「取次ぎ」や「代理」は自己の名をもって他人の計算あるいは他人のために法律行為をすることをいう。顧客の売り注文と買い注文をマッチングさせる場を提供する取引所は②に該当する。

2016年改正法の下では、①や②に関して、顧客の金銭や暗号資産を管理するサービスも暗号資産交換業に該当する。これに対し、例えば、暗号資産のウォレットを開設するのみで、法定通貨との交換等を扱わず、暗号資産のみの管理を行う事業者は規制対象外となる。これは、法定通貨との交換等を伴わないと、相対的にマネー・ローンダリング、テロ資金供与のリスクは低いものと考えられること、売買の場面で一般的に想定する損害発生リスクは発生しないと考えられることがその理由とされていた。

しかし、2019年改正法では、他人のために暗号資産の管理をすることが暗号資産交換業に該当するとされた（法2条7項4号）。暗号資産の交換等に関しない暗号資産の管理を業として行うことは、2016年改正法の下で規制対象とはされていなかったが、FATFにおいてマネー・ローンダリングやテロ資金供与を防止する観点から、暗号資産の交換等に関しない暗号資産の管理であっても厳格な管理が必要とされたこと、暗号資産の交換等に関せず受託した暗号資産についても利用者保護を図る必要があるとされたことがその理由である。

したがって、暗号資産の管理を業として行う場合には、金額の多寡にかかわらず、暗号資産交換業者として登録対象となる。暗号資産を移転するために必要となる秘密鍵を利用者に代わって管理する行為や、利用者の暗号資産のアドレスから自身のアドレスに暗号資産の移転を受けて管理する行為がこの定義に該当する。一方で、事業者が秘密鍵を管理せず、暗号資産の移転を容易にするようなソフトウェアのみを利用者に提供するといった行為は、暗号資産の管理の行為に該当しない。なお、秘密鍵を複数の事業者間でマルチシグとして分散管理する場合については、暗号資産の移転のためにだれがどのような行為を行っているのかという実態に応じて検討する必要があると考えられる。

以上のサービスは暗号資産交換業者としての登録が必要となるサービスであるが、これ以外にも、暗号資産に関連するサービスをあわせて提供する事業者が多い。例えば、現物の暗号資産の交換を伴わない、レバレッジをかけた取引や証拠金を用いた取引も提供されているが、2019年改正法の下では、暗号資産を原資産とするデリバティブ取引が金融商品取引業として規制されることとなり、金融商品取引業者としての登録が必要となった。

また、暗号資産は、これをウォレット間で送信することによって送金取引にも利用されているが、資金決済法ではかかる機能に着目した制度整備は特段行われていない。もっとも、単に顧客が暗号資産を任意に送信することを許容するのみならず、事業者が暗号資産を送金のための手段として用い、資金移動の仕組みを構築してこれを実施する場合には、為替取引の定義にも該当する可能性があり、事業者において銀行免許または資金移動業者としての登録が必要とされる場合があるため、留意が必要である（第１章4(7)参照）。

ウ　サービス提供の場所

資金決済法上、暗号資産交換業者がサービスを提供する場所に関する制限はない。暗号資産は電子的に記録された財産的価値で、電子情報処理組織を用いて移転することができるものであることから、主としてモバイルやインターネットを利用する顧客に対して提供されることが想定されている。もちろん店舗やATM等でサービス提供することも可能であるが、店舗やATMの設置主体が別法人となると、暗号資産の売買等の代理や媒介にあたらないか（あたるとすれば、暗号資産交換業の登録が必要である）留意が必要となる。

そこで、事業者は、モバイルやインターネット上で暗号資産に関するサービスを提供するのか、その他の場所で暗号資産に関するサービスを提供するのかを検討する必要がある。いずれを組み合わせて提供することも可能である。

エ　サービス提供の範囲

資金決済法上、日本国内で暗号資産交換業の登録を行えば、日本国内の利用者に対して暗号資産交換業を提供することができるが、その提供範囲は、日本国内の利用者に限定してもよいし、海外の利用者に対して提供してもかまわない。国外で免許等を受ける必要がある場合には、別途これを取得することが必要である。

そこで、事業者は、日本国内の利用者に対して暗号資産に関するサービスを提供するのか、海外の利用者に対しても暗号資産に関するサービスを提供するのかを検討する必要がある。海外の利用者に対して提供する場合には、犯罪収益移転防止法上の取引時確認の実施方法やAML/CFT態勢整備、PEPs・反社会的勢力等へのチェックについて特に留意する必要がある。

オ　金銭や暗号資産の受取方法

暗号資産交換業者は、その業務として、暗号資産の売買等に関連して、利用者の金銭または暗号資産の管理をすることが可能である。多くの暗号資産交換業者は、ウォレットやアカウントでこれらを預かるサービスを提供しており、利用者から金銭または暗号資産を預かり管理している。

出資法2条は、私人が業として預り金を行うことを禁止しているが、暗号資産交換業者は、法律上の定義から、利用者の金銭または他人の暗号資産の管理を行うことが想定されており（法2条7項3号・4号）、その管理については規制が設けられていることから（法63条の11）、出資法2条1項に定める「業として預り金をするにつき他の法律に特別の規定のある者」に該当し、暗号資産の売買等に関連して利用者の金銭を預かることは、上記預り金禁止規制には反しないと考えられる。

資金決済法上、利用者から金銭や暗号資産をどのようにして受け取るのかについても制限はない。

暗号資産の売買等に関連して金銭を受け取る場合、当該金銭の受取方法については、銀行の預金口座から振り込ませる方法や、インターネットバンキングによって振り込ませる方法、コンビニ等で支払わせる方法、ATMで現金またはカードで振り込ませる方法など様々な方法が考えられるが、事業者は、いずれの方法（あるいは複数の方法）で利用者から送金資金を受け取ることができることとするかを検討する必要がある。

(a) 金銭の受取方法

暗号資産交換業者が、暗号資産の売買等のための金銭の入金方法として、銀行、前払式支払手段発行者、クレジットカード会社等（以下「決済取引事業者」という）からの入金を認めることとした場合、すべての決済取引事業者が必ずしも暗号資産交換業者の委託先となるわけではないと考えられる。すなわち、決済取引事業者によって入金が行われる場合、通常は、決済取引を行う利用者からの委託を受けて、決済取引事業者が支払いを行うものと考えられるから、入金が利用者側の行為と整理できる限り、決済取引事業者が常に暗号資産交換業者から暗号資産交換業の一部を受託していると考えなければならないわけではない。決済取引事業者によって金銭が入金されるものの、決済取引事業者が暗号資産交換業の一部を受託しない場合には、決済取引事業者を暗号資産交換業者の委託先とする必要はないと考えられる。ただし、一般に収納代行業者は事業者から利用者の支払う代金を代理受領する権限を受けて入金業務を受託すると考えられること、入金業務以外にも当該決済取引事業者が暗号資産交換業そのものの一部を受託する場合（例えば、金銭の入金とともに暗号資産の売買指図等のデータを利用者から受け付ける場合など）には、暗号資産交換業者の委託先となったり、自身が取次ぎとして暗号資産交換業の登録が必要となる場合があると考えられるため、留意が必要である。

なお、2017年パブコメ52～53頁No. 112では、一般に利用者からクレジットカード等で入金される場合であっても、利用者保護の観点から、実際の入金前に、暗号資産交換業者自身が分別管理している銀行口座の残高を補充する必要があるとされている点にも留意が必要である。

(b) 暗号資産の受取方法

暗号資産は、電子的に記録され、電子情報処理組織を用いて移転することができるものであることから、通常ウォレットにおいて管理され、移転されている。

ビットコインを例とすると、ビットコインをあるビットコインアドレス（ウォレットA）から他のビットコインアドレス（ウォレットB）に送信するためには、ビットコインネットワークにおいて、①送信元のアドレスAの秘密鍵を管理・把握する参加者が、アドレスAからアドレスBに一定数のビットコインを振り替えるという記録（トランザクション）を秘密鍵を利用して作成する、②送信元のアドレスAの秘密鍵を管理・把握する参加者が、作成したトランザクションを他のネットワーク参加者に送信する、③トランザクションを受信した参加者が、当該トランザクションについて、送信元となるアドレスAの秘密鍵によって作成されたものであるか否かおよび送信させるビットコインの数値が送信元であるアドレスAに関しブロックチェーンに記録されたすべてのトランザクションに基づいて差引計算した数値を下回ることを検証する、④検証により上記各点が確認されれば、検証した参加者は、当該トランザクションを他の参加者に対しインターネットを通じて転送し、この転送が繰り返されることにより、当該トランザクションがビットコインネットワークにより広く拡散される、⑤拡散されたトランザクションがマイニングの対象となり、マイニングされることによってブロックチェーンに記録される、といった手順が必要となる。

暗号資産交換業者が暗号資産の売買等のサービスを提供する際には、利用者に対し、暗号資産を管理するウォレットを提供する場合と、利用者には取引所のアカウントを開設して暗号資産は事業者が管理するウォレットで預かる場合とがありうるが、通常多くの暗号資産交換業者は、事業者が管理するウォレットに暗号資産の送信を受け、アカウントにその数量を表示し、取引所としての取引は当該アカウント上で行うことが一般的である。

この場合、利用者は暗号資産交換業者に対してウォレット内のビットコインを利用者が指定するアドレスに送信するよう請求する権利を有すると考えられる。

カ　金銭や暗号資産の管理方法

資金決済法上、暗号資産交換業者が利用者から預かった金銭や暗号資産については、法令に定めるところにより、利用者の金銭または暗号資産を事業者自身の金銭または暗号資産と分別して管理しなければならない（法63条の11第1項）。

(a)　金銭の管理方法

具体的には、利用者の金銭は、信託業務を営む金融機関等への金銭信託で元本補填の契約のあるもので管理しなければならない（暗号資産府令26条1項）。

金銭信託（利用者区分管理信託）を採用する場合の要件等は暗号資産府令26条1項に、利用者区分管理必要額を毎日算定すべきことは暗号資産府令26条2項に定められている。

(b)　暗号資産の管理方法

また、利用者の暗号資産は、①暗号資産交換業者が自己で管理する暗号資産は、利用者の暗号資産と自己の固有財産である暗号資産とを明確に区分し、かつ、当該利用者の暗号資産についてどの利用者の暗号資産であるかが直ちに判別できる状態で管理する方法、②暗号資産交換業者が第三者をして管理させる暗号資産は、当該第三者において利用者の暗号資産と自己の固有財産である暗号資産とを明確に区分させ、かつ、当該利用者の暗号資産についてどの利用者の暗号資産であるかが直ちに判別できる状態で管理させる方法で管理しなければならない（暗号資産府令27条2項）。

暗号資産管理方法としては、各利用者の数量が自己の帳簿により直ちに判別できる状態として管理してもよいし、利用者の数量が自己の帳簿により直ちに判別できる状態（混蔵保管）として管理することでも足りる（暗号資産府令27条１項１号括弧書）。

具体的な管理の実施方法については、後記(7)(vii)を参照されたい。

また、暗号資産交換業者は、上記の管理の状況について、金融庁長官の指定する規則の定めるところにより、毎年１回以上、公認会計士または監査法人の監査を受けなければならない（法63条の11第３項、暗号資産府令28条１項）。利害関係のある者は分別管理監査をすることができない（暗号資産府令28条２項）。

これは、利用者財産の適正な管理について、事業者が不正を行うことを牽制するとともに、問題の早期発見を図ることが重要と考えられるため、罰則による担保だけでなく、定期的に外部からのチェックを働かせる観点から、当該措置が必要とされたものである。

以上が2016年改正法の下における分別管理の内容であるが、2019年改正法の下では、利用者財産の管理はさらに厳格に義務付けられることとなった。

すなわち、①金銭の管理方法について、暗号資産交換業者は、その行う暗号資産交換業に関して、暗号資産交換業の利用者の金銭を、自己の金銭と分別して管理し、暗号資産府令で定めるところにより、信託会社等に信託しなければならない（法63条の11第１項）。

また、②暗号資産の管理方法について、暗号資産交換業者は、その行う暗号資産交換業に関して、利用者の暗号資産を自己の暗号資産と分別し、利用者の暗号資産を利用者の保護に欠けるおそれが少ないものとして暗号資産府令で定める方法で管理（コールドウォレットによる管理を想定）することが必要となる（法63条の11第２項）。利用者の利便の確保および暗号資産交換業の円滑な遂行を図るために必要なものとして内閣府令で定める要件（一定の割合等を想定）に該当するものは、上記の例外としてホットウォレットで管理することが認められるものの（法63条の11第２項括弧書）、ホットウォレットで管理する暗号資産と同じ種類および数量の暗号資産（以下「履行保証暗号資産」という）を自己の暗号資産として保有し、履行保証暗号資産以外の自己の暗号資産と分別して管理（コールドウォレットによる管理を想定）することが必要である（法63条の11の２第１項）。

暗号資産交換業者にとって不正アクセス等に備えたセキュリティ管理態勢および利用者の暗号資産の管理は極めて重要である。どのような方法で利用者財産を管理していくかについては慎重な検討が必要である。

キ　金銭や暗号資産の払出方法

資金決済法上、預かった金銭や暗号資産を利用者に対してどのようにして払い出すかについては制限はない。

利用者に対する金銭の払出方法については、店舗等において現金で払い出す方法、利用者が開設する銀行口座へ振り込む方法など様々な方法が考えられるが、事業者は、利用者に対していずれの方法（あるいは複数の方法）で金銭を払い出すこととするかを検討する必要がある。

利用者に対する暗号資産の払出方法については、前記(v)エと同様、利用者が指定したアドレスへの送信を行うことが考えられる。

ク　会員登録の要否

暗号資産交換業者は、通常利用者との間で反復継続的な利用契約を締結し、反復継続的に暗号資産の売買等のサービスを提供することとなると考えられる。

事業者は、利用者に会員登録をさせる場合には、ID・パスワード等を発行するのか等を検討することが必要である。不正引出しやなりすましを防止し、セキュリティを高めるために２段階認証の設定を義務づけることも有効である。

以上のサービスの内容に応じて、利用者との間で締結する利用約款等の内容、利用者に対して提供すべき情報の内容等を検討する必要がある。

(ii) サービスの実施方法の策定

事業者が、暗号資産交換業に参入しようとする場合、サービスの内容の検討と並行して、当該サービスを実施するための方法を検討することとなる。

ア　システム

サービス提供にあたり、最も重要となるのが、暗号資産の売買または他の暗号資産との交換を行い、または媒介、取次ぎ、代理を行い、金銭および暗号資産を管理するシステムの内容である。日々、適正かつ確実に、利用者から金銭や暗号資産を預かり、取引を行い、移転や払出しを行うためには、システム上データが確実に記録され、安全性・信頼性をもって保持されることが不可欠である。

事業者がシステムを自前で開発する場合のほか、他社が開発したシステムを利用する場合もある。システムの運用や保守を委託先に委ねる場合もある。

イ　代理店等の要否

事業者が自ら暗号資産交換業を行う場合のほか、他の事業者が行うサービスを介したり、連携して、暗号資産交換業を営む場合もある。この場合、他の事業者は、暗号資産の売買または他の暗号資産との交換の媒介、取次ぎ、代理を行う場合には、自らも暗号資産交換業者としての登録が必要となる点に留意が必要である（法２条７項２号）。

ウ　その他委託先の要否

これに対し、暗号資産交換業者が、暗号資産交換業の媒介、取次ぎ、代理に至らない行為を行う場合で、暗号資産交換業の一部を委託する場合には、委託業務の適正かつ確実な遂行を確保するために必要な措置を講じることが求められる（法63条の９）。そのような措置を講じることができる限り、委託先の選定について特段の制限はない。

委託先に対して暗号資産交換業の一部を委託する場合、委託先選定基準に照らして当該委託先を選定することが適切かを判断し、委託契約を締結、委託業務の遂行状況を定期にかつ随時、モニタリングすることが必要となる。事業者は、自らが提供しようとするサービス内容に応じて、どの場面で委託先を必要とするのかを検討する必要がある。

なお、暗号資産交換業者が取引のための暗号資産を仕入れる場合や、流動性を確保するなどリスクヘッジを行うためにカバー取引を行う場合、他の暗号資産交換所で取引を行うことがあるが、単に他の暗号資産交換所の利用者として取引を行っているにすぎない場合には、当該他の暗号資産交換所を委託先とする必要はないと考えられる。これに対し、暗号資産交換業者がその業務の一部を委託する場合（例えば、利用者の暗号資産を他の暗号資産交換業者のウォレットで管理してもらう場合など）には、暗号資産交換業者の委託先となりうるため留意が必要である。

エ　利用者財産の管理、取引記録等

暗号資産交換業者は、その利用者から預かり管理する金銭または暗号資産を自己の金銭または暗号資産と分別して管理すること、かかる管理の状況について、定期に、公認会計士または監査法人の監査を受けることが義務づけられる（法63条の11）。

また、これらの管理の記録や分別管理監査の結果に関する記録のほかに、暗号資産交換業者は、暗号資産交換業に係る取引記録、総勘定元帳、顧客勘定元帳等を作成保存することが必要である（法63条の13、暗号資産府令33条）。

そこで、どのような方法で利用者財産を管理し、取引記録等を作成していくかについて検討する必要がある。

オ　苦情処理・金融ADR

暗号資産交換業者には、金融ADR制度の適用があるため、苦情処理措置および紛争解決措置を講じる必要がある（法63条の12）。

事業者は、自ら提供しようとするサービス内容に応じて、どのような苦情処理措置および紛争解決措置を講じるかについて検討する必要がある。

以上のサービスの実施方法に応じて、情報の安全管理措置の内容、委託先に対する指導等の措置の内容、利用者財産の管理の内容、苦情処理措置および紛争解決措置の内容等が異なることとなる。

⑸ 利用約款の策定

暗号資産交換業者は、サービスの内容に応じて利用約款を策定する必要がある。本書では、モデル例として、暗号資産交換業者が、国内の利用者に向けてアカウントを開設し、暗号資産の取引所としてサービスを提供する場合の利用約款を示すこととし、各項目について解説を行う。

暗号資産交換業者が営むことができるサービスの内容には、暗号資産の売買、他の暗号資産との交換、これらの行為の媒介、取次ぎまたは代理がある。暗号資産の交換所と利用者が相対で暗号資産の売買や他の暗号資産との交換を行うサービスや、暗号資産の取引所で利用者の買い注文と売り注文を取り次ぎ、マッチングするサービスなどがある。

モデル例では、暗号資産の取引所として、暗号資産の売買の媒介、取次ぎを行う例を示すが、取引所が直接暗号資産の売買等を行う場合には、その旨の約定を設けることが必要である。

●● 記載例――暗号資産取引所サービス規定 ●●

○○暗号資産取引所サービス規定

第１条（適用範囲）

本規定は、当社の提供する暗号資産取引所サービス（以下「本サービス」といいます）に関する取扱いについて定めるものです。お客様は、本規定の内容を十分に理解し、本規定にご同意いただいた上で、本サービスをご利用いただくものとします。

第2条（本サービスの内容）

当社は、本規定に従って、日本国内において、お客様の依頼に基づき、お客様の暗号資産の売却の注文および購入の注文をマッチングするサービスを提供します。

第3条（アカウントの開設）

1．本サービスの利用を希望する者は、本規定に同意した上で、当社所定の情報を当社所定の方法で当社に提供することにより、当社に対し、本サービスの利用を行うためのアカウントの開設を申し込むものとします。
2．当社は、当社の基準および手続（取引時確認手続を含みます。）に従って、本サービスの利用を希望するお客様のアカウントの開設の可否を判断し、当社が開設を認める場合にはその旨をお客様に通知し、この通知によりお客様のアカウントの開設が完了するものとします。
3．お客様は、開設されたアカウントにおいて、お客様が当社に預けた暗号資産および金銭の数量を確認し、本サービスを利用することができるものとします。ただし、当社は、合理的な理由に基づき、お客様が当社に預けた暗号資産および金銭が犯罪収益に関するものであると判断した場合には、当該アカウントを凍結することができます。
4．お客様は、当社所定の方法により、入金を行うことができます。また、お客様は、当社所定の方法により、暗号資産の送信を行うことができます。なお、入金または暗号資産の送信は、お客様の振込その他の手続の完了時点ではなく、当社がその入金または暗号資産の送信を合理的に認識し得る時点をもって手続が完了したものとみなします。
5．当社は、お客様の求めにより、当社がお預かりした金銭または暗号資産の払戻しに応じます。お客様は、自らの責任において、金銭の振込先の預金口座もしくは貯金口座（お客様本人名義の預金口座等に限ります。）または暗号資産の送信先を指定することとし、当社は、お客様の指図に従い、当該預金口座等または送信先に入金または暗号資産の送信を行った場合には、かかる金銭または暗号資産について一切の責任を免れます。
6．入金および払戻しの上限は、別途当社が定めるところによるものとします。
7．お客様よりお預かりした金銭が、長期間にわたり暗号資産の売買等のために使用されない場合には、当社は、当該金銭についてお客様に対し払戻しをするよう求める権利を有するものとします。

第4条（本サービスの利用）

1．お客様は、本規定に違反しない範囲内で、当社所定の方法に従い、本サービスを利用することができます。
2．お客様は、当社が定める方法に従って、暗号資産の売却の注文および購入の注文を行うことができます。お客様の指図に従って当社所定の方法により提示される価格と、相手方が提示した価格が合致したときは、売主と買主との間で暗号資産の売買に関する契約が成立したものとみなします。お客様は、暗号資産の売買が成立した時点以降は、売買の注文を撤回、変更または取消しをすることはできません。
3．本サービスの提供を受けるために必要な、コンピュータ、ソフトウェアその他の機器、通信回線その他の通信環境等の準備（必要なアプリケーションのインストールを含みます。）および維持は、お客様の費用と責任において行うものとします。
4．お客様は、自らの本サービスの利用環境に応じて、コンピュータ・ウィルスの感染の防止、不正アクセスおよび情報漏洩の防止等のセキュリティ対策を自らの費用と責任において講じるものとします。

第5条（手数料）
1．本サービスの利用に当たっては、当社所定の手数料をお支払いいただきます。
2．暗号資産の売買の注文の取次ぎに係る手数料は、1回あたり○円とします。
3．本規定に基づく支払いは、アカウントから金銭または暗号資産を引き落としの方法で行うものとします。アカウントの金銭または暗号資産の残高が手数料額に満たない場合には、お客様は、別途当社所定の方法により支払うものとします。

第6条（取引内容の照会）
1．お客様は、本サービスに関して疑義があるときは、速やかに当社のご相談窓口にお問い合わせ下さい。
2．お客様の依頼につき、関係機関から照会がある場合など必要があるときは、暗号資産の売買の内容をお客様に照会することがあります。この場合、お客様は速やかにこれに応ずるものとし、当社からの照会に対して、相当の期間内に回答がなかった場合または不適切な回答があった場合には、本サービスの利用ができない場合があります。

第7条（IDパスワードの管理）
1．お客様は、自己の責任において、アカウントのIDおよびパスワード（以下「IDパスワード」といいます。）を管理、保管するものとし、これを第三者に利用させたり、貸与、譲渡、名義変更、売買等をしてはならないものとします。
2．当社は、アカウントへのログイン時および本サービスの利用時に入力されたIDパスワードと、あらかじめ設定された利用者のIDパスワードとを照合し、その一致が確認できたときは、お客様を正当な利用者とみなして取り扱うものとします。かかる照合の結果、お客様を正当な利用者とみなして取扱いを行った場合には、当該IDまたはパスワードの偽造、変造、盗用または不正使用その他の事故があっても、当社は当該取扱いに係る取引を有効なものとみなします。
3．IDパスワードの管理不十分、使用上の過誤、第三者の使用等による損害の責任はお客様が負うものとし、当社は一切の責任を負いません。
4．お客様は、IDパスワードが盗まれたり、第三者が使用していることが判明した場合には、直ちにその旨を当社に通知するとともに、当社からの指示に従うものとします。

第8条（個人情報の取扱い）
1．当社は、当社の個人情報保護規定に従い、お客様の個人情報を取り扱います。
2．本サービスの利用に関し、当社は、本サービスの提供に必要な範囲で、お客様および受取人の情報を、当社の委託先、代理人その他の第三者に提供することができるものとします。
3．当社は、法令、裁判手続その他の法的手続または監督官庁等に対し、お客様の情報を求められた場合は、その要求に従うことができるものとします。
4．ご提出いただいた個人情報に関しては、お客様は、当社が保管する個人情報の開示要求を行うことができます。開示をご希望のお客様は、当社のご相談窓口までご連絡ください。

第9条（反社会的勢力の排除）
1．お客様は、自らが現在、暴力団、暴力団員、暴力団員でなくなった時から5年を経過しない者、暴力団準構成員、暴力団関係企業、総会屋等、社会運動等標ぼうゴロまたは特殊知能暴力集団等、その他これらに準ずる者（以下これらを「暴力団員等」といいます。）に該当しないこと、および次の各号のいずれにも該当しないことを表明し、かつ将来にわたっても該当しないことを確約します。
⑴　暴力団員等が経営を支配していると認められる関係を有すること
⑵　暴力団員等が経営に実質的に関与していると認められる関係を有すること
⑶　自己、自社もしくは第三者の不正の利益を図る目的または第三者に損害を加える目的をもってするなど、不当に暴力団員等を利用していると認められ

る関係を有すること

⑷　暴力団員等に対して資金等を提供し、または便宜を供与するなどの関与をしていると認められる関係を有すること

⑸　役員または経営に実質的に関与している者が暴力団員等と社会的に非難されるべき関係を有すること

2．お客様は、自らまたは第三者を利用して次の各号の一にでも該当する行為を行わないことを確約いたします。

⑴　暴力的な要求行為

⑵　法的な責任を超えた不当な要求行為

⑶　取引に関して、脅迫的な言動をし、または暴力を用いる行為

⑷　風説を流布し、偽計を用いまたは威力を用いて当社の信用を毀損し、または当社の業務を妨害する行為

⑸　その他前各号に準ずる行為

3．お客様が、暴力団員等もしくは第1項各号のいずれかに該当し、もしくは前項各号のいずれかに該当する行為をし、または第1項の規定にもとづく表明・確約に関して虚偽の申告をしたことが判明し、お客様との取引を継続することが不適切である場合には、お客様は当社から請求があり次第、当社に対するいっさいの債務の期限の利益を失い、直ちに債務を弁済いただきます。

4．前項の規定の適用により、お客様または第三者に損害が生じた場合にも、当社は何らの責任を負いません。また、当社に損害が生じたときは、お客様がその責任を負います。

第10条（本サービスの中止または中断）

当社は、システムの保守、通信回線もしくは通信手段、コンピュータの障害などによるシステムの中止または中断の必要があると認めたときは、お客様に事前に通知することなく、本サービスの提供を中止または中断することができるものとします。そのためにお客様に生じた損害について当社は責任を負いません。

第11条（本サービスの停止）

当社は、お客様が次の各号に該当すると判断した場合、事前に通知することなく、お客様による本サービスの提供を停止することができるものとします。そのためにお客様に生じた損害について当社は責任を負いません。

⑴　お客様に法令や本規約に違反する行為があったとき

⑵　お客様が第9条第1項各号のいずれかに該当し、もしくは同条第2項各号のいずれかに該当する行為をし、または同条第1項の規定に基づく表明・確約に関して虚偽の申告をしたことが判明したとき

⑶　お客様の本サービスの利用が、法令その他一切の取締法規に違反するとき
⑷　本サービスが法令や公序良俗に反する行為に利用され、またはそのおそれがあるとき
⑸　お客様の所在が不明となったとき
⑹　お客様の相続の開始があったとき
⑺　前各号に掲げるほか、当社が本サービスの停止を必要とする相当の事由が生じたと判断したとき

第12条（免責規定）
1．災害・事変・戦争等の不可抗力、法令による制限、政府または裁判所等の公的機関の措置その他当社以外の責めに帰すべき事由により、送金ができなかったときは、そのためにお客様に生じた損害について当社は責任を負いません。
2．当社は、例外的に当社が売買の当事者となる場合は除き、当社が暗号資産の売買の当事者となるものではなく、また、当社は、暗号資産の売買の成立を利用者に約束または保証するものではありません。
3．当社は、暗号資産の価値、機能、使用先および用途についていかなる保証およびいかなる責任も負うものではありません。

第13条（本規定の変更または廃止等）
1．本規定および本サービスの内容は、経済情勢の変化その他合理的理由があるときは、当社の判断により変更または廃止することがあります。また、かかる変更または廃止のために、本サービスの全部または一部の利用を停止することがあります。
2．前項の変更または廃止、あるいは利用の停止により生じた損害については、当社は責任を負いません。
3．本規定または本サービスの内容を変更または廃止するときは、本規定または本サービスの内容を変更する旨および変更後の内容ならびにその効力発生時期を、当社のウェブサイトに掲示することにより告知します。

第14条（譲渡・質入れ等の禁止）
本規定によるお客様の契約上の地位その他本サービスにかかる一切の権利は、譲渡、貸与、質入れその他第三者の権利を設定すること、または第三者に利用させることはできません。

第15条（管轄）
本規定または本サービスに関して訴訟の必要が生じた場合は、東京地方裁判所

を第一審の専属的合意管轄裁判所とします。

【本サービスに関するご相談窓口】
○○－○○○○－○○○○（連絡先）

(i)　暗号資産の法的性格

資金決済法上の暗号資産の定義は、前記第1章4(1)のとおりであるが、暗号資産の法的性格がいかなるものであるかについて、学説上様々な見解が存在する。裁判例では、2014年にビットコイン取引所であった株式会社MTGOX（マウントゴックス）が破たんしたことに伴い、利用者がビットコインの取り戻しを求めた訴訟において、裁判所は、所有権は、法令の制限内において、自由にその所有物の使用、収益および処分をする権利であり（民法206条）、その客体である所有「物」は、民法85条において「有体物」であると定義されているところ、ビットコインについては所有権の客体となるために必要な有体性および排他的支配可能性を有するとは認められず、ビットコインは所有権の客体とはならないと判示した（東京地判平成27年8月5日）。

もっとも、上記は暗号資産について財産的価値を否定したものではなく、また、暗号資産交換業者はアカウント上金銭および暗号資産（秘密鍵）を預かることから、利用者が暗号資産交換業者に対して、何らかの債権を有しているとみることとは矛盾しない。現に上記MTGOXの破産処理でも、顧客が取引所に対して預け入れたビットコインの返還請求権は破産債権として取り扱われた。本利用約款でも、利用者は、暗号資産交換業者に対して、預け入れた金銭および暗号資産の返還を請求する権利（債権）を有し、暗号資産交換業者は、受託者として預かった金銭および暗号資産を善良な管理者としての注意義務をもって管理し、利用者が返還を請求する場合には、これらを利用者が指定するところへ返還する義務を負うとの考え方をもとに、規定を設けている。

暗号資産交換業者としては、利用者との法律関係をどのように整理するかについては、まさに私法上の契約内容によって決せられ、これは、利用約款等によって定まるものと考えられる。そのため利用約款等でその内容や効果を定める必要性は高いと考えられる。

(ii) アカウントに関する規定

暗号資産交換業者は、自己のサービスに関して利用者から金銭および暗号資産を預かり、管理することができる。本利用約款ではアカウントの開設、暗号資産交換業者への金銭および暗号資産の受入れおよび払戻しに関する記載例を示している。

暗号資産交換業者は、2016年改正法が施行された後は、犯罪収益移転防止法上の特定事業者となり、後記(7)(xi)アのとおり、同法の規定により、アカウントの開設時に利用者の取引時確認を行う必要がある（記載例第３条第２項)。アカウントは、本サービスのために利用できるものの、万が一利用者の暗号資産および金銭が犯罪収益に関するものと暗号資産交換業者が合理的に判断したときには、アカウントを凍結できる旨の規定も置いている（記載例第３条第３項)。

暗号資産交換業者は、金銭や暗号資産を預かり管理することができるが、仮に長期間にわたって暗号資産の売買等のために使用されない場合には、利用者に対して払戻しを求める権利を有する旨の規定を置くことは、サービス利用とは無関係に利用者が金銭を預けることに制約をかけるものであり、出資法上の疑義を払拭する観点で有用である（記載例第３条第７項)。

(iii) サービスに関する規定

本利用約款では、暗号資産の売却の注文および購入の注文を行うことができる取引所サービスを本サービスと定義しており、利用者の指図に従って提示される金額と相手方の金額とが合致したときには、売主と買主との間で直接売買契約が成立するとみなすこととしている。なお、暗号資産交換業者自身が売主や買主になる場合には、「暗号資産の売買」や「他の暗号資産との交換」を業として営むものであり、暗号資産交換所（販売者）として、取引所と同様に登録の下で営むこととなる。

ⅳ　ID・パスワードに関する規定

本利用約款では、本サービスを提供する際に、あらかじめ発行されたIDおよびパスワードを入力させることにより、本人認証を行うことを想定している。そのため、IDやパスワードが、不十分な状態で管理されれば、他人に知られることとなり、他人に当該財産的価値が盗取されたり、偽造・変造されたりする可能性があるため、厳重な管理を求めることとしている（記載例第７条第１項）。

さらに、本利用約款では、前記の注意喚起を十分に行っていることを前提として、利用者の許可なくIDまたはパスワードが第三者に使用された場合であっても、暗号資産交換業者は、利用者に対して責任を負わないこととしている（記載例第７条第２項・第３項）。

ⅴ　個人情報の取扱いに関する規定

暗号資産交換業者においては、後記(7)(v)のとおり、個人情報を適切に取り扱う措置を講じることが義務づけられている。本利用約款では、別途個人情報保護規定を策定している事業者が、本サービスにおいてもこれが適用されることを確認し、開示等の必要な手順を定める内容としている（記載例第８条）。なお、本利用約款では、個人情報を第三者に提供することがある旨の条項を設けているが、後記(7)(v)のとおり、第三者提供を行う場合には、利用約款とは別に、書面で同意を得る必要がある点に留意が必要である。

ⅵ　反社会的勢力への対応に関する規定

暗号資産交換業者においては、後記(7)(iii)のとおり、反社会的勢力への対応を行う必要がある。あらかじめ、アカウントを開設して、暗号資産の売買等を行おうとする利用者が反社会的勢力に該当しないかどうかについては、暗号資産交換業者においてこれを確認する必要がある。また、仮にアカウントを開設してしまった場合であっても、後日反社会的勢力との関連が疑われることが判明した場合には、本サービスを停止することができ、本利用約款に基づく利用契約を解除できるようにしておく必要がある。

(vii) サービスの中止・中断・停止

暗号資産交換業においては、システムの維持・メンテナンスが不可欠である。そのため、システムの保守、通信回線もしくは通信手段、コンピュータの障害などによるシステムの中止または中断の必要があると認めたときは、サービスを一時中止または中断することができる旨の規定をあらかじめ設けておくことが考えられる。

また、利用者に対する暗号資産の売買等の提供が、法令等に違反するおそれがある場合などには、これを停止する必要がある場合がある。利用者にとっての予測可能性を担保するためにも、あらかじめ一定の事由を定めておき、停止することができる旨の規定を設けておくことが考えられる。

(viii) 免責規定

暗号資産交換業を行うにあたっては、災害・事変・戦争等の不可抗力、法令による制限、政府または裁判所等の公的機関の措置等、暗号資産交換業者の責めによらない事由によって、暗号資産の売買等ができない場合もあり得ることから、あらかじめ免責規定を設けておくことが考えられる。また、そのほか考えられるケースについて免責規定を設けているが、実際のサービス内容に即してリスクを記載する必要がある（記載例第12条）。

もっとも、暗号資産交換業の利用者が「消費者」に該当する場合には、消費者契約法の適用を受けることから、暗号資産交換業者の損害賠償の責任を一方的に減免する条項は無効とされる可能性がある（消費者契約法８条１項）。

(ix) 改廃規定

利用規約の内容を変更する場合に備えて、あらかじめ改廃規定を設けておくことは必要である。

本利用約款のように、利用者がアカウントを開設し、継続的契約を前提とするサービスにおいては、利用者との間で契約内容となっている約款をどのように改廃するかについては、第3章2(1)(xi)を参照されたい。

図表4-1：業務フロー例

取引処理フロー：暗号資産の買い注文を受け付けて取引を実行する

利用者

当社システム

ログイン
・ID・パスワード

電文受信

確認

ログイン不可

NG

ログイン完了

OK

暗号資産の買い注文
・暗号資産の種類、数量入力
・指値・成行の別、指示入力
・手数料支払い

買い注文の確認

OK

取引板でマッチング

マッチング
エンジン

不実行
・エラー内容表示

NG

OK

購入資金の確認

不実行
・エラー内容表示

NG

OK

約定成立

約定成立の
通知

帳簿記録
・取引記録等作成

バックアップ

金銭・
暗号資産の
残高表示

⑹　業務フローの決定

以上の利用規約の策定と並行して、暗号資産交換業者においては、利用者との間でいずれの時点で契約を締結するか、利用者に対し必要な説明をどの時点でどのように行うか、取引時確認はどの時点でどのように行うか等、業務フローを決定する必要がある。

暗号資産交換業者は、通常モバイル端末やインターネット上で暗号資産交換業を提供することとなると考えられることから、業務フローを決定し、それを前提にシステムを構築する必要がある。

このほか、窓口やコールセンターを設ける場合には、事務マニュアルを作成して、従業員等にこれを遵守させることも有用である。

⑺　社内体制の整備

暗号資産交換業者は、法令等を遵守して、適正かつ確実に業務運営を行うため、適切な社内体制の整備を行うことが必要である。登録審査との関係でも、暗号資産交換業を適正かつ確実に遂行する体制の整備が行われているか否か（法63条の５第１項４号）、資金決済法第３章の２の規定を遵守するために必要な体制の整備が行われているか否か（法63条の５第１項５号）等が要件となっているため、登録申請書および添付書類をもとに、ヒアリングおよび調査等により検証がなされることとなる。暗号資産交換業を適法・適正かつ確実に行うためには、暗号資産ガイドラインの内容にも配意しつつ、当該暗号資産交換業者が行おうとする暗号資産交換業の業態および規模等に照らして、最適な社内体制を整備することが求められる。

現在、暗号資産交換業者には他の金融機関と同等かそれ以上のものが求められており、特にマネー・ローンダリング・テロ資金供与対策にかかる体制整備は、どの金融機関に対するものよりも高度なものが求められる。

以下、個別に考え方を説明し、主として業務開始までに必要な対応について指摘していきたい。暗号資産交換業を開始した後は、策定した社内規則等に従って社内体制を実施し、検証し、必要に応じて改善していくことが必要である。なお、暗号資産ガイドラインおよび協会が策定する自主規制規則やそのガイドラインをよく参照する必要がある。

(i) 経営管理

経営陣には、業務推進や利益拡大といった業績面のみならず、法令等遵守や適切な業務運営を確保するため、内部管理部門および内部監査部門の機能強化など、内部管理体制の確立・整備に関する事項を経営上の最重要課題の１つとして位置づけ、その実践のための具体的な方針の策定および周知徹底について、誠実かつ率先して取り組むことなどが求められる（暗号資産ガイドラインⅡ－１－２⑦）。特に、経営陣は、ビジネスモデル、業務内容、経営規模、海外拠点の設置状況、取り扱う暗号資産の特性等を勘案の上、経営上のリスクや財務上のリスクを分析・特定した上で、当該リスクの管理手法を定めるなど、適切なリスク管理態勢を構築することが求められる。

内部管理部門は、法務部やコンプライアンス部といった部署が担うことが多く、内部監査部門は、被監査部門から独立した検査部、監査部といった部署が担うことが多い。内部管理部門は、業務運営全般に関し、法令および社内規則等に則った適切な業務を遂行するための適切なモニタリング・検証を行う。内部監査部門が行う監査は、内部管理部門が営業部門に対して行うモニタリング・検証および改善策の策定とは別に行われ、内部管理部門の業務の適切性についてもあわせて監査を行う必要がある。

さらに監督役・監査役会にも実効性ある監査を積極的に行うことが求められる。

いずれも重大な問題等を確認したときは、経営陣に対し適切に報告が行われ、改善策の策定・実施が行われることが必要である。

CHECK 業務開始までに必要な対応

□ 対応部署の決定

□ 内部管理規定の策定

□　内部監査規定や監査計画の策定
□　上記規定等の承認・周知徹底

(ii)　法令等遵守（コンプライアンス）態勢

暗号資産交換業者は、適法・適正かつ確実な業務運営を確保する観点から、暗号資産交換業の規模および特性に応じた社内規則等を定め、不断の見直しを行うとともに、役職員に対して社内教育を行うほか、その遵守状況を検証することが求められる（暗号資産ガイドラインⅡ－２－１－１）。

法令等遵守態勢の整備のためには、コンプライアンス基本方針のほか、更に具体的な実践計画（コンプライアンス・プログラム）や行動規範（倫理規程、コンプライアンス・マニュアル）等の策定を行い、これらを周知徹底するとともに、研修・教育体制の構築も必要である。

内部管理態勢の構築にあたり、コンプライアンス部門（第２線）の充実が必須である。アカウント開設、暗号資産の移転取引に係る各種規制を十分理解し、暗号資産のリスク特性を踏まえたマネー・ローンダリング・テロ資産供与対策など、ビジネス部門（第１線）にアドバイスを行うのに必要な専門性や能力を有する要員を確保し、実効的な内部体制機能を働かせることが必要である。

CHECK 業務開始までに必要な対応
□　対応部署の決定
□　コンプライアンス基本方針の策定
□　コンプライアンス・プログラムの策定
□　コンプライアンス・マニュアル等の策定
□　上記規定の承認・周知徹底
□　研修・教育

(iii)　反社会的勢力への対応

暗号資産交換業者に対する公共の信頼を維持し、暗号資産交換業者の業務の適切性のため、経営陣には、断固たる態度で反社会的勢力との関係を遮断し、排除していくことが求められる（暗号資産ガイドラインⅡ－1－2⑩）。

「企業が反社会的勢力による被害を防止するための指針について」（2007年6月19日犯罪対策閣僚会議幹事会申合せ）に基づき、既に上場会社においては、有価証券上場規程（東京証券取引所）により反社会的勢力への対応が義務付けられており、反社会的勢力への対応についての基本方針の策定や公表は進んでいるところである。不当要求がなされた場合の対応をあらかじめ定め、経営陣も含めて組織として適切に対応することが重要である。

これらに加えて、反社会的勢力とは一切の関係をもたず、反社会的勢力であることを知らずに関係を有してしまった場合には、相手方が反社会的勢力であると判明した時点で可能な限り速やかに関係を解消できるよう、適切な事前審査の実施や、事後検証の実施、契約書や取引約款に反社会的勢力排除条項の導入を徹底すること、反社会的勢力との取引解消に向けた取組みを行うことなどが必要である（暗号資産ガイドラインⅡ－2－1－5）。

暗号資産交換業者としては、反社会的勢力対応部署において、反社会的勢力に関する情報を一元的に管理・蓄積し、当該情報を集約したデータベースを構築する等の方法により、利用者との契約締結時や、取引先との属性判断等を行う際に活用する態勢を構築する必要がある。

CHECK 業務開始までに必要な対応

- □ 対応部署の決定
- □ 反社会的勢力への対応についての基本方針の策定
- □ 反社会的勢力への対応に関する規定の策定
- □ 上記規定の承認・公表・周知徹底
- □ 委託先との契約書・利用約款への反社会的勢力排除条項の導入
- □ 反社会的勢力に関する情報を集約したデータベース等の構築
- □ 研修・教育

ⅳ　システムリスク管理

暗号資産交換業者は、業務の性質上、高度・複雑な情報システムを有していることが多く、さらにコンピュータのネットワーク化の拡大に伴い、重要情報に対する不正アクセス、漏洩等のリスクが大きくなっている。システムが安全かつ安定的に稼働することは、暗号資産交換業者に対する信頼性を確保するための大前提であり、そのため、暗号資産交換業者は、暗号資産交換業に係る情報の漏洩、滅失または毀損の防止その他の当該情報の安全管理のために必要な措置を講じなければならないとされている（法63条の８）。ここで管理を求められる情報は、個人情報に限らず、金銭や暗号資産の情報、取引情報といった暗号資産交換業に係る情報のすべてを含む。

内閣府令では、「暗号資産交換業者は、その行う暗号資産交換業の業務の内容及び方法に応じ、暗号資産交換業に係る電子情報処理組織の管理を十分に行うための措置を講じなければならない」（暗号資産府令13条）との規定があるのみであるが、具体的には、暗号資産ガイドラインⅡ－２－３－１に詳細な内容が規定されている。主な着眼点として挙げられているのは、役職員がシステムリスクに対する十分な認識を持つこと、システムリスク管理態勢、システムリスク評価、情報セキュリティ管理、サイバーセキュリティ管理、システム企画・開発・運用管理、システム監査、外部委託管理、コンティンジェンシープラン、障害発生時の対応の各項目である。

セキュリティの水準は、事業者の提供するサービスの実態に即して判断されるものとされ、暗号資産交換業者にとってサイバー攻撃に対する対策は事業を継続する上で不可欠である。日々手口が高度化するサイバー攻撃への対策として、定期的なリスク評価に加え、外部環境の変化や事故・事件を把握し、適時のリスク評価が必要である。

サイバー攻撃に関するリスクシナリオやコンティンジェンシープランを策定し、外部監査も行うなどして不断の見直しを行うことも重要である。また、外部サービス（クラウド等）の利用を行うことが多いことから、外部委託管理態勢の整備も重要である。

CHECK 業務開始までに必要な対応

- □ 対応部署の決定
- □ システムリスク管理基本方針の策定
- □ システムリスク管理規定の策定
- □ コンティンジェンシープランの策定
- □ 障害発生時の対応計画の策定
- □ 上記規定の承認・周知徹底

(v) 利用者情報管理

利用者情報管理については、暗号資産府令13条の他に、個人利用者情報の安全管理措置等（暗号資産府令14条）および特別の非公開情報の取扱い（暗号資産府令15条）の規定があり、暗号資産ガイドラインには利用者に関する情報管理態勢が定められている（暗号資産ガイドラインⅡ－２－２－６）。また、暗号資産交換業者は、個人情報保護法、個人情報保護ガイドラインおよび個人情報保護実務指針を遵守する必要がある。

利用者に関する情報の取扱いについては、具体的な取扱基準を定めたうえで役職員に周知徹底を図ること、利用者に関する情報へのアクセス管理の徹底、内部関係者による利用者に関する情報の持ち出しの防止に係る対策、外部からの不正アクセスの防御等情報管理システムの堅牢化などの対策を含め、利用者に関する情報の管理状況を適時・適切に検証できる態勢となっていることが必要である。また、特定職員に集中する権限等の分散や、幅広い権限等を有する職員への管理・けん制の強化を図る等、利用者に関する情報を利用した不正行為を防止するための適切な措置等を図る必要がある。

暗号資産交換業において、利用者情報の第三者提供を行う場合には、原則として本人の同意が必要であり（令和２年改正後個人情報保護法27条）、金融分野における個人情報取扱事業者については、この同意は原則として書面（電子的方法、磁気的方法、その他人の知覚によっては認識することのできない方法で作られる記録を含む）によることが必要である（個人情報保護ガイドライン３条、11条）。

そして、当該書面における記載を通じて、a）個人データを提供する第三者、b）提供を受けた第三者における利用目的、c）第三者に提供される情報の内容を本人に認識させた上で、同意を得ることが必要である（個人情報保護ガイドライン11条1項）。あらかじめ作成された同意書面を用いる場合には、文字の大きさおよび文章の表現を変えること等により、個人情報の取扱いに関する条項が他と明確に区別され、本人に理解されることが望ましく、または、あらかじめ作成された同意書面に確認欄を設け本人がチェックを行うこと等、本人の意思が明確に反映できる方法により確認を行うことが望ましいものとされている（個人情報保護ガイドライン3条）。

また、暗号資産交換業において機微（センシティブ）情報を取得する場合には、取得、利用および第三者提供の各行為について、本人の同意が必要である（個人情報保護ガイドライン5条）。機微（センシティブ）情報については、第2章1(8)(v)を参照されたい。

入手した利用者情報は、あらかじめ定めた規定に従い、不正アクセス、不正持出し等を防止し、情報の漏洩、滅失または毀損を防止しなければならない。利用者の情報の漏洩等が発生した場合には、二次被害等の発生防止の観点から、対象となった利用者への連絡、当局への報告および公表が迅速かつ適切に行われる体制の整備が必要である。

CHECK 業務開始までに必要な対応

- □ 対応部署の決定
- □ 個人情報保護規定・安全管理措置等の策定
- □ 上記規定の承認・周知徹底
- □ 個人情報を取り扱う役職員から個人情報管理に関する誓約書を徴求
- □ 研修・教育

(vi) 事務リスク管理・帳簿書類

暗号資産交換業者の役職員が正確な事務を怠ること、あるいは事故・不正等を起こすことにより、暗号資産交換業者が損失を被ることを防止するため、事務リスクに係る内部管理体制を適切に整備することが必要である（暗号資産ガイドラインⅡ－２－３－２）。

具体的には、暗号資産交換業者が行う業務のどこに事務リスクが発生するかを洗い出し、これを軽減するための具体的な方策（規定や事務マニュアル等の作成、事務担当部署や内部管理部門または内部監査部門によるチェック）が必要となる。

暗号資産交換業者の役職員による事故や不正等が起きた場合には、不祥事件の届出も必要となる（後記⑼ⅳ参照）。

また、暗号資産交換業に関する帳簿書類は、暗号資産交換業者の業務ならびに利用者資産の管理の状況を示すものであり、利用者の利益の保護のために法令で作成・保存が義務付けられるものである。

作成・保存が義務付けられる帳簿書類の内容は、後記⑼ⅱのとおりであるが、これらの帳簿書類の作成については、社内規則等を定め、役職員が社内規則等に基づき適切な取扱いを行うよう、社内研修等により周知徹底を図る必要がある（暗号資産ガイドラインⅡ－２－２－５－２①）。また、帳簿書類の記載内容の正確性について、内部監査部門等、帳簿作成部門以外の部門において検証を行うことや（同④）、帳簿書類を電磁的に作成している場合にはバック・アップを行うなど、データが毀損した場合に速やかに利用者ごとの未達債務の額を把握・復元できる態勢を整備していることが必要である（同②）。

CHECK 業務開始までに必要な対応

- □ 対応部署の決定
- □ 事務リスク管理規定、事務マニュアルの策定
- □ 帳簿管理規定の策定
- □ 上記規定の承認・周知徹底

ⅶ 利用者財産管理

暗号資産交換業者は、利用者から金銭・暗号資産の預託を受ける場合には、法63条の11および暗号資産府令26条～30条の規定に基づき、

分別管理についての適切な取扱いが確保される必要がある（暗号資産ガイドラインⅡ－２－２－３）。

金銭および暗号資産の分別管理の方法は、前記(ii)(4)エのとおりであるが、分別管理に係る社内規則に、金銭・暗号資産それぞれについて、分別管理の執行方法が具体的に定められ、利用者との契約に反映し、かかる執行方法に基づいて明確に区分等する必要がある（暗号資産ガイドラインⅡ－２－２－３－２(2)①③）。

利用者の暗号資産の管理については、暗号資産交換業者が管理する帳簿上の利用者財産の残高と、ブロックチェーン等のネットワーク上の利用者財産の有高を毎営業日照合する必要がある。照合の結果、利用者財産の有高が帳簿上の利用者財産の残高に満たない場合には、原因の分析を行った上、速やかに当該不足額を解消することが必要となる。不足額に関しては、不足が生じた日の翌日から起算して５営業日以内に解消することが望ましいとされている（暗号資産ガイドラインⅡ－２－２－３－２(3)③）。

上記のような分別管理業務を担当する部門を設置するとともに、金銭および暗号資産の種類ごとに、利用者財産の受払いの手続を行う担当者と利用者財産の残高を照合する担当者を設置した上で、両担当者を兼務させないこととする必要がある。また、事故・不正行為等防止の観点から、各担当者を定期的に交代させる等の措置を講じることとされている（暗号資産ガイドラインⅡ－２－２－３－２(2)⑤）。

また、利用者の暗号資産の管理を第三者に委託する場合には、委託先において、同ガイドラインの(2)①～③、⑤、(3)②～④、⑥および⑦に掲げる事項を遵守していることに加え、Ⅱ－２－２－４（暗号資産の流出リスクへの対応）に基づいて流出リスクへの必要な対応が行われていることを確認することとされている（暗号資産ガイドラインⅡ－２－２－３－２(3)⑧）。

上記の分別管理の遵守状況については、事業者において適切に検証する必要があるほか（暗号資産ガイドラインⅡ－２－２－３－２(2)②）、金融庁長官の指定する規則の定めるところにより、毎年１回以上、公認会計士または監査法人の分別管理監査を受けなければならない（法63条の11第３項、暗号資産府令28条１項）。

分別管理監査において把握・指摘された重要な事項は、遅滞なく取締役会または監査役会に報告されるほか、分別管理監査における指摘事項は一定期間内に改善し、内部監査部門の検証を受ける必要がある（暗号資産ガイドラインⅡ－２－２－３－２⑷）。

また、暗号資産が不正アクセス等により流出する事件が相次いでいることをふまえ、暗号資産の流出リスクへの対応として、平時より、分別管理やシステムリスク管理等の内部管理態勢（業務に応じた内部監査態勢を含む）の構築を通じて、適切に流出リスクへの対応を行うことが求められている。また、流出時を想定したコンティンジェンシープランを策定し、二次被害の防止その他緊急時体制の構築も不可欠である（暗号資産ガイドラインⅡ－２－２－４）。

(viii) 広告規制その他の禁止行為

2019年改正法の下では、暗号資産交換業者は、広告を行う際に次のような義務が課せられることとなった。これは、暗号資産交換業者による積極的な広告等により、利用者がリスクの認識が不十分なまま、暗号資産の投機的な取引を行おうとすることを防止しようとするものである。

すなわち、暗号資産交換業者は、その行う暗号資産交換業に関して広告をするときは、暗号資産府令で定めるところにより、次に掲げる事項を表示しなければならない（法63条の９の２）。

①暗号資産交換業者の商号

②暗号資産交換業者である旨およびその登録番号

③暗号資産は本邦通貨または外国通貨ではないこと

④暗号資産の性質であって、利用者の判断に影響を及ぼすこととなる重要なものとして暗号資産府令で定めるもの

また、暗号資産交換業者またはその役員もしくは使用人は、次に掲げる行為をしてはならない（法63条の９の３）。

・暗号資産交換業の利用者を相手方として暗号資産交換業に関する契

約の締結またはその勧誘（暗号資産交換契約の締結等）をするに際し、虚偽の表示をし、または暗号資産の性質その他内閣府令で定める事項（暗号資産の性質等）についてその相手方を誤認させるような表示行為
・その行う暗号資産交換業に関して広告をするに際し、虚偽の表示をし、または暗号資産の性質等について人を誤認させるような表示をする行為
・暗号資産交換契約の締結等をするに際し、またはその行う暗号資産交換業に関して広告をするに際し、支払手段として利用する目的ではなく、専ら利益を図る目的で暗号資産の売買または他の暗号資産との交換を行うことを助長するような表示をする行為
・上記のほか、暗号資産交換業の利用者の保護に欠け、または暗号資産交換業の適正かつ確実な遂行に支障を及ぼすおそれがあるものとして暗号資産府令で定める行為

暗号資産府令20条各号には禁止行為が定められている。

CHECK 業務開始までに必要な対応

☐　対応部署の決定
☐　広告に関する社内規程の策定
☐　業務フローの決定
☐　広告審査マニュアルの策定
☐　担当者に対する周知徹底

(ix)　情報提供・顧客説明

暗号資産交換業者は、暗号資産府令で定めるところにより、その取り扱う暗号資産と本邦通貨または外国通貨との誤認を防止するための説明、暗号資産交換業に係る契約の内容についての情報の提供、その他の暗号資産交換業の利用者の保護を図り、および暗号資産交換業の適正かつ確実な遂行を確保するために必要な措置を講じなければならない（法63条の10）。

上記法の委任を受けて、内閣府令では、次のような措置を講じることが必要とされている。

ア　暗号資産の性質に関する説明（暗号資産府令21条）

暗号資産は、強制通用力は有さず、法定通貨や法定通貨建で表示されている資産とは異なるものであるが、利用者にとって本邦通貨や外国通貨との区別がつきにくく、暗号資産交換業のサービスの内容が十分に理解されないとすれば、利用者に不測の損害が生じる可能性がある。

そのため暗号資産交換業者が取り扱う暗号資産と、本邦通貨や外国通貨には相違があることを利用者に認識してもらうことが必要であり、暗号資産と本邦通貨または外国通貨を誤認することを防止するための説明を行うこととされている（暗号資産府令21条）。

(a)　説明事項

暗号資産交換業者が具体的に説明をすべき事項は、以下のとおりである（暗号資産府令21条２項、暗号資産ガイドラインⅡ－２－２－１－２(2)）。

①取り扱う暗号資産は、本邦通貨または外国通貨ではないこと。

②暗号資産の価値の変動を直接の原因として損失が生ずるおそれがあるときは、その旨およびその理由

③暗号資産は代価の弁済を受ける者の同意がある場合に限り代価の弁済のために使用することができること

④取り扱う暗号資産の概要および特性（当該暗号資産が、特定の者によりその価値を保証されていない場合は、その旨または特定の者によりその価値を保証されている場合は、当該者の氏名、商号もしくは名称および当該保証の内容を含む）

⑤その他取り扱う暗号資産と本邦通貨または外国通貨との誤認防止に関し参考となると認められる事項

・暗号資産の特性（電子機器その他の物に電子的方法により記録される財産的価値であり、電子情報処理組織を用いて移転するものであること）

・サイバー攻撃による暗号資産の消失・価値減少リスクがあること

●● 記載例――説明事項 ●●

1　当社の暗号資産交換所で取り扱う暗号資産は、本邦通貨または外国通貨（以下「法定通貨」といいます。）とは異なります。暗号資産の価値は日々変動しており、暗号資産の価値は、物価、法定通貨、証券市場等の他の市場の動向、天災地変、戦争、政変、規制強化、その他の将来の事象や特殊な事象等により影響を受ける可能性があります。そのため、お客様が保有する暗号資産の価値は、急激に変動、下落する可能性があり、暗号資産の購入対価を下回る可能性もあります。また、当社の営業時間外で暗号資産の価値が変動し損失を被るリスクもあります。
2　当社の暗号資産交換所で取り扱う暗号資産は、特定の者によってその価値が保証されているものではありません。
3　暗号資産は電子機器その他の物に電子的方法により記録される財産的価値であり、電子情報処理組織を用いて移転するものとなります。ネットワークにおいて十分な取引確認がとれるまで、お客様の取引が口座残高へ反映されない可能性や、当社とお客様の間の暗号資産の移転が完了しない可能性、また、お客様の取引がキャンセルされる可能性があります。このほか、サイバー攻撃によって暗号資産が消失したり、価値が減少したりするリスクがあります。
4　暗号資産は法定通貨とは異なりますので、市場動向や取引量等の状況により、取引が不可能もしくは困難となるほか、著しく不利な価格での取引を余儀なくされる可能性があります。また、暗号資産は代価の弁済を受ける者の同意がある場合に限り、代価の弁済のために使用することができます。

(b)　説明方法・時期

暗号資産交換業者は、利用者との間で暗号資産の交換等を行うときは、あらかじめ、当該利用者に対し、書面の交付その他の適切な方法により、前記(a)の説明を行わなければならない（暗号資産府令21条1項）。

暗号資産交換業者は、取引形態に応じて、説明を行うことが必要であるが、この義務の履行方法としては、例えば、インターネット取引による場合には、利用者がその操作するパソコンの画面上に表示される説明事項を読み、その内容を理解した上で画面上のボタンをクリックする等の方法、対面取引の場合には書面交付や口頭による説明を行った上で当該事実を記録しておく方法がそれぞれ考えられる。いずれの方法による場合であっても、利用者が明瞭かつ正確に認識できる内容により説明が行われるよう留意する必要がある（暗号資産ガイドラインⅡ－２－２－１－２(1)①注）。

(c) 窓口への掲示

暗号資産交換業者は、その営業所において、利用者と暗号資産交換業に係る取引を行う場合には、暗号資産府令21条１号および２号の事項を利用者の目につきやすいように窓口に掲示しなければならない（暗号資産府令21条３項）。

CHECK 業務開始までに必要な対応

- □ 対応部署の決定
- □ 説明事項を記載した書面または画面の作成
- □ 業務フローの決定
- □ 事務マニュアルの策定
- □ 担当者に対する周知徹底

Q25 暗号資産府令21条２項４号で取り扱う暗号資産が特定の者によりその価値を保証されている場合とはどのような場合か。

A25 暗号資産府令21条２項４号では「特定の者によりその価値が保証されている」場合にはその旨を説明することとされているが、暗号資産の発行者および発行者から委託を受けた者が発行済みの暗号資産のすべてについて法定通貨による買取りを保証する場合には、そもそも通貨建資産に該当する可能性があり、暗号資産の要件を満たさないと考えられる。例えば第三者が暗号資産の価値を保証する場合には、いかなる場合も保証されていると利用者が誤認することがないよう、当該保証者の氏名や保証の具体的な内容について、情報提供が必要とされているものである（2017年パブコメ34頁No. 36 ～ 38）。

イ　利用者に対する情報の提供（暗号資産府令22条）

暗号資産交換業者は、利用者との間で暗号資産交換業に係る取引を行うときは、あらかじめ、当該利用者に対し、書面の交付その他の適切な方法により、次に掲げる事項についての情報を提供しなければならない（暗号資産府令22条１項～３項、暗号資産ガイドラインⅡ－２－２－１－２⑵）。

①暗号資産交換業者の商号および住所

②暗号資産交換業者である旨および当該暗号資産交換業者の登録番号

③当該取引の内容

④暗号資産交換業者その他の者の業務または財産の状況の変化を直接の原因が生ずるおそれがあるときは、その旨およびその理由

⑤④に掲げるもののほか、当該取引について利用者の判断に影響を及ぼすこととなる重要な事由を直接の原因として損失が生ずるおそれがあるときは、その旨およびその理由

⑥分別管理の方法および分別管理を行うものの氏名、商号または名称

⑦利用者が支払うべき手数料、報酬もしくは費用の金額もしくはその上限額またはこれらの計算方法

⑧利用者からの苦情または相談に応ずる営業所の所在地および連絡先

⑨当該取引が外国通貨で表示された金額で行われる場合においては当該金額を本邦通貨に換算した金額（換算額）およびその換算に用いた標準（換算レート）またはこれらの計算方法

⑩暗号資産交換業者が講じている金融ADR措置の内容

2021年８月時点では、暗号資産交換業に関する指定紛争解決機関が存在していないため、暗号資産交換業者が講じている苦情処理措置および紛争解決措置の内容を明示することとなる。

⑪その他当該取引の内容に関し参考となると認められる事項

（例）

・暗号資産交換業に係る取引に関する金銭および暗号資産の預託の方法

・当該取引に関する金銭および暗号資産の状況を確認する方法

これに対し、暗号資産交換業者が、利用者との間で暗号資産交換業に係る取引を継続的にまたは反復して行うことを内容とする契約を締結するときは、あらかじめ、当該利用者に対し、書面の交付その他の適切な方法により、次に掲げる事項についての情報を提供しなければならない（暗号資産府令22条4項、暗号資産ガイドラインⅡ－2－2－1－2⑵⑤）。

①上記①～⑩に関する事項

②契約期間

③契約期間の中途での解約時の取扱い（手数料、報酬または費用の計算方法を含む）

④その他当該契約の内容に関し参考と認められる事項

（例）

・暗号資産交換業に係る取引に関する金銭および暗号資産の預託の方法

・当該取引に関する金銭および暗号資産の状況を確認する方法

・暗証番号の設定その他のセキュリティに関する事項

・アカウント開設契約等により、利用者ごとに暗号資産交換業者が受け入れられる金額に上限がある場合には、当該上限金額

以上の他に、利用者保護のための制度として利用者が預託した金銭・暗号資産と暗号資産交換業者自らの財産との分別管理義務が設けられている旨および利用者が預託した金銭・暗号資産の分別管理の方法を具体的に説明していることも必要とされている（暗号資産

ガイドラインⅡ－２－２－１－２⑵⑨)。

ウ　受領情報の提供

暗号資産交換業者は、その行う暗号資産交換業に関し、利用者から金銭または暗号資産を受領したときは、遅滞なく、利用者に対し、書面の交付その他の適切な方法により、次に掲げる事項についての情報を提供しなければならない（暗号資産府令22条５項)。

①暗号資産交換業者の商号および登録番号

②利用者から受領した金銭の額または暗号資産の数量

③受領年月日

エ　定期的な情報の提供

暗号資産交換業者は、利用者との間で暗号資産交換業に係る取引を継続的にまたは反復して行うときは、３ヶ月を超えない期間ごとに、利用者に対し、書面の交付その他の適切な方法により、取引の記録ならびに管理する利用者の金銭の額および暗号資産の数量についての情報を提供しなければならない（暗号資産府令22条６項)。

オ　暗号資産の特性等に応じて利用者保護のための体制整備（暗号資産府令23条１項１号）

暗号資産交換業者は、その行う暗号資産交換業に関して、暗号資産の特性、取引の内容その他の事情に応じ、暗号資産交換業の利用者の保護を図るために必要な体制を整備する措置等を講じる必要がある（暗号資産府令23条１項１号)。

例えば、暗号資産交換業者が、その行う暗号資産交換業に関して、レバレッジ取引を提供する場合には、利用者は提供されるレバレッジ倍率に比例して高額の損失を被るリスクを負うこととなるため、利用者保護のための態勢整備として、例えば、暗号資産の特性や取引内容に応じて、適切なレバレッジ倍率やロスカットルール等を設定することが考えられるとされている。

カ　詐欺等対策（暗号資産府令23条１項２号）

暗号資産交換業に係る取引が詐欺等に使用される危険性も生じており、これを排除するための対策を行うことは不可欠である。

暗号資産交換業は、その行う暗号資産交換業について、捜査機関等から当該暗号資産交換業に係る取引が詐欺等の犯罪行為に利用された旨の情報の提供があることその他の事情を勘案して犯罪行為が行われた疑いがあると認めるときは、当該取引の停止等を行う措置をあらかじめ講じておかなければならない（暗号資産府令23条1項2号）。

キ　インターネット取引における措置（暗号資産府令23条1項3号・4号）

暗号資産交換業者は、インターネットにより暗号資産に係る取引を行う場合にあっては、利用者が当該暗号資産交換業者と他の者を誤認することを防止するための適切な措置を講じなければならない（暗号資産府令23条1項3号）。

これは、インターネットにおいては、利用者は、リンクにより容易に複数の事業者のウェブサイトへ遷移することが可能であるため、利用者がサービスを提供する主体を明確に理解して当該サービスを利用することが必要との考え方に基づくものである。

具体的には、ウェブサイトのリンクに関し、利用者が取引相手を誤認するような構成になっていないかや、フィッシング詐欺対策については、利用者がアクセスしているサイトが真正なサイトであることの説明を確認できるような措置を講じるなど、適切な不正防止策を講じることが必要である（暗号資産ガイドラインⅡ－2－2－1－2(3)①）。

また、暗号資産交換業者が、インターネットによって、利用者から暗号資産交換業に係る取引に係る指図（例えば、売買注文など）を受ける場合には、当該指図の内容を、当該利用者が、パソコン等の操作を行う際に容易に確認し、訂正することができるようにするための機会を設けることが必要との考え方に基づくものである。

具体的には、利用者が暗号資産交換業に係る取引についての指図の内容を入力させたうえで、これを暗号資産交換業者に送信する前に、当該入力内容をまとめた確認画面を表示させて内容の確認を求め、この内容に誤りがあれば訂正をさせ、問題がない場合に実行ボタンを押下させるというような仕組みがこれに該当する（暗号資産ガイドラインⅡ－２－２－１－２⑶②）。

ク　暗号資産の交換を行う場合の措置（暗号資産府令23条２項各号）

暗号資産の交換等を行う暗号資産交換業者は、次に掲げる措置を講じなければならない（暗号資産府令23条２項各号）。

①暗号資産交換業者が取り扱う暗号資産について、暗号資産交換業の利用者が暗号資産の売買または他の暗号資産との交換を行うに際し、次に掲げる事項を明瞭かつ正確に認識できるよう継続的に表示する措置

ⅰ）当該暗号資産交換業者が利用者からの委託等を受けて暗号資産の売買または他の暗号資産との交換を成立させる場合には、当該委託等に係る暗号資産についての次に掲げる事項（当該事項がない場合にあっては、その旨）

ａ）当該暗号資産交換業者が利用者からの委託等を受けて成立させる当該暗号資産の売買における最新の約定価格

ｂ）認定資金決済事業者協会または認定資金決済事業者協会が指定する者が公表する最新の参考価格

ⅱ）当該暗号資産交換業者が相手方となって暗号資産の売買または他の暗号資産との交換を行う場合（ⅰ）に規定する場合を除く）には、その暗号資産についての次に掲げる事項（当該事項がない場合にあっては、その旨）

ａ）当該暗号資産交換業者が提示する当該暗号資産の購入における最新の価格

ｂ）当該暗号資産交換業者が提示する当該暗号資産の売却における最新の価格

ｃ）ⅰ）ａ）に規定する最新の約定価格

ｄ）ⅱ）ｂ）に規定する最新の参考価格

②暗号資産交換業者が、その行う暗号資産の交換等について暗号資産交換業の利用者に複数の取引の方法を提供する場合には、次に掲げる措置

ⅰ）利用者の暗号資産の交換等に係る注文について、暗号資産の種類ごとに、最良の取引の条件で執行するための方針および方法を定めて公表し、かつ、実施する措置

ⅱ）利用者からの委託等に係る暗号資産の売買または他の暗号資産との交換の媒介、取次ぎまたは代理をしないで、自己がその相手方となって当該売買または交換を成立させたときは、その旨ならびに当該売買または交換を行うことがⅰ）に規定する方針および方法に適合する理由についての情報を、速やかに、書面の交付その他の適切な方法により当該利用者に提供する措置

ⅲ）利用者の暗号資産の交換等に係る注文を執行した日から3ヶ月以内に、当該利用者から求められたときは、当該注文の執行がⅰ）に規定する方針および方法に適合する理由ならびに当該注文に係る暗号資産の種類、数量および売付け、買付けまたは他の暗号資産との交換の別、受注日時、約定日時ならびに執行の方法についての情報を、当該利用者から求められた日から20日以内に、書面の交付その他の適切な方法により当該利用者に提供する措置

③暗号資産交換業者が、その行う暗号資産の交換等に伴い、当該暗号資産交換業者またはその利害関係人と暗号資産交換業の利用者の利益が相反することにより利用者の利益が不当に害されることのないよう、当該暗号資産交換業者の行う暗号資産の交換等に関する情報を適正に管理し、かつ、当該暗号資産の交換等の実施状況を適切に監視するための体制を整備する措置およびこれに関する方針を定めて、公表する措置

④暗号資産交換業者が、その行う暗号資産の交換等について、暗号資産交換業の利用者の暗号資産の交換等に係る注文の動向もしくは内容または暗号資産の交換等の状況その他の事情に応じ、利用者が金融商品取引法185条の22第1項、185条の23第1項または第185条の24第1項もしくは2項の規定に違反して

いないかどうかを審査し、違反する疑いがあると認めるときは当該利用者との間の暗号資産交換業に係る取引の停止等を行う措置その他の暗号資産の交換等に係る不公正な行為の防止を図るために必要な措置

ケ　暗号資産の管理を行う場合の措置（暗号資産府令23条３項）

暗号資産の管理を行う暗号資産交換業者は、暗号資産を移転するために必要な情報の漏えい、滅失、毀損その他の事由に起因して、資金決済法63条の11第２項の規定により自己の暗号資産と分別して管理する暗号資産交換業の利用者の暗号資産で当該利用者に対して負担する暗号資産の管理に関する債務の全部を履行することができない場合における当該債務の履行に関する方針（当該債務を履行するために必要な対応およびそれを実施する時期を含む）を定めて公表し、かつ、実施する措置を講じなければならない（暗号資産府令23条３項）。

CHECK 業務開始までに必要な対応

- □　対応部署の決定
- □　社内規定の策定
- □　上記規定の承認・周知徹底
- □　業務フローの策定
- □　インターネット上の画面および遷移方法の決定

⒳　信用取引等に関する規制

2019年改正法の下では、暗号資産交換業者は、暗号資産交換業の利用者に信用を供与して暗号資産の交換等を行う場合には、これまで説明した行為を遵守するほか、内閣府令で定めるところにより、当該暗号資産の交換等に係る契約の内容についての情報の提供その他の当該暗号資産の交換等に係る業務の利用者の保護を図り、および当該業務の適正かつ確実な遂行を確保するために必要な措置を講じなければならない（法63条の10第２項）。

また、2016年改正法の下では、金銭または当該取引において決済手段とされている仮想通貨（暗号資産）の授受のみによって決済することができる取引（差金決済取引）については、資金決済法の適用を受ける仮想通貨の交換等には該当しないとされてきた（暗号資産ガイドラインⅠ－１－２）。また、仮想通貨は金融商品取引法に基づく有価証券にも金融商品にも指定されていなかったため、証拠金を差し入れてポジションのみを売買する取引で、決済時に反対売買等を行ってポジションの解消を行い、金銭等によって差金決済が行われるような取引については、資金決済法も金融商品取引法も適用を受けないこととされていた。しかし、2019年改正法の下では、金融商品取引法が改正され、金融商品の定義に暗号資産を追加して、暗号資産を原資産とするデリバティブ取引を規制の対象とすることとした（金融商品取引法２条22項・24項３号の２）。また、暗号資産を原資産とするデリバティブ取引を業として行う場合においては、金融商品取引業の登録、業務の内容および方法の変更に係る事前の届出等に関する規定を整備した（金融商品取引法29条の２第１項９号、31条３項～６項、33条の２、33条の６）。金融商品取引業者等が行う暗号資産を原資産とするデリバティブ取引に関連する業務に関して、説明義務等の規定も整備した（金融商品取引法43条の６）。

証拠金取引やデリバティブ取引を提供する暗号資産交換業者は、別途第１種金融商品取引業者として登録を行った上で、金融商品取引法およびその内閣府令の内容も踏まえて、体制整備を行う必要がある。

加えて、暗号資産を用いた不公正な行為への対応に関して、改正金融商品取引法では、不正行為の禁止や、風説の流布、偽計、暴行または脅迫の禁止、相場操縦行為等の禁止に関する規定が追加された（金融商品取引法185条の22～24）。暗号資産一般に関して取引を提供する暗号資産交換業者においても、こうした不公正な行為が行われることがないよう必要な措置を講じることが必要である。

なお、インサイダー取引規制に関しては、有価証券取引の場合、インサイダー情報が具体的かつ詳細に定義されており、また、証券取引所の適時開示制度に立脚する仕組みとなっているが、暗号資産に関してはまだ取引所取引が確立していないことから、法令上、インサイダー取引規制を具体的に禁止行為として明確に定めることは見送られた。

CHECK 業務開始までに必要な対応

□ 対応部署の決定
□ （第１種金融商品取引業を行う場合には）登録申請
□ 利用規約の策定
□ 説明事項を記載した書面または画面の作成
□ 社内規定の策定
□ 上記規定の承認・周知徹底
□ 業務フローの決定
□ 事務マニュアルの策定
□ 担当者に対する周知徹底
□ 利用者への情報提供態勢の整備

(xi) 苦情処理・金融ADR

ア 苦情等

暗号資産交換業者が利用者からの相談・苦情・紛争等（以下「苦情等」という）に真摯に対応して利用者の理解を得ることは、暗号資産交換業の遂行上重要な利用者保護のための方策といえる。

苦情処理・紛争解決を行うための枠組みとしての金融ADR制度については、前記第２章１(8)(viii)のとおりであるが、大きく分けて苦情処理手続と紛争解決手続を整備し、それぞれの手続を相互に連携させながら適切に対処していくことが利用者保護上重要である（暗号資産ガイドラインⅡ－２－２－７－１参照）。

イ 苦情等対処に関する内部管理態勢

暗号資産交換業者は、まず自身で、苦情等対処に関する内部管理態勢を構築することが必要である。

社内規定等の整備や周知徹底、マニュアル等の配布を含めて研修その他の方法で社内周知を図り、実際の苦情等の対処をしていく必要がある（暗号資産ガイドラインⅡ－２－２－７－２）。

なお、重要案件と認められた場合には、速やかに内部監査部門や経営陣にも報告を行い、全社で苦情等対処を行うこと、外部機関等において苦情等対処に関する手続が係属している間にあっても、利用者に対して必要に応じて適切な対応を行い、外部機関に対して適切な協力を行うことが必要である。

CHECK 業務開始までに必要な対応

- □ 対応部署の決定
- □ 苦情処理規定の策定
- □ 上記規定の承認・周知徹底
- □ 業務フローの決定
- □ 事務マニュアルの策定
- □ 担当者に対する周知徹底
- □ 利用者への情報提供態勢の整備

ウ　金融ADR制度への対応

暗号資産交換業者は、イに加えて、金融ADR制度への対応も必要である。

資金決済法63条の12では、指定暗号資産交換業務紛争解決機関（指定紛争解決機関であって、その紛争解決等業務の種別が暗号資産交換業務であるもの）が存在する場合と存在しない場合とに区分して、それぞれ講じるべき措置を規定している。

すなわち、暗号資産交換業の業界内に、１つでも指定暗号資産交換業務紛争解決機関が存在する場合には、そのうち１つの指定紛争解決機関との間で暗号資産交換業に係る手続実施基本契約を締結する必要がある（法63条の12第１項１号）。

これに対し、暗号資産交換業の業界内に、まだ指定暗号資産交換業務紛争解決機関が存在しない場合には、暗号資産交換業者は、暗号資産交換業に関する苦情処理措置および紛争解決措置を講じる必要がある（法63条の12第１項２号）。

2021年８月時点で暗号資産交換業の業界内にまだ指定暗号資産

交換業務紛争解決機関が存在しないから、暗号資産交換業者は、暗号資産交換業に関する苦情処理措置および紛争解決措置を講じることとなる（法63条の12第1項2号）。

暗号資産交換業者は、苦情処理措置として、a）苦情処理に従事する従業員への助言・指導を一定の経験を有する消費生活専門相談員等に行わせること、b）自社で業務運営体制・社内体制を整備し、公表等すること、c）認定資金決済事業者協会を利用すること、d）国民生活センター、消費生活センターを利用すること、e）他の業態の指定ADR機関を利用すること、f）苦情処理業務を公正かつ的確に遂行できる法人を利用すること、のいずれかから1つまたは複数を選択する必要がある。

また、暗号資産交換業者は、紛争解決措置として、具体的には、a）裁判外紛争解決手続の利用の促進に関する法律に定める認証紛争解決手続を利用すること、b）弁護士会を利用すること、c）国民生活センター、消費生活センターを利用すること、d）他の業態の指定ADR機関を利用すること、e）紛争解決業務を公正かつ的確に遂行できる法人を利用すること、のいずれかから1つまたは複数を選択する必要がある。

社内で体制を整備する場合も、外部機関を利用する場合も、利用者に対して適切に窓口を周知・公表することが必要である。

苦情処理措置および紛争解決措置を講じるにあたっては、暗号資産ガイドラインの具体的な留意点に留意することが必要である（暗号資産ガイドラインⅡ－2－2－7－3）。

CHECK 業務開始までに必要な対応

- □ 対応部署の決定
- □ 苦情処理措置の選択
- □ 紛争解決措置の選択
- □ 外部機関を利用する場合には、当該機関との契約または取決め
- □ 業務フローの決定

□　事務マニュアルの策定
□　利用者に対する周知徹底
□　利用者への情報提供態勢の整備

(xii)　障害者への対応

暗号資産交換業者は、障害者への対応にあたって、利用者保護および利用者利便の観点も含め、障害者差別解消法および障害者差別解消対応指針に則り適切な対応を行うこと、対応状況を把握・検証し、対応方法の見直しを行うなど、内部管理体制の整備が必要である（暗号資産ガイドラインⅡ－２－４）。

CHECK 業務開始までに必要な対応
□　対応部署の決定
□　障害者への対応に関する規定の策定
□　上記規定の承認・周知徹底

(xiii)　犯罪収益移転防止法への対応

暗号資産交換業者は、犯罪収益移転防止法上の特定事業者として、取引時確認や疑わしい取引の届出義務等を負う（犯罪収益移転防止法２条２項32号）。

ア　取引時確認

暗号資産交換業者は、顧客等との間で特定業務のうち特定取引を行うに際しては、犯罪収益移転防止法施行令および施行規則に定める方法により、顧客等について、本人特定事項の確認を行わなければならない（犯罪収益移転防止法４条１項）。

暗号資産交換業者は、顧客等の本人確認を行う場合において、会社の代表者が当該会社のために当該特定事業者との間で特定取引を行う時、その他の当該特定事業者との間で現に特定取引の任に当たっている自然人が当該顧客等と異なるときは、当該顧客等の取引時確認に加え、当該特定取引の任に当たっている自然人（以下「代表者等」という）についても取引時確認を行わなければならない（犯罪収益移転防止法４条４項）。

暗号資産交換業者が、暗号資産交換業を営むにあたり、まず、取引時確認義務を負う場合は、暗号資産の売買等を継続的にまたは反復して行うことを内容とする契約の締結を行う際である（犯罪収益移転防止法施行令７条１項１号ヨ）。取引時確認は、「取引を行うに際して」（犯罪収益移転防止法４条１項本文）必要とされるものの、取引が完了する前に必ず取引時確認が終了していなければならないとの趣旨ではなく、取引の性質に応じて合理的な期間内に取引時確認を完了すべきとの趣旨である。

このほか、暗号資産の交換等であって、その価額が200万円を超えるものや、暗号資産を顧客の依頼に基づいて移転させる行為であって、当該移転にかかる暗号資産の価額が10万円を超えるものについても取引時確認が必要となる（犯罪収益移転防止法施行令７条１項１号タ・レ）。

その他、取引時確認済みの顧客等との取引は、取引時確認を要しないとされている。具体的には、特定事業者が顧客等について既に取引時確認を行っており、かつ、当該取引時確認について確認記録を保存している場合や、特定事業者が他の特定事業者に委託して特定取引を行う場合において、当該他の特定事業者が既に取引時確認を行っており、かつ、当該取引時確認について確認記録を保存している場合で、利用者からIDやパスワードの申告を受けて、取引時確認済みの顧客であることが認識できれば、改めて取引時確認を行う必要はないと考えられる。

その他、取引時確認の方法、取引時確認が不要とされる場合等の詳細については、前記第２章(8)(xii)のとおりである。

イ　確認記録の作成義務

特定事業者は、取引時確認を行った場合には、直ちに、犯罪収益移転防止法施行規則16条に定める方法により、本人特定事項、取引時確認のためにとった措置その他の犯罪収益移転防止法施行規則

20条に定める事項に関する記録を作成しなければならない（犯罪収益移転防止法6条1項）。

確認記録の保存期間は、7年間である（犯罪収益移転防止法6条2項、犯罪収益移転防止法施行規則21条）。

ウ　取引記録等の作成義務

特定事業者は、特定業務に係る取引（犯罪収益移転防止法施行令13条で定める取引を除く）を行った場合には、直ちに、文書、電磁的記録またはマイクロフィルムを用いる方法により、顧客等の確認記録を検索するための事項、当該取引の期日および内容その他の犯罪収益移転防止法施行規則24条で定める事項に関する記録を作成しなければならない（犯罪収益移転防止法7条1項）。

取引記録の保存期間は、7年間である（犯罪収益移転防止法7条3項）。

エ　疑わしい取引の届出

特定事業者は、特定業務において収受した財産が犯罪による収益である疑いがあり、また顧客等が特定業務に関し組織的犯罪処罰法10条の罪もしくは麻薬特例法6条の罪に当たる行為を行っている疑いがあると認められる場合には、速やかに、行政庁への届出が必要である（犯罪収益移転防止法8条1項）。

どのような取引が届出を要する疑わしい取引に該当するかについては、暗号資産交換業者の行っている業務内容・業容に応じて、システム、マニュアル等により、疑わしい利用者や取引等を検出・監視・分析する態勢を構築して実施することが必要となる。また、上記態勢整備にあたっては、国籍、公的地位、利用者が行っている事業者等の利用者属性や、外為取引と国内取引との別、利用者属性に照らした取引金額・回数等の取引態様が十分考慮されているかに留意する必要がある。

なお、金融庁では、疑わしい取引に該当する可能性のある取引として特に注意を払うべき取引事例をまとめた「疑わしい取引の参考事例」を公表している。同事例は、預金取扱金融機関等に向けた参考事例ではあるが、現金の使用形態、真のアカウント保有者を隠匿している可能性、アカウントの利用形態等に関する事例は、暗号資産交換業者においても参考になる。

CHECK 業務開始までに必要な対応

- □ 対応部署の決定
- □ 業務フローの決定
- □ コンプライアンス・マニュアル等の策定
- □ 「疑わしい取引」の基準の策定
- □ 「疑わしい取引」の検出・届出手順の策定
- □ 従業員採用方針、利用者受入方針の確定
- □ 利用約款の策定
- □ 社内規程および社内体制の整備
- □ 利用者に対する周知徹底

(8) 外部委託先の管理

(i) 外部委託先への委託

暗号資産交換業者は、その業務の一部を第三者に委託することが可能である（法63条の3第1項9号参照）。暗号資産交換業者は、その業務の一部を第三者に委託する場合には、委託業務の適正かつ確実な遂行を確保するために必要な措置を講じることが必要であるが（法63条の9）、委託先の選定等についての制限は特に設けられていない。

暗号資産交換業者から委託を受けた第三者が、その委託業務を再委託することも可能である。この場合にも、暗号資産交換業者は、再委託先も含めた委託業務の適正かつ確実な遂行を確保するために必要な措置を講じることが求められる（法63条の9）。

業者は、委託先における委託業務の適正かつ確実な遂行を確保するための監督を行う必要があり、そのために必要な委託先からの委託業務の報告を受けること、帳簿書類等の保管を行うこと、委託先に問題があった場合にはこれを是正・指導するといった業務を行うことが必要であると考えられる。

暗号資産交換業者が、暗号資産交換業の一部を第三者に委託する場合には、委託業務の内容ならびにその委託先の氏名または商号もしくは名称および住所を、登録申請書に記載して財務（支）局長に提出することが必要である（法63条の3第1項9号）。

委託先として登録申請書に記載しなければならないのは、暗号資産交換業者と委託契約を締結した第三者であり、当該第三者から再委託を受けた再委託先は含まれない。

(ii) 外部委託管理態勢

暗号資産業者が、暗号資産交換業の一部を第三者に委託した場合に、講じなければならない措置は、一般に、①委託業務を適正かつ確実に遂行することができる能力を有する者に委託するための措置、②委託先における当該業務の実施状況を、定期的にまたは必要に応じて確認すること等により、必要に応じ改善させるなど、委託先に対する必要かつ適切な監督等を行うための措置、③委託先が行う暗号資産交換業に係る利用者からの苦情を適切かつ迅速に処理するために必要な措置、④委託先が当該業務を適切に行うことができない事態が生じた場合には、他の適切な第三者に当該業務を速やかに委託する等、暗号資産交換業の利用者の保護に支障が生じること等を防止するための措置、⑤暗号資産交換業者の業務の適正かつ確実な遂行を確保し、当該業務に係る利用者の保護を図るため必要がある場合には、当該業務の委託に係る契約の変更または解除をする等の必要な措置である（法63条の9、暗号資産府令16条）。

これを受けて、具体的には暗号資産ガイドラインに詳細な内容が規定されている（暗号資産ガイドラインⅡ－2－3－3）。

CHECK 業務開始までに必要な対応

- □ 対応部署の決定
- □ 委託先の選定基準、外部委託管理規定の策定
- □ 委託契約書の締結
- □ 業務フローの決定

□　事務マニュアルの策定
□　担当者に対する周知徹底

ⅲ　外部委託契約の内容

委託先と委託契約を締結する場合、当該委託契約書の形式や内容には様々なものが考えられるが、前記ⅱを踏まえて、暗号資産交換業者が適切な措置を講じられるようにしておく必要があると考えられる。業務委託契約書の例については、前記第２章１⑼を参照されたい。

⑼　登録後の手続

ⅰ　変更届出

暗号資産交換業者は、登録申請時に提出した登録申請書記載事項のいずれかに変更があったときは、遅滞なく、変更届出書に所定の添付書類を添えて、財務（支）局長に対し、届け出なければならない（法63条の６第１項、暗号資産府令12条１項）。

また、暗号資産交換業の内容および方法に重要な変更が生じる場合等には、事前に財務（支）局長に対し、届け出なければならない（暗号資産府令11条）。

届出事項は、暗号資産交換業者登録簿に登録されることとなる（法63条の６第３項）。

新たに役員となった者が資金決済法63条の５第１項11号イからホまでのいずれかに該当することが明らかになった場合には、届出者に対し、登録の取消し等の措置が行われることとなる（暗号資産ガイドラインⅢ－２－１⑷①）。また、変更事項が財務局の管轄区域を超える本店の所在地の変更である場合には、財務（支）局の管轄変更が行われる（暗号資産ガイドラインⅢ－２－１⑷④）。

ⅱ　帳簿書類の作成・記録保存

暗号資産交換業者は、暗号資産交換業に関する帳簿書類を作成し、これを保存しなければならない（法63条の13）。

暗号資産交換業者が作成すべき帳簿書類の種類および保存期間は図表4－2のとおりである（暗号資産府令33条）。

なお、各項目の詳細および記載事項については、暗号資産府令33～36条に定めるとおりである。

これらの帳簿書類の作成については、社内規則等を定め、役職員が社内規則等に基づき適切な取扱いを行うよう、社内研修等により周知徹底を図る必要がある（暗号資産ガイドラインⅡ－２－２－５－２①）。

帳簿書類のデータファイルは、バック・アップを行うなど、帳簿書類が毀損された場合には速やかに利用者ごとの金銭の額および暗号資産の数量を把握・復元できるような態勢を整える必要がある（同③）。また、帳簿書類の記載内容の正確性については、内部監査部門等、帳簿書

図表4-2：暗号資産交換業者が作成すべき帳簿書類の種類・保存期間

暗号資産交換業者の種類	帳簿書類の種類	保存期間
全暗号資産交換業者	①暗号資産交換業に係る取引記録	10年
	②総勘定元帳	10年
利用者との間で継続的にまたは反復して暗号資産交換業に係る取引を行う契約を締結する暗号資産交換業者	③顧客勘定元帳	10年
全暗号資産交換業者	④注文伝票	７年
利用者の金銭または暗号資産の管理を行う暗号資産交換業者	⑤各営業日における管理する利用者の金銭の額および暗号資産の数量の記録	５年
信託の方法により利用者の金銭を管理する暗号資産交換業者	⑥各営業日における信託財産の額の記録	５年
全暗号資産交換業者	⑦分別管理監査の結果に関する記録	５年
暗号資産の管理を行う暗号資産交換業者	⑧履行保証暗号資産分別管理監査の結果に関する記録	５年

類作成部署以外の部門において検証を行う必要がある（同④）。

これらの帳簿書類のほか、暗号資産交換業者は、犯罪収益移転防止法に基づき、取引記録や確認記録の作成および保存が必要となる。犯罪収益移転防止法上必要となる取引記録は、暗号資産交換業に係る取引記録と兼ねることもできる。

(iii) 報告

ア　暗号資産交換業に関する報告書

暗号資産交換業者は、事業年度ごとに、暗号資産府令別紙様式第11号または第12号（外国暗号資産交換業者）により作成した事業概況書および暗号資産交換業に係る収支の状況を記載した書面を、最終の貸借対照表（関連する注記を含む）、損益計算書（関連する注記を含む）およびこれらの書類についての公認会計士または監査法人の監査報告書を添付して、提出する必要がある（法63条の14第1項・3項、暗号資産府令37条）。提出期限は、事業年度の末日から3ヶ月以内であり、各暗号資産交換業者によって異なる。

暗号資産交換業に関する報告書の提出を受けた財務（支）局においては、資金計画など、登録申請時に確認した事項を参照しつつ、報告内容を検証したうえで、両者に著しい乖離が見られる場合には、当該暗号資産交換業者に対するヒアリング等を通じて、経営実態を確認すること、経営実態を確認した結果、将来、暗号資産交換業を適切かつ確実に遂行するために必要と認められる財産的基礎を有しない疑いがある場合には、法63条の15に基づき報告書を徴求するなど、必要な対応を検討することとされている（暗号資産ガイドラインⅢ－2－2(1)）。

イ　利用者の金銭および暗号資産の管理に関する報告書

暗号資産交換業者は、暗号資産交換業に関し管理する利用者の金銭の額および暗号資産の数量その他これらの管理に関する報告書を作成し、事業年度の期間を3ヶ月ごとに区分した各期間ごとに、当該期間経過後1ヶ月以内に提出する必要がある（法63条の14第2

項、暗号資産府令38条１項）。

また、この報告書には、暗号資産交換業者に関し管理する利用者の金銭の額および暗号資産の数量を証する書類を添付して提出しなければならない（法63条の14第４項、暗号資産府令38条２項）。具体的には、金銭については、管理の方法に応じて、預金または貯金の口座のある預金銀行等が発行する残高証明書または信託業務を営む金融機関等が発行する残高証明書を、暗号資産については、電磁的記録に記録された暗号資産の残高に係る情報を書面に出力したものその他の暗号資産の残高を証明するものと、公認会計士または監査法人から提出された直近の分別管理監査の報告書の写しの提出が必要となる（暗号資産府令38条２項）。

財務（支）局においては、金銭の額または暗号資産の数量もしくは暗号資産の評価額が著しく変動している場合には、当該変動の理由および将来の変動見込み等について、ヒアリング等で確認するものとされている（暗号資産ガイドラインⅢ－２－２⑵）。

ウ　業務報告および暗号資産交換業者の委託先に関する報告書

上記のほか、財務（支）局長は、暗号資産交換業者に対して、毎年３月末における業務報告書を暗号資産ガイドライン別紙様式12により、毎年５月末までに徴求するものとしている（暗号資産ガイドラインⅢ－２－２⑶②）。

ⅳ　不祥事件の届出

暗号資産交換業者は、取締役等または従業者に暗号資産交換業に関し法令に違反する行為または暗号資産交換業の適正かつ確実な遂行に支障を来す行為があったことを知った場合には、当該事実を知った日から２週間以内に、暗号資産府令別紙様式第16号に従い、不祥事件の届出を行わなければならない（暗号資産府令41条）。

届出をすべき事項は、以下の３つである。

・当該行為が発生した営業所の名称
・当該行為を行った取締役等または従業者の氏名または名称および役

職名

・当該行為の概要

不祥事件とは、暗号資産交換業の業務に関し法令に違反する行為のほか、①暗号資産交換業の業務に関し、利用者の利益を損なうおそれのある詐欺、横領、背任等、②暗号資産交換業の業務に関し、利用者から告訴、告発されまたは検挙された行為、③その他暗号資産交換業の業務の適正かつ確実な遂行に支障を来す行為またはそのおそれのある行為であって、①②に掲げる行為に準ずるもの、④暗号資産交換業の業務に基づき管理している利用者の暗号資産の外部への流出等がこれにあたるとされている（暗号資産ガイドラインⅡ－２－１－６－１）。

不祥事件が発覚した場合には、社内規則等に則った内部管理部門や経営陣への報告や、警察等関係機関等への通報、内部監査部門等での不祥事件の調査・解明の実施などが必要となる（暗号資産ガイドラインⅡ－２－１－６－２）。

⒱ 疑わしい取引の届出

暗号資産交換業者は、暗号資産交換業において収受した財産が犯罪による収益である疑いがあり、または利用者が暗号資産交換業に関し組織的犯罪処罰法10条の罪もしくは麻薬特例法６条の罪に当たる行為を行っている疑いがあると認められる場合には、金融庁および警察庁に届け出なければならない（犯罪収益移転防止法８条１項）。

疑わしい取引を届け出るための態勢の整備およびどのような取引を疑わしい取引として検出するかについては、前記⑺ⅹⅲエのとおりである。

疑わしい取引の届出の方法は、犯罪収益移転防止法施行令16条および犯罪収益移転防止法施行規則25条に定められている。

⑽ 廃止等の手続

⒤ 廃止等の届出

暗号資産交換業者は、暗号資産交換業の全部または一部を廃止したとき、または破産手続開始の申立て等が行われたときは、遅滞なく、暗号資産府令別紙様式第14号により作成した届出書を財務（支）局長に提出して、届け出なければならない（法63条の20第1項、暗号資産府令40条1項・2項）。

暗号資産交換業者が暗号資産交換業を廃止したときは、当該暗号資産交換業者の登録の効力は失われる（法63条の20第2項）。

もっとも、暗号資産交換業者は、登録の効力が失われても、その行う暗号資産の交換等に関し負担する債務の履行を完了し、かつ、その行う暗号資産交換業に関し管理する利用者の財産を返還し、または利用者に移転する目的の範囲内においては、なお暗号資産交換業者とみなされる（法63条の21）。

(ii) 債務の履行完了等

暗号資産交換業者が暗号資産交換業を廃止しようとする場合には、暗号資産交換業が完全に廃止される場合と、他の事業者に暗号資産交換業が承継されて当該他の事業者の下で引き続き暗号資産交換業が行われる場合とがあるが、それぞれ以下のとおり手続が異なることとなる。

ア　暗号資産交換業を完全に廃止する場合

暗号資産交換業者が完全に暗号資産交換業を廃止する場合には、当該暗号資産交換業の利用者の保護を図るため、公告および債務の履行を完了するための手続を実施しなければならない（法63条の20第3項～5項、暗号資産府令40条3項～5項）。この場合に必要となる手続は、図表4－3のとおりである。

暗号資産交換業者は、利用者の取引時確認が必要とされており、暗号資産交換業者が債務の履行を完了するための手続を実施する際には、把握している利用者の連絡先（住所、メールアドレス等）に対して通知を行うなど、履行完了のための措置が必要とされている。

イ　暗号資産交換業が他の事業者に承継される場合

暗号資産交換業者が暗号資産交換業を廃止するものの、事業譲渡、合併または会社分割その他の事由によって、他の事業者が暗号資産交換業を行うときは、他の事業者が暗号資産交換業者である場

図表4-3：暗号資産交換業者の債務の履行完了までの手続

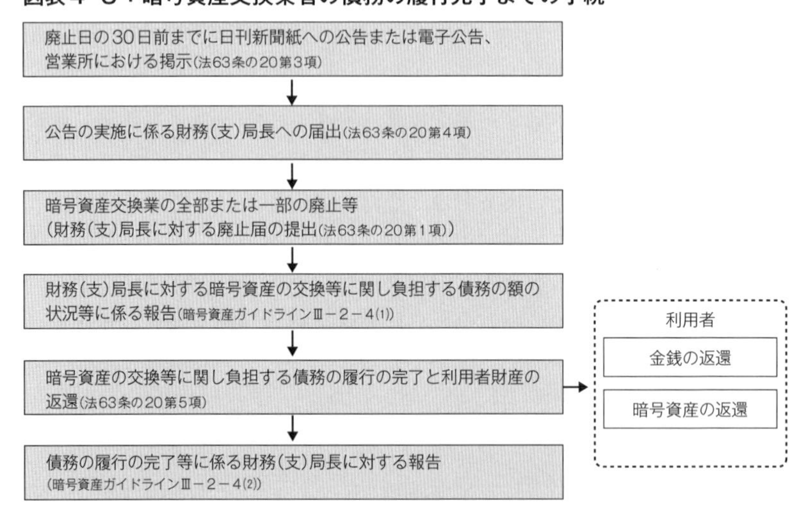

合を除き、当該他の事業者において事前に登録を行い、暗号資産交換業を承継する必要がある。

この場合、承継者においては、承継する暗号資産交換業の内容および方法を踏まえて登録審査を求めることとなるが、承継者において一定の態勢（財産的基礎等）も整える必要があり、どの程度承継する暗号資産交換業の内容および方法を加味して承継者自身の態勢整備と認められるかについては、財務（支）局に事前に確認することが必要である。

特に合併や、会社分割によって暗号資産交換業を暗号資産交換業者以外の者に承継する場合等には、登録までの標準処理期間が原則として２ヶ月とされていることなどを踏まえ、あらかじめ財務（支）局長に対して、スキームおよびスケジュールについて詳細な事前相談を行うことが望ましい。

なお、他の事業者に承継して暗号資産交換業を廃止する暗号資産交換業者においては、当該承継に係る公告を行えば足り、債務の履行を完了するための手続を実施する必要はない（法63条の20第３項

～第５項、暗号資産府令40条３項～６項）。

ⅲ　対象暗号資産の弁済

2019年改正法の下では、暗号資産交換業の利用者は、当該暗号資産交換業者に対して有する暗号資産の移転を目的とする債権に関し、対象暗号資産（これは、前記７ⅶのとおり、暗号資産交換業者が自己の暗号資産と分別して管理する暗号資産交換業の利用者の暗号資産と、履行保証暗号資産をいう）について、他の債権者に先立ち弁済を受ける権利を有する（法63条の19の２第１項）。これにより、暗号資産交換業者の利用者は、万が一暗号資産交換業者が破綻した場合でも、分別管理された暗号資産や、履行保証暗号資産から優先的に弁済を受けることができ、その保護を受けることができる。

この権利の実行に関して必要な事項は、政令で定められるが、2021年12月現在は政令に具体的規定はない（法63条の19の２第３項）。

また、暗号資産交換業者から暗号資産の管理の委託を受けた者その他の当該暗号資産交換業者の関係者は、当該暗号資産交換業者がその行う暗号資産交換業に関し管理する利用者の暗号資産に係る上記の権利の実行に関し、当局から必要な協力を求められた場合には、これに応ずるよう努めるものとされている（法63条の19の３）。

⑾　監督処分等

資金決済法には、暗号資産交換業者に対する監督処分として、次の内容が規定されている。

ⅰ　報告徴求等

財務（支）局長または金融庁長官は、暗号資産交換業の適正かつ確実な遂行のために必要があると認めるときは、暗号資産交換業者に対し、暗号資産交換業者の業務もしくは財産に関し参考となるべき報告もしくは資料の提出を命じ、または当該職員に暗号資産交換業者の営業所その他の施設に立ち入らせ、その業務もしくは財産の状況に関して質問させ、もしくは帳簿書類その他の物件を検査させることができる（法63条の15第1項）。

また、暗号資産交換業の委託先（再委託先を含む）に対しても、暗号資産交換業の適正かつ確実な遂行のため特に必要があると認めるときは、その必要の限度において、当該委託先に対し、暗号資産交換業者の業務もしくは財産の状況に関し参考となるべき報告もしくは資料の提出を命じ、または当該職員に委託先の施設に立ち入らせ、暗号資産交換業者の業務もしくは財産の状況に関して質問させ、もしくは帳簿書類その他の物件を検査させることができる（法63条の15第2項）。委託先は、正当な理由があるときを除き、当該報告もしくは資料の提出または質問もしくは検査を拒むことができない（法63条の15第3項）。

(ii) 業務改善命令

財務（支）局長は、暗号資産交換業の適正かつ確実な遂行のため必要があると認めるときは、その必要の限度において、暗号資産交換業者に対し、業務の運営または財産の状況の改善に必要な措置その他監督上必要な措置をとるべきことを命ずることができる（法63条の16）。

資金決済法63条の16の規定に基づく業務改善命令が発出された場合には、暗号資産交換業者は、業務改善計画を提出し、当該業務改善計画の履行状況の報告を行わなければならない。

(iii) 業務停止命令および登録取消し

財務（支）局長は、暗号資産交換業者が、①法63条の5第1項各号に定める登録拒否事由に該当することとなったとき、②不正の手段により暗号資産交換業者の登録を受けたとき、③資金決済法もしくは資金決済法に基づく命令またはこれらに基づく処分に違反したときは、暗号資産交換業者の登録を取り消し、または6ヶ月以内の期間を定めて暗号資産交換業の全部もしくは一部の停止を命ずることができる（法63条の17第1項）。

また、暗号資産交換業者の営業所の所在地を確知できないとき、または暗号資産交換業者を代表する取締役もしくは執行役、外国資金移動業者である暗号資産交換業者の国内における代表者の所在を確知できないときは、その事実を公告し、公告日から30日を経過しても暗号資産交換業者から申出がないときは、暗号資産交換業者の登録を取り消すことができる（法63条の17第2項）。

業務改善命令、業務停止命令および登録取消しの行政処分は、暗号資産交換業者における行為の重大性・悪質性、当該行為の背景となった経営管理態勢および業務運営態勢の適切性、軽減事由等を勘案して、最終的な処分内容が決定されることとされている（暗号資産ガイドラインⅢ－3(3)）。

暗号資産交換業者の登録が取り消されたときは、その登録は抹消され（法63条の18）、その旨の公告がなされる（法63条の19）。

2　暗号資産に関するその他のサービス

(1)　暗号資産の貸借

暗号資産は流動性が低いため、取引所は、利用者の保有している暗号資産を借り入れて、返済期限に利息相当の暗号資産とあわせて返還し、暗号資産の流動性を確保したり、暗号資産を保有する者が、取引所に対して暗号資産を貸し付けて、取引所が暗号資産の調達を可能としている実務がある。利用者も自らが保有する暗号資産を取引所に貸借して、利息を得ることができる。

こうした暗号資産の貸借は、暗号資産が金銭でないことから、これを貸与したとしても貸金業には該当しないとされている。貸金業法において、「『貸金業』とは、金銭の貸付け又は金銭の貸借の媒介（手形の割引、売渡担保その他これらに類する方法によつてする金銭の交付又は当該方法によってする金銭の授受の媒介を含む……）で業として行うもの」とされている（貸金業法２条１項）。金銭ではない暗号資産の貸付けを行い、暗号資産で返済を受けるような場合や、反対に、暗号資産の借入れを行い、暗号資産で返済するような場合には、いずれも貸金業の登録は不要である。

ただし、暗号資産交換業者が暗号資産の借入れを受ける場合、利用者がいつでもこの返還を受けることができるような場合には、暗号資産の預託であって、暗号資産の借入れとはいえない。すなわち、暗号資産交換業者は、暗号資産の管理を行う者であって、利用者財産については分別管理や信託を義務付けられている。しかし、暗号資産の貸借という形を取れば、利用者財産ではなく自己の財産として使用収益ができることとなる。この点について、暗号資産ガイドラインでは、利用者がその請求によっていつでも借り入れた暗号資産の返還を受けることができるなど、暗号資産の借入れと称して、実質的に他人のために暗号資産を管理している場合には、同号に規定する暗号資産の管理に該当するとの解釈が示されている点にも留意が必要である（暗号資産ガイドラインＩ－１－

2－2③注）。

また、暗号資産交換業者がその行う暗号資産交換業に関し、暗号資産の借入れを行う場合には、次に掲げる措置を講じることが必要とされている（暗号資産府令23条1項8号）。

①暗号資産交換業者による暗号資産の借入れは暗号資産の管理に該当せず、当該暗号資産交換業者が借り入れた暗号資産は法63条の11第2項の規定により当該暗号資産交換業者の暗号資産と分別して管理されるものではないことおよび当該借入れの相手方は法63条の19の2第1項の権利を有するものではないことについて、当該相手方が明瞭かつ正確に認識できる内容により表示する措置

②暗号資産の借入れにより暗号資産交換業者の負担する債務が当該暗号資産交換業者の返済能力に比して過大となり、またはその返済に支障が生じることにより、利用者の保護に欠け、または暗号資産交換業の適正かつ確実な遂行を妨げることとならないよう、当該債務の残高を適切に管理するための体制（暗号資産の借入れを行ったときは、その都度、相手方の氏名または名称、借り入れた暗号資産の種類および数量ならびに返済期限を記録することを含む）を整備する措置

⑵ 暗号資産信用取引

暗号資産信用取引とは、暗号資産交換業の利用者に信用を供与して行う暗号資産の交換等をいう（暗号資産府令1条2項6号）。顧客が事業者に保証金として金銭や暗号資産を預託し、事業者指定の倍率を上限に事業者から暗号資産を借り入れて、それを元手として暗号資産の売買を行うことが可能となるが、暗号資産信用取引自体について、従来は特段規制が設けられていなかった。

しかし、仮想通貨交換業等に関する研究会報告書では、「仮想通貨信用取引は、仮想通貨の現物取引か想定元本の取引かという差異はあるものの、元手資金（保証金）にレバレッジを効かせた取引を行う点で、仮想通貨の証拠金取引と同じ経済的機能やリスクを有する」とされ、「仮想通貨信用取引については、仮想通貨の証拠金取引と同様の規制の対象

とすることが適当」とされた。

これを受けて、暗号資産交換業者は、暗号資産交換業の利用者との間で、暗号資産信用取引を行うときは、あらかじめ当該利用者に対し書面の交付その他の適切な方法により、法22条1項から3項までの利用者に対する情報提供のほか、①暗号資産信用取引について利用者が預託すべき保証金の額およびその計算方法ならびに利用者が当該保証金を預託し、およびその返還を受ける方法、②当該暗号資産信用取引に関する損失の額が①の保証金の額を上回ることとなるおそれがあるときは、その旨およびその理由、③暗号資産信用取引の信用供与に係る債務の額、弁済の期限および決済の方法、④その他暗号資産信用取引の内容に関し参考となると認められる事項を提供する必要がある（暗号資産府令25条1項）。

また、継続的にまたは反復して行うことを内容とする契約を締結する際には、法22条4項に定める事項と①～③とともに、契約の内容に関し参考となると認められる事項を情報提供する必要がある（暗号資産府令25条2項）。

また、暗号資産交換業者が、利用者から暗号資産信用取引の保証金を受領したときは、遅滞なく、当該利用者に対し、書面の交付その他の適切な方法により、暗号資産府令22条5項の規定によるもののほか、①利用者から受領したものが暗号資産信用取引の保証金であること、②信用取引の種類および暗号資産信用取引の対象とする暗号資産の種類を情報提供する必要がある（暗号資産府令25条3項）。

さらに、暗号資産交換業者は、暗号資産交換業の利用者との間で暗号資産信用取引を継続的にまたは反復して行うときは、3ヶ月を超えない期間ごとに、当該利用者に対し、書面の交付その他の適切な方法により、暗号資産府令22条6項の規定によるもののほか、当該暗号資産信用取引の未決済勘定明細および評価損益についての情報を提供しなければならない（暗号資産府令25条4項）。

そのほか、暗号資産交換業者は、暗号資産信用取引を行う場合には、次に掲げる措置を講じなければならない（暗号資産府令25条5項）。

①暗号資産交換業の利用者（個人に限る）の暗号資産信用取引の保証金の額が、当該利用者が行おうとし、または行う暗号資産信用取引の額に100分の50を乗じて得た額に不足する場合に、当該利用者にその不足額を預託させることなく、当該暗号資産信用取引を行い、または当該暗号資産信用取引の信用供与を継続することのないようにするために必要な措置

②暗号資産交換業の利用者（個人を除く）の暗号資産信用取引の保証金の額が、当該利用者が行おうとし、または行う暗号資産信用取引の額に当該暗号資産信用取引の対象となる暗号資産または暗号資産の組合せの暗号資産リスク想定比率（これらの暗号資産に係る相場の変動により発生し得る危険に相当する額の元本の額に対する比率として金融庁長官が定める方法により算出した比率をいう）を乗じて得た額（暗号資産リスク想定比率を用いない暗号資産交換業者にあっては、当該暗号資産信用取引の額に100分の50を乗じて得た額）に不足する場合に、当該利用者にその不足額を預託させることなく、当該暗号資産信用取引を行い、または当該暗号資産信用取引の信用供与を継続することのないようにするために必要な措置

③暗号資産交換業の利用者（個人に限る）がその計算において行った暗号資産信用取引を決済した場合に当該利用者に生ずることとなる損失の額が、当該利用者との間であらかじめ約した計算方法により算出される額に達する場合に行うこととする暗号資産信用取引の決済（以下「ロスカット取引」という）を行うための十分な管理体制を整備するとともに、当該場合にロスカット取引を行う措置

④①から③までに掲げるもののほか、その行う暗号資産信用取引について、当該暗号資産信用取引の内容その他の事情に応じ、暗号資産信用取引に係る業務の利用者の保護を図り、および当該業務の適正かつ確実な遂行を確保するために必要な体制を整備する措置

これらの措置を講じるにあたり、留意すべき点については、暗号資産ガイドラインⅡ－２－２－２－２のとおりである。

また、暗号資産信用取引については、取引記録、顧客勘定元帳、注文

伝票にその旨の記載も必要となるため、留意されたい（暗号資産府令34条2項10号・3項9号、35条2項9号、36条11号）。

⑶ 暗号資産デリバティブ取引

2019年の金融商品取引法の改正前は、仮想通貨を用いた先物取引等の取引においては、決済時に取引の目的となっている仮想通貨の現物の受渡しを行う取引と、当該取引の目的となっている仮想通貨の現物の受け渡しを行わず、販売の適用を受ける「仮想通貨の交換等」には該当しないとされ、仮想通貨の差金決済取引については仮想通貨の規制には服さないこととされていた。

2018年に公表された仮想通貨交換業に関する研究会報告書では、半数近くの仮想通貨交換業者において、仮想通貨の証拠金取引が提供されていることが言及され、国内において相当程度の仮想通貨デリバティブ取引が行われており、利用者からの相談も相当数寄せられている現状を踏まえれば、仮想通貨デリバティブ取引については、これを禁止するのではなく、適正な自己責任を求めつつ、一定の規制を設けた上で、利用者保護や適正な取引の確保を図っていく必要があると考えられるとの指摘があり、金融商品取引法の規制対象とされることとなった。

具体的には、2019年改正法により、金融商品取引法上のデリバティブ取引の原資産となる金融商品の範囲に暗号資産も加わったことから（金融商品取引法2条24項3号の2）、暗号資産を原資産とするデリバティブ取引も、金融商品取引法上のデリバティブ取引として規制対象となった。また、金融商品取引法上のデリバティブ取引の参照指標となる金融指標とは、金融商品の価格または金融商品の利率等が該当するところ、上記のように金融商品の範囲に暗号資産が加わったことにより、暗号資産の価格や利率等も金融指標に該当し、暗号資産の価格や利率等を金融指標とするデリバティブ取引についても、金融商品取引法上のデリバティブ取引として規制対象となった。

これにより、金融商品取引法上の規制対象となる暗号資産デリバティブ取引を提供する場合には、第1種金融商品取引業の登録が必要となった（金融商品取引法28条）。

金融商品取引法上のデリバティブ取引には、市場デリバティブ取引、店頭デリバティブ取引、外国市場デリバティブ取引があるが、原資産の如何を問わず、デリバティブ取引は同様の経済的機能やリスクを有するものと考えられることから、暗号資産デリバティブ取引についても、他のデリバティブ取引と基本的に同様の業規制が適用される。暗号資産の証拠金取引における証拠金倍率については、暗号資産の価格変動は法定通貨よりも大きいことを踏まえ、他のデリバティブ取引よりも低く設定された。

具体的には、金融商品取引業者が顧客から預託を受けるべき証拠金の額は、顧客が個人の場合は暗号資産デリバティブ取引の額の100分の50を乗じて得た額（金商業府令117条41項・42項）、顧客が法人の場合は、暗号資産デリバティブ取引の額に金融庁長官が告示で定める暗号資産リスク想定比率を乗じて得た額（暗号資産リスク想定比率を用いない金融商品取引業者にあっては、当該暗号資産デリバティブ取引の額に100分の50を乗じて得た額（金商業府令117条51項・52項））とされ、上記暗号資産信用取引と同様の規制とされている。

そのほか、暗号資産デリバティブ取引を行う金融商品取引業者の禁止行為は、金商業府令117条１項に列記されているとおりであり、暗号資産デリバティブ取引を行う金融商品取引業者について、公益に反し、または投資家の保護に支障を生ずるおそれのあるものとして該当してはならない業務運営状況は、金商業府令123条１項に列記されている。

その他資金決済サービス

1　収納代行サービス

収納代行サービスについては、一般に、商品の代金、サービスの利用料金の支払いにおいて、商品・サービスの提供者（債権者）から依頼を受けたコンビニエンスストアなどの事業者に対し、その購入者、利用者（債務者）が支払いを行い、事業者が受け取った金銭を債権者に渡すものをいうところ、長らく銀行法や資金決済法の規制対象外とされてきた。収納代行サービスは、法律上明確な定義はないが、一般に代理受領権の下で行われる資金の受領行為及び引渡しであるといわれ、代理受領時点で決済は完了し、その後の収納代行業者による送金は自らの行為（受領した金銭の引渡債務の履行行為）として行う点や、支払人から資金を移動する依頼を受けたとはいえない点をもって、為替取引に該当しないと考える見解があったためである。

ところが、近年、「収納代行」と称しつつ、実質的には一般利用者間の送金サービスを提供する事業者があらわれるようになり、金融審金融制度SG基本的な考え方や金融審決済仲介法制WG報告では、利用者保護の観点から資金移動業の登録を求めることが必要であるとの指摘がなされた。

これを受けて、2020年改正法では、従来より「収納代行サービス」とされてきたもののうち、一定の要件に該当する取引については、為替取引に該当する者として規制対象とすることが示され、資金移動業府令ではその要件が明確化された。

具体的には、金銭債権の存在を前提として、以下の要件を充足する場合には、為替取引に該当するものとされる（法2条の2、資金移動府令1条の2）。

①金銭債権を有する者（以下「受取人」という）からの委託、金銭債権の譲受その他これらに類する方法により

②債務者または当該債務者からの委託その他これに類する方法により支払を行うものから弁済として資金を受入れ、または他の者に受け入れさせ

③当該受取人に資金を移動する行為（資金交付により移動させる行為を除く）であって

④受取人が個人（事業としてまたは事業のために受取人となる場合におけるものを除く）であり、かつ、次に掲げる要件のいずれかに該当すること

i）受取人が有する金銭債権に係る債務者または当該債務者からの委託（2以上の段階にわたる委託を含む）その他これに類する方法により支払を行う者（以下「債務者等」という）から弁済として資金を受け入れた時）までに当該債務者の債務が消滅しないものであること

ii）受取人が有する金銭債権が、資金の貸付け、連帯債務者の1人として弁済その他これらに類する方法によってする当該金銭債権に係る債務者に対する信用の供与をしたことにより発生したものである場合に、当該金銭債権の回収のために資金を移動させるものであること

iii）次に掲げる要件のいずれにも該当すること

a）受取人がその有する金銭債権に係る債務者に対し反対給付をする義務を負っている場合に、当該反対給付に先立ってまたはこれと同時に当該金銭債権に係る債務者等から弁済として資金を受け入れ、または他の者に受け入れさせ、当該反対給付が行われた後に当該受取人に当該資金を移動させるもので

ないこと

b）受取人が有する金銭債権の発生原因である契約の締結の方法に関する定めをすることその他の当該契約の成立に不可欠な関与を行い、当該金銭債権に係る債務者等から弁済として資金を受け入れ、または他の者に受け入れさせ、当該受取人の同意の下に、当該契約の内容に応じて当該資金を移動させるものでないこと

上記要件のうち、要件①ないし③は、いわゆる「収納代行サービス」と整理される要件の一部を示したものであり、資金移動布令1条の2で示された要件④は、そのうち受取人が個人（事業としてまたは事業のために受取人となる場合におけるものを除く）とされるサービスのうち、為替取引として規制対象となるものを規定している。

(1) サービスの立案・策定

(i) サービスの相手方

収納代行サービスを営もうとする場合、まず、法人や事業主を受取人とするのか、個人を受取人とするのかを検討する必要がある。すなわち、上記1のとおり、収納代行サービスも法人や事業主に対して提供されるものであれば、基本的には引き続き規制対象外となる。

「受取人が個人（事業として又は事業のために受取人となる場合におけるものを除く。）」（法2条の2）と規定されているため、個人であっても個人事業主は要件④から除かれることとなる。「事業」とは、一定の目的をもってなされる同種の行為の反復継続的遂行をいい、営利の目的をもってなされるかどうかを問わないとされている（前掲・角田ほか編『法令用語辞典〔第10次改訂版〕』341～342頁）。法人が行う場合には事業といえるが、個人が、反復継続して売買等を行っているとしても、事業として行っているか否かは直ちに明らかではない。「事業」（資金移動府令1条の2）の定義は、消費者契約法2条における「事業」の定義や消費者庁による消費者契約法逐条解説と同様の解釈との考え方が示されているほか（2021年パブコメNo. 54）、当該個人が事業として行っているかを

確認するためには、税務署に対して「開業届」を出しているか否かを確認する方法や、商品やサービスの提供にあたり、特定商取引法上の表記を行っているかどうかなどを確認する方法が考えられる。

なお、経済産業省は、特定商取引法上の商品等の通信販売をする事業者には各種の規定が適用されることを前提として、インターネット・オークションを通じて販売を行っている場合でもあっても、営利の意思をもって反復継続して販売を行う場合は、法人・個人を問わず事業者に該当し、特定商取引法の規制対象となるとして、インターネット・オークションにおける「販売業者」に係るガイドラインをそのウェブサイトに公表している（https://www.no-trouble.caa.go.jp/pdf/20200331ra01.pdf）。

(ii) 金銭債権の存在

収納代行サービスといえるかについて、要件①との関係で、受取人が金銭債権を有し、当該受取人からの委託を受けることが必要である。原因取引たる契約関係が不明瞭であり、金銭債権の存在が明確ではない場合には、要件①との関係で、収納代行サービスに該当しないおそれがあるため留意が必要である。例えば、プラットフォーム上で契約が成立するなどの場合には、金銭債権の存在が明確であるが、単に領収書や請求書をアップロードさせるだけという場合には、原因取引たる契約関係の存在や金銭債権の存在をどのように確認するかが問題となる。また、要件③のように、受取人が有する金銭債権が、資金の貸付け、連帯債務者の一人としてする弁済その他これらに類する方法によってする当該金銭債権に係る債務者に対する信用の供与をしたことにより発生したものである場合は、かかる金銭債権の回収のための資金移動は為替取引に該当するとされている。

(iii) 代理受領権の付与

また、収納代行サービスといえるためには、受取人からの代理受領権の付与を受けることが一般的には必要である。受取人からの委託がなく、送金人のみから委託を受けて資金移動を行うことは、収納代行サービスとは構成できず、為替取引に該当する可能性が高い。代理受領権の付与は、２以上の段階にわたる委託も可能と解される（資金移動府令１条の２第１号参照）。なお、受取人からの委託による代理受領権の付与のみならず、金銭債権を譲り受けるなどの場合もあると考えられることから、代理受領権の付与に限定されるものではないとされている（2021年パブコメNo. 74）。

ⅳ　資金受領と債務消滅

要件②との関係で、債務者等から弁済として資金を受け入れた時（他の者に資金を受け入れさせる場合にあっては、当該他の者に弁済として資金を受け入れた時）までに当該債務者の債務が消滅しないものは収納代行サービスとはいえないので留意が必要である。債務者等から弁済として資金を受け入れると同時に債務が消滅すると規定されていないのは、「例えば、受取人が有する金銭債権に係る債務について免責的債務引受けが行われた場合には、弁済として資金を受け入れる前に、当該債務に係る原債務者は債務を免れることから、『弁済として資金を受け入れた時…までに当該債務者の債務が消滅』と規定しています。」と説明されている（2021年パブコメNo. 58）。

また、要件④ｂの要件との関係で、いわゆる個人を受取人とする収納代行サービスのうち、割り勘アプリのように事後的に連帯債務等を発生させて回収するなどの法的構成を採用しているものを為替取引とする旨確認されたが、いわゆる立替払が行われるケースや、保証人が保証履行を行い求償するケースは、立替払や保証により先に債権者に対して資金が交付され、後から債務者から回収するものであることから、収納代行サービスの定義のうち要件②と③を欠き、本規定の対象外とされる。まず受取人に資金を移動させた後に、債務者等から資金を受け入れる（または他の者に受け入れさせる）行為は、資金決済法２条の２に規定する行為とは異なるものと説明されている（2021年パブコメNo. 52）。

(v) エスクローサービス

要件④iii）a）は、一般にエスクローサービスとされる行為を想定して規定されたものである（2021年パブコメNo. 66）。個人間の収納代行の形式をとっているサービスのうち、エスクローサービスについては、個人間における物品の売買等の取引に際し、当事者双方の債務の同時履行を図ることにより、当事者間トラブルの未然防止機能があり、債権者・債務者双方がその利点を享受している。こうしたエスクローサービスについては、売買契約等の当事者間に生じる信用リスクをサービス提供者に付け替えているだけであるとの指摘や、仮にエスクローサービスに為替取引に関する規制を適用した場合、利用者保護上重要な役割を果たしているエコシステムに支障が生じかねないとの指摘がある一方で、エコシステムへの留意は、利用者保護に懸念を生じさせない範囲にとどめるべきであり、債務者が債権者に支払うべき資金をサービス提供者が保持する以上、利用者保護のためにその保全が図られることが必要との指摘は、現時点で共通の認識を得られておらず、また、これまで社会的・経済的に重大な問題とされるような被害は発生していないことも踏まえれば、直ちに制度整備を図ることは必ずしも適当ではなく、引き続き検討とされたものである（金融審決済法制仲介法制WG17頁）。

(vi) プラットフォームサービス

要件④iii）b）は、いわゆるプラットフォームサービスを想定して規定されたものである。オンラインプラットフォーム上で受取人と債務者との間で契約（オンライン（EC）での売買契約や、民泊や配車サービスなどの役務提供契約等がこれに該当しうる）が成立する場合、契約の成立に不可欠な関与を行うプラットフォーム事業者が、受取人の同意に基づき資金を受け入れる場合を念頭に置いている。

どのようなことを行っていれば「契約の成立に不可欠な関与」（資金移動業府令１条の２第３号ロ）を行ったと言えるかについては、個別事例ごとに実態に即して実質的に判断されるべきとされるが、例えば、多数の者が参加して取引を行うことが可能なプラットフォームを提供する事業者が、利用規約において当該プラットフォームの利用条件や取引成立条件を定めているような場合には、「契約の締結の方法に関する定め」をしており、「契約の成立に不可欠な関与」を行っているものと考えられるとされている（2021年パブコメNo. 69～72）。

なお、「契約の成立に不可欠な関与」を行った者からの委託等により債務者等から弁済として資金を受け入れる「他の者」が「契約の成立に不可欠な関与」を行ったかどうかは、同号の要件に該当するかどうかの判断には影響しないとされていることから（2021年パブコメNo. 73）、プラットフォーマーからの委託で第三者が弁済として資金を受け入れる第三者も、プラットフォーマーがその規約において利用者から代理受領権を受けておき、当該プラットフォーマーから第三者が再委託を受けることであれば、この要件④ⅲ）b）との関係で、為替取引には該当しないと考えられる。

契約類型として、先に挙げた売買契約や役務提供契約のほかにも、負担のない贈与契約や寄付型クラウドファンディングに係る契約等も含まれ、対価性のある契約には限定されない（2021年パブコメNo. 68）。

(2) 利用約款の策定

例えば、プラットフォーム事業者が収納代行に関して合意を行う場合には、売買契約や役務提供契約などの成立や履行にあわせて、代金の収受等を行うこととなることから、収納代行サービスだけで単独で利用約款の形を取るものは少なく、プラットフォーム事業者が提供するサービスの利用約款の中に、必要な条項を規定しておくことが多いと考えられる。

本書では、モデル例として、個人間での商品の売買を可能とするプラットフォーム事業者が、出品者と購入者との間の代金の授受に関与する場合の利用約款を示すこととし、各項目について解説を行う。

●● 記載例 ── 収納代行に関する条項 ●●

第○条（売買契約の成立）
本サービス上に出品されている商品について購入者により当社所定の方法で購入ボタンが押された時点で、当該商品についての出品者と購入者の間の売買契約が成立します。なお、当社は、出品者と購入者が本サービスを通じて商品の売買契約を締結するための場を提供しますが、当社は、売買契約の当事者にはなりません。

第○条（商品代金の支払）
売買契約が成立した場合、購入者は、当社に対し、当社所定の方法で商品代金（送料や税を含みます）と利用料の合計額を支払うものとします。

第○条（商品代金の引渡）
出品者は、当社に対し、出品した商品の売買契約が成立した場合、購入者から支払われる商品代金を当社が代理受領することについてあらかじめ承諾するものとします。当社は、購入者から商品代金を受領したときは、購入者の出品者に対する商品代金の支払債務は消滅するものとし、当社は、当該商品代金から当社所定の利用料を差し引いた残額を、当社所定の方法により出品者に引き渡します。

(i) 契約成立に関する規定

本利用約款においては、出品者と購入者との間で売買契約が成立するプロセスを規定している。当該プラットフォーム上で売買契約の成立に不可欠な関与を行った場合には、要件④iii）b）の要件との関係で、収納代行サービスとして為替取引には該当しないこととなるため、記載例では、売買契約の成立に関与するプラットフォーム事業者であることを前提に、契約成立までの必要な手順を定めるものである。

なお、プラットフォーム事業者が売買契約の成立に関与するとしても、契約の当事者にならない旨は念のため記載をしている。

(ii) 商品代金の支払に関する規定

本利用約款においては、出品者と購入者との間で売買契約が成立した場合には、購入者が商品代金の支払債務を負うことを明確にしている。要件①との関係で、収納代行サービスは、受取人が金銭債権を保有していること、その受取人からの委託を受けて、資金の授受を行うことが不可欠とされているためである。

(iii) 商品代金の引渡に関する規定

要件②および③との関係で、(ii)により商品代金を受領する根拠として、プラットフォーム事業者が受取人（出品者）から代理受領権の付与を受けていること、プラットフォーム事業者が、商品代金を受領した場合には、受取人（出品者）に対する引渡義務を負うことを規定している。また、要件④ａとの関係で、プラットフォーム事業者が購入者から商品代金を受領する時までに、金銭債権が消滅するものであることが必要となるため、その旨も明記している。

(3) コンプライアンスと利用者保護

引き続き収納代行サービスについては、事業者（法人や個人事業主）を受取人とするものや、個人を受取人とするものであったとしても、前記(1)のとおり為替取引に該当しないものについては、資金移動業の登録は不要となったが、資金移動ガイドラインⅠ－２では、「法第２条の２の規定は、同条に定める行為であって、内閣府令で定める要件に該当するものが為替取引に該当することを確認するものであるところ、今後新たなビジネスモデルが登場する可能性等もあることから、同条に定める行為に該当しない行為及び同条に定める行為には該当するが内閣府令に定める要件に該当しないものが将来にわたって直ちに為替取引に該当しないことを意味するものではなく、事業者の行為が為替取引に該当するかは、その事業者が行う取引内容等に応じ、最終的には個別具体的に判断することに留意する。」とされている点に留意が必要である。

また、収納代行サービスとして受領した代金を、長期間資金を預かり、引き渡しを行わない場合には、出資法との関係で問題となるため、留意が必要となる。現在行われている収納代行サービスでは、受取人が事業者となる場合には概ね１～２ヶ月程度、受取人が個人となる場合には（少額となるため一定の金額がまとまったら引き出しを認めるケースであっても）概ね６ヶ月程度を超えるようなものは見当たらないため、かかる水準も考慮して、できる限り速やかに受取人に対して引き渡しを行うことが必要と考えられる。

さらに、収納代行サービスとして受領した代金を、利用者がプラットフォーム上の他の商品等の代金等に充当するとか、別の支払に充当するなどして、第三者へ資金移動する利便性を提供するような場合には、一定の仕組みの構築があり、為替取引に該当する（収納代行サービスの枠を超えている）という評価もあり得るため、留意が必要と考えられる。

2　ポイントサービス

(1)　サービスの立案・策定

ポイントサービスには、商品やサービスの販売金額に応じて一定割合のポイントが発行されるものや、来場や利用ごとに一定数のポイントが発行されるものなど、多種多様なものがある。

また、ポイントを利用して、景品への交換、商品の割引購入、サービスの提供、前払式支払手段や現金への交換ができるなど、ポイントによって得られる商品やサービスの内容も多種多様なものがある。

さらには、ポイント同士の交換を行うサービスも提供されている。

ポイントは、商品やサービスの提供に使用できるものであるという点では、前払式支払手段と同様の機能を有している。

しかし、いわゆる景品やおまけとして発行されるポイントについては、現在のところ、制度整備の対象外として、将来の課題とされていることについては、第1章6(1)のとおりである。

したがって、事業者がポイントを発行するにあたっては、財務（支）局長に対する届出や登録は不要であり、他の法令の定めに反しない限り、誰でも自由に発行することが可能である。

ポイントサービスを立案・策定するにあたっては、ポイントの付与の方法、有効期間、利用方法の各点に留意が必要であるため、以下検討する。

(i)　ポイントの付与の方法

ポイントと前払式支払手段との相違は、利用者から「対価」（法3条1項）を受け取るかどうかにあり、「ポイント」と称していても、利用者から対価を得て発行されるものについては、資金決済法上の前払式支払手段として、規制を受けることとなる点に留意が必要である。

「対価」とは、現金のほか、経済的な価値があるものがこれに含まれるとされている（新逐条解説68頁）。

図表5-1：ポイント交換

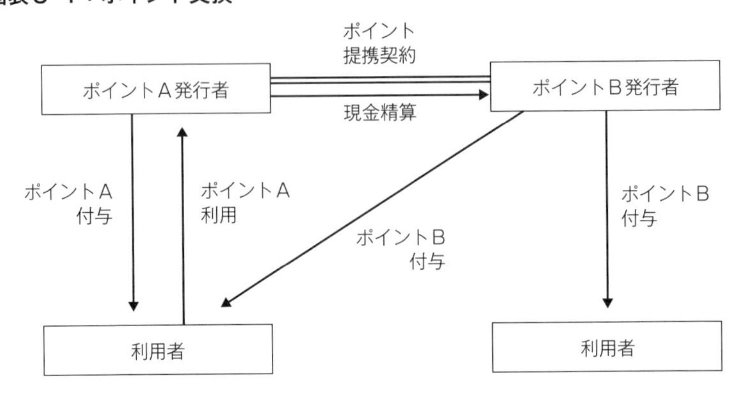

例えば、ポイントの発行に際して、利用者から現金を受け取って発行する場合には、そのポイントは「対価」を得て発行されたものとして、資金決済法上の前払式支払手段に該当する。

また、ポイント交換などにより、利用者から前払式支払手段（商品券、プリペイドカード、サーバ型電子マネー等を含む）と引き換えにポイントを発行する場合も、もともと現金等で購入された前払式支払手段には経済的価値があると考えられるため、そのポイントは「対価」を得て発行されたものとして、資金決済法上の前払式支払手段に該当すると考えられる（2010年パブコメNo. 34参照）。

これに対し、景品やおまけとして発行されたポイントと交換的に発行されるポイントが「対価」を得て発行されたものに該当するか否かについては、争いがある。この点、ポイントには一定の財産的価値があり、利用者はその財産的価値を手離して別のポイントを得ることから、ポイント交換によって発行されるポイントに「対価」性があるとする考え方があるが（詳説109～110頁）、現在のところは、監督当局においては、ポイント交換についても、共通した認識を得ることが困難であったために将来の課題とされた事項であり、資金決済法の制度整備にあたって対象外とされた事項として運用しているようである（金融審第二部会報告書３頁）。

以上を前提として、事業者がポイントサービスを実施するにあたって、単に自社の販促のための景品やおまけとしてポイントを発行するのみならず、他のポイントとの交換によってポイントを付与することを認める場合には、現金や前払式支払手段などと引き換えに発行されていないかについて、慎重に確認を行うことが必要である。支払手段間の交換等についての詳細は後記3を参照されたい。

(ii) ポイントの有効期間

ポイントの有効期間については、日本においては有効期間そのものを規制する法律はなく、基本的には利用者と事業者との間の合意の内容によって定められるものであるから、原則として事業者が自由に設定することができるものと考えられる。

実際のサービスをみても、有効期間は最終の利用日から起算するものや、最終の付与日から起算するものがあるほか、有効期間を無期限とするものもあり、各事業者によって様々である。

ただし、利用者がポイントを購入したものの、実質的にこれを利用できないような短期の有効期間を設定する場合など、消費者にとって極めて不合理な内容である場合には、当該有効期間の定めが消費者契約法10条または民法90条に反するとされる場合もあると考えられるため、妥当ではない。

(iii) ポイントの利用方法

ポイントの利用方法についても、日本においてこれを特に規制する法律はなく、利用者と事業者との間の合意の内容によって定められる。

ポイントと引き換えに商品やサービスを提供する場合には、当該ポイントによって提供される商品やサービスの内容や交換のための必要ポイント数または交換比率等をあらかじめ明示しておくことが必要である。

ポイントが現金と交換されるものである場合、当該ポイントが仮に前払式支払手段に該当するものであれば払戻しが原則として禁止される（法20条5項）。しかし、前払式支払手段に該当しないポイントについては、このような規制の適用はないため、現金との交換（換金）も可能であると考えられる。

なお、ポイントについては、景品またはおまけとして付与されるものであることから、後記のとおり、景品表示法の適用を受ける可能性がある。この場合には、当該規制を遵守する必要がある点に留意が必要である。

(2) 利用約款の策定

事業者が利用者との間でポイントの利用にあたり合意を行う場合は、利用約款の形を取るものもあれば、ウェブサイト等に付与条件や利用条件などを記載するのみとする例もある。

しかし、利用者からみて分かりやすい利用約款を定めておくことが望ましいと考えられる。

本書では、モデル例として、ポイントの発行者が、会員に対してカードを付与し、自社の一定の店舗でのプレゼントやサービスなどの特典との交換や、当該店舗での代金の支払いに充当することができるポイントを発行する場合の利用約款を示すこととし、各項目について解説を行う。

●● 記載例 —— ポイント規約 ●●

××ポイント規約

第１条（適用範囲）

本会員規約（以下「本規約」といいます）は、当社の発行する××ポイント（以下「本ポイント」といいます）に関する取扱いについて定めるものです。お客様は、本規約の内容を十分に理解し、本規約にご同意いただいた上で、本ポイントをご利用いただくものとします。

第２条（カード発行）

当社は、本規約をご承諾の上、本ポイントの利用申込みをいただき、当社が申込みを承諾したお客様に対して、本ポイントをご利用いただくためのカードを発行します。

第3条（本ポイントの付与）

1．本ポイントは、当社が指定する店舗において、当社の指定する方法で商品を購入し、またはサービスをご利用されたときに、カードに印字する方法により付与されるものとします。

2．本ポイントの付与の対象となる物品またはサービスの内容、本ポイントの付与率その他の条件については、当社が決定し、当社のウェブサイトにおける表示により告知します。

第4条（本ポイントの利用）

1．本ポイントにより、お客様は、当社所定の条件および方法に従い、当社が指定する店舗において、プレゼントやサービスなどの特典との交換や、当該店舗での代金の支払いに充当することができるものとします。

2．本ポイントをご利用いただくためには、前項の交換または代金のご精算前に、本ポイントが記録されたカードを当該店舗に対してご提示いただくことが必要となります。

3．一部ポイントをご利用いただけない商品やサービスがありますので、ご注意下さい。

4．お客様が商品をご返品される場合には、商品購入時に付与したポイントが減じられます。これによりカード上のポイントにマイナスが生じた場合には、現金にてご精算いただきます。

第5条（カードの失効・再発行）

1．お客様が、カードを紛失し、または盗取、偽造もしくは変造された場合には、当社は、お客様のお申し出によりカードを失効させることができるものとします。

2．前項に基づきカードを失効させる前に、本ポイントがお客様の許可なく第三者に使用された場合であっても、当社は責任を負わないものとします。

3．第1項によりカードが失効した場合またはカードの汚損・破損などによりカードのご利用が不可能となった場合には、当社は、お客様に対して、新たなカードを再発行し、残存ポイントを引き継ぐことができるものとします。

第6条（個人情報の取得等）

1．当社は、お客様が入会申込み時に当社に対して届け出た氏名、性別、住所、電話番号、生年月日、電子メールアドレス等の情報およびお客様の本ポイントの利用に関する情報（以下「個人情報」といいます）を、本規約に定める場合のほか、別途定めるプライバシーポリシーに基づき、適切に取り扱うものとします。

2．お客様は、当社が以下の目的で個人情報を利用することについて、同意するものとします。

(1) 本ポイントサービスの提供のため、または、アフターサービス、商品・サービスのご案内等、お客様に対する商品・サービスの提供のため

(2) マーケティング、新規サービス開発またはサービスの向上のため、当社がお客様の個人情報の属性やデータを集計・分析し、個人の識別が通常できない状態に加工したものを作成するため

(3) 当社の広告宣伝、商品・サービスの提供その他の告知等のため

3．お客様は、当社に対して届け出た情報につき、変更があった場合には、当社所定の方法によりこれを届け出るものとします。

第7条（本ポイントのご利用停止）

当社は、次のいずれかに該当するときは、本ポイントの利用を停止し、または本ポイントを失効させることができるものとします。

(1) お客様が不正な方法により本ポイントを取得し、または不正な方法で取得された本ポイントであることを知ってご利用される場合

(2) 本ポイントが偽造または変造されたものである場合

(3) お客様が本規約に違反した場合

(4) その他当社が本ポイントのご利用を不適切であると判断した場合

第8条（本ポイントのご利用期間）

本ポイントのご利用期間は、本ポイントの最終のご利用日から1年間とします。ご利用期間を経過した本ポイントは失効し、ご利用ができなくなりますのでご留意ください。この場合、失効したポイントに関して、当社は責任を負わないものとします。

第9条（本ポイントのご利用の中止または中断）

当社は、システムの保守、通信回線または通信手段、コンピュータの障害などによるシステムの中止または中断の必要があると認めたときは、お客様に事前に通知することなく、本ポイントのご利用を中止または中断することができるものとします。

第10条（本規約の変更または廃止等）

1．本規約および本ポイントの付与の条件またはご利用の条件等は、当社の都合により、変更または廃止することがあります。また、かかる変更または廃止の

ために、本ポイントの全部または一部の利用を停止することがあります。
2．本規定を変更または廃止するときは、本規定の内容を変更する旨および変更後の内容ならびにその効力発生時期を、当社が指定する店舗の店頭における掲示および当社のウェブサイトにおける表示により告知します。

第11条（譲渡等の禁止）
本ポイントは、譲渡その他の処分、質入れその他の担保権を設定することはできません。

第12条（管轄）
本規約に基づくサービスに関して訴訟の必要が生じた場合は、東京地方裁判所を第一審の専属的合意管轄裁判所とします。

(i) ポイントの法的性格

ポイントサービスは、事業者と消費者との間の民法上の契約に基づき行われるものであって、ポイントの権利性や法的性質は、当事者間の合意によって決定される。また、通常、事業者が約款等によりその内容を一律に定め、消費者がこれに合意するか否かを選択するが、その内容は、関係諸法等に抵触しない限りにおいて、自由に定めることが可能とされている（企業ポイント研究会報告書28頁）。

利用約款において、ポイントの権利性や、これを失った場合の補償を認めている企業は見当たらず（企業ポイント研究会報告書22頁）、一般的には、ポイントはあくまでも景品やおまけとして付与されるものであって、事業者が定める有効期間において、一種の特典として所定の商品やサービスの提供を受けることができるものとして定めている例が多いと考えられる。

(ii) 適用範囲に関する規定

本利用約款においては、本ポイントを利用する者に対して適用があるものとされている（記載例第１条）。

ポイントの発行にあたっては、ポイントサービスの内容を示す約款や書面等の交付や、ウェブページでの表示など、利用者が必要に応じてポイントサービスの内容を網羅的に確認できる仕組みを整備することが必要とされている（ポイントガイドライン2.⑴）。利用約款が十分周知されていない場合には、利用約款の定めを当該利用者に主張することができなくなるため、利用者が利用約款の内容を確認できるよう、十分に周知することが必要と考えられる。

ⅲ 付与条件に関する規定

ポイントの付与対象となる商品・サービスの範囲や、付与率、その他の付与条件については、商品・サービスや時期によっても変化しうる。そのため、利用約款に網羅的に付与条件を示すことは困難な場合があるが、利用約款にも基本的なルールについては明記し、具体的な付与条件等は、別途書面の交付やインターネット上の表示によって、利用者が確認できるようにしておくことが望ましいと考えられる（ポイントガイドライン2.⑴①）。

ポイントガイドラインにおいては、付与の際に、ポイントの付与対象を狭い範囲の商品・サービス等に限定しているにもかかわらず、広い範囲の商品・サービス等がポイント付与対象となっている旨の誤解を与えるような表示は避けるべきであるとの指摘があるため、留意が必要である（ポイントガイドライン2.⑴①）。

ⅳ 利用条件に関する規定

本利用約款では、本ポイントを利用するにあたり、あらかじめ発行されたカードを必要とすることを定めるとともに（記載例第2条）、本ポイントの利用条件や利用方法等を定めている（記載例第4条）。

ポイントの利用条件についても、付与条件と同様、種々の事情によって変化しうるため、利用約款に網羅的に利用条件を示すことは困難な場合があるが、利用約款にも基本的なルールについては明記し、具体的な利用条件等は、別途書面の交付やインターネット上の表示によって、利用者が確認できるようにしておくことが望ましいと考えられる（ポイントガイドライン2.(1)②③)。

本利用約款では、商品の返品に際して、購入時に付与されたポイントが減じられることを明らかにしている（記載例第4条第4項)。また、利用者が購入した商品の返品やサービスのキャンセルを求める際にポイントの返還が条件となり、利用者がカード等を所持していないために、返品やキャンセルを受け付けられない場合があるが、このような取扱いを行う場合には、利用約款等に明示して、利用者が確認できるようにしておくことが望ましいと考えられる（ポイントガイドライン2.(1)①)。

(v) カードの失効・再発行に関する規定

本利用約款では、前記のカードを失効させる場合の取扱いおよびカードを再発行する場合の手続等について定めている（記載例第5条第1項・第3項)。利用者のカードが紛失すると、発行者のサーバ上でカードに記録されたポイント数を確認できないなど、残存ポイントの引き継ぎができない場合には、その旨を記載しておく必要があると考えられる。

また、本利用約款では、カードの失効前に本ポイントが第三者に使用された場合であっても、責任を負わないこととしている（記載例第5条第2項)。

(vi) 個人情報の取得

ポイントについては、事業者が販売促進や顧客囲込み等のためにポイントを発行する場合が多いことから、利用申込み時において個人情報を取得することが多く行われている。この際に取得した個人情報をもとに、マーケティングや商品・サービスの広告・案内などが行われるのである。

そのため、取得した個人情報については、個人情報保護法等の関係法令およびガイドラインに基づき適正に取り扱う必要があり、利用約款や申込書の中でも利用目的についてあらかじめ明示する場合が多い（令和2年改正個人情報保護法21条1項)。なお、プライバシーポリシーなどによって、あらかじめその利用目的を公表している場合には、都度その利用目的の通知や公表を行わなくてもよい（令和２年改正個人情報保護法18条１項）。

本利用約款では、取得した個人情報を自社においてのみ利用することを想定しているが（記載例第６条）、第三者に提供する場合には、原則として利用者の事前の同意を得ることが必要である（令和２年改正個人情報保護法27条１項）。例外的に委託先に個人データの取扱いを委託する場合、合併その他の事由による事業の承継に伴って個人データが提供される場合、グループなどで共同利用する場合は、当該提供先は「第三者」に該当せず、同意は不要とされている（令和２年改正個人情報保護法27条５項）。ただし、共同利用の場合は、共同利用の旨、共同利用される個人データの項目、共同利用する者の範囲やその者の利用目的等をあらかじめ明確にしておく必要がある（令和２年改正個人情報保護法27条５項３号）。

(vii) ポイントの利用停止、ポイントの利用の中止・中断

利用者が、不正な方法によりポイントを取得し、または不正な方法で取得されたポイントであることを知って利用する場合、ポイントが偽造または変造されたものである場合、利用約款に違反する場合など、ポイントの利用を停止する必要がある場合がある。利用者にとっての予測可能性を担保するためにも、あらかじめ一定の事由を定めておき、停止することができる旨の規定を設けておくことが必要であると考えられる（記載例第７条）。

また、ポイントサービスにおいては、システムの維持・メンテナンスが必要となる場合がある。そのため、システムの保守、通信回線または通信手段、コンピュータの障害などによるシステムの中止または中断の必要があると認めたときは、サービスを一時中止または中断することができる旨の規定をあらかじめ設けておくことが考えられる（記載例第９条）。

(viii) 期間・期限に関する規定

ポイントの利用ができる期間や期限を設ける場合には、必ず利用約款に定めを置き、利用者の周知を図る必要がある。ポイントプログラムに関する苦情事例の中で、倒産・閉店・会社都合によるポイントの失効の次に利用者が不利益を被ったと感じる内容が、有効期限の短さや、期限通知の不備によるポイントの失効である(企業ポイント研究会報告書13頁)。

本利用約款では、本ポイントの利用ができる期間を「本ポイントの最終のご利用日から1年間」と定めているが(記載例第8条)、期間や期限の設定の仕方については、様々なものが考えられる。

ただし、ポイントガイドラインにおいては、著しく短い有効期限を定めるなど、消費者が期待する合理的な保護水準と異なったルールを設定する場合は、消費者に対して特に分かりやすい表示・説明を行うことが求められるが、そもそもそのようなルールを設定すること自体が消費者の利益を一方的に害するものであれば、消費者契約法10条に抵触し、無効となることもありうると指摘されているため、著しく短い有効期限を定めることについては慎重とすべきである(ポイントガイドライン2.(2)②)。

(ix) 改廃規定

利用約款の内容を変更する場合やポイントの付与条件・利用条件を変更する場合に備えて、あらかじめこれらが変更・廃止されることがあること、および変更または廃止の手続に関する定めを設けておくことは必要である。

なお、ポイントガイドラインにおいても、利用条件の事後的変更の可能性のある内容や、その際の告知の方法を利用約款に明記しておくこと、加入後の条件変更やポイントプログラムの終了に際しては、事前に消費者に告知を行うことが望ましく、告知から条件変更・終了までの期間は、十分な期間とすること、利用者に特に不利益を与える場合には告知方法も丁寧に行われることが望ましいとされている(ポイントガイドライン2.(2)③⑥)。

⒳ 譲渡等の禁止規定

前記のとおり、事業者が販売促進や顧客囲込み等のためにポイントを発行する場合が多いことから、ポイントの譲渡は認められていないケースが多い。本利用約款でも、本ポイントを利用者本人のみに利用させることとしており、譲渡その他の処分や、質入れその他の担保権を設定することを禁止している（記載例第11条）。

もっとも、譲渡を認める場合には、対象者や手続の内容を明記しておくことが望ましいとされている（ポイントガイドライン２.⑵⑤）。

⑶ コンプライアンスと利用者保護

ポイントの発行を行うにあたっては、利用者保護の観点から、消費者契約法や景品表示法などの規制を遵守することが求められる（企業ポイント研究会報告書28～32頁）。

消費者契約法との関係では、①契約内容が消費者にとって明確かつ平易なものになるように配意し、②契約締結について勧誘する際には、消費者の理解を深めるために、契約内容について必要な情報を提供する努力義務が課されている（消費者契約法３条）。

また、消費者契約法は、消費者に一方的に不利益な条項によって消費者の正当な利益が害されることを防ぐために、不当条項の全部または一部を無効とする旨の規定を設けている（消費者契約法10条）。利用約款上、あらかじめ契約内容を自由に変更できる旨の改廃規定を設けていても、ポイントを一方的に事前告知なく失効させる場合などには、消費者に一方的な不利益な条項として無効となる余地がある点に留意が必要である。

景品表示法との関係では、表示規制と景品規制の両方を遵守する必要がある。

表示規制については、価格やその他の取引条件について、実際のものまたは競争事業者に係るものよりも著しく有利であると一般消費者を誤認させるような表示等は、有利誤認表示として禁じられている（景品表示法５条）。チラシ、パンフレット、新聞・雑誌・インターネット上の広告等を行う場合には有利誤認表示を行わないように留意する必要がある。

景品規制については、過大な景品類の提供が禁止されている（景品表示法4条）。過大な景品類を提供する場合には、景品規制への抵触が問題となるほか、おまけとして付与されている範囲を超えて、社会通念上ポイント自体に対価性が認められ、前払式支払手段に該当するものとして資金決済法の適用を受けるとも考えられるため、留意が必要である。

Q26 ポイントを自社商品を購入してくれた利用者におまけとして発行する場合に、景品表示法との関係では、どのような点に留意が必要か。

A26 取引に付随して提供する景品類に関しては、総付規制がある（景品表示法4条、一般消費者に対する景品類の提供に関する事項の制限参照）。景品類のうち、商品・サービスを購入した者や来店した者にもれなく提供するものについては、事業者が提供できる景品類の最高額は、取引価格が1000円未満であれば200円、取引価格が1000円以上であればその取引価格の10分の2とされている。仮に、付与されるポイントがある物品の交換に用いられる場合には、当該物品についても、ポイント付与時の取引価格に対して上記最高額の範囲で提供すべきこととなると考えられる。

3　支払手段間の交換

これまでみてきたように、支払手段には、前払式支払手段、資金移動業によって発行される電子マネー、ポイント、暗号資産といった多様なものがあることになる。これらの支払手段間で交換を認める場合の規制の適用関係を整理することとしたい。

(1)　ポイント交換

ポイントとポイントの交換については、1のとおり、現在のところ、発行されるポイントも交換されるポイントについても規制の適用はないと考えられる。

ただし、後記(2)や(3)のように、「ポイント交換」と称していても前払式支払手段や資金移動業によって発行される電子マネーと交換的に発行されるポイントと、景品やおまけとして発行されるポイントと交換的に発行されるポイントとの区別ができない場合には、ポイント全体が規制の対象となることに留意が必要である（前払ガイドラインⅠ－2－1(3)）。

(2)　前払式支払手段とポイントとの交換

前払式支払手段とポイントの交換については、前払式支払手段が対価

図表5-2：ポイントとポイントの交換

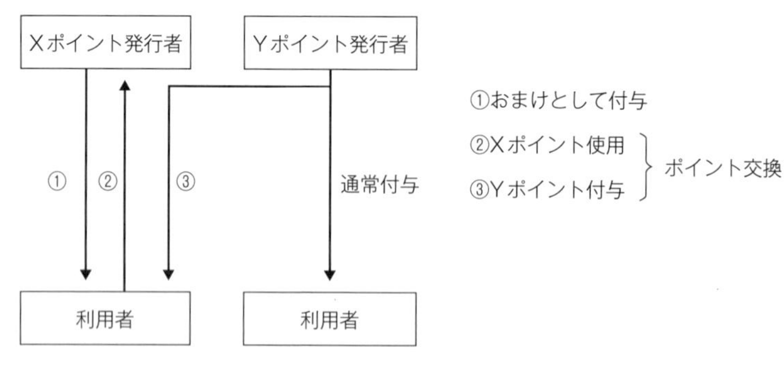

を得て発行されている以上、財産的価値が認められるから、これと交換的に発行されるポイントについても対価を得て発行されていると認められる。したがって、このような形態で発行されるポイント（図表５－３のＹポイント）については、「ポイント」と称していても、原則として、前払式支払手段に該当し、資金決済法の適用を受けるものと考えられる。

なお、この場合交換元となっている前払式支払手段については、自家型前払式支払手段に該当するのか、第三者型前払式支払手段に該当するのかが問題となる。

この点、交換元の前払式支払手段の発行者が、交換先のポイントを提供する場合（例えば、あらかじめ発行者が交換先のポイントを購入して在庫として保有しておき、利用者から前払式支払手段の提示等を受けて交換先のポイントとの交換の申出を受けたときに、交換先のポイントを付与する場合）には、発行者自身が商品・サービスの提供を行っているものと考えられるから、交換元の前払式支払手段は自家型前払式支払手段に該当するものと考えられる。また、交換先のポイントが交換元の前払式支払手段発行者が購入した時点から利用可能となっている場合には、交換先のポイントの発行者は、交換元の前払式支払手段の発行者に対して、自社のポイントを販売した時点で、発行があったものとして、当該前払式支払手段の未使用残高を計上する必要があると考えられる。

図表5-3：前払式支払手段とポイントとの交換

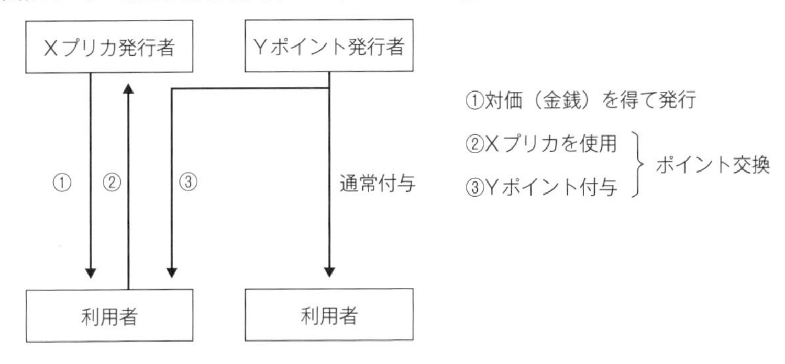

これに対し、交換先のポイントの提供者が交換先のポイントの発行者である場合（例えば、交換先のポイントの発行者が、交換元の前払式支払手段の提示を受けて交換先のポイントの発行を行う場合）には、発行者以外の者が商品・サービスの提供を行っているものと考えられるから、交換先のポイントの発行者が交換元の前払式支払手段の発行者の密接関係者に該当するような場合を除き、交換元の前払式支払手段は第三者型前払式支払手段に該当すると考えられる。この場合、交換元の前払式支払手段の発行者と交換先のポイントの発行者との間で加盟店契約を締結し、交換先のポイントの発行者を加盟店として管理することが必要となると考えられる。

(3) 資金移動業によって発行される電子マネーとポイントとの交換

資金移動業によって発行される電子マネーとポイントの交換についても、当該電子マネーが対価を得て発行されている以上、財産的価値が認められるから、これと交換的に発行されるポイントについても対価を得て発行されていると認められる。したがって、このような形態で発行されるポイント（図表５－４のＹポイント）については、「ポイント」と称していても、原則として、前払式支払手段に該当し、資金決済法の適用を受けるものと考えられる。

図表5-4：資金移動業によって発行される電子マネーとポイントとの交換

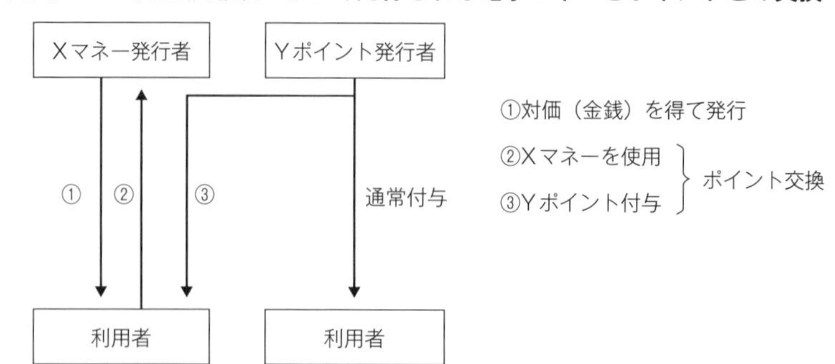

⑷　前払式支払手段と資金移動業によって発行される電子マネーとの交換

前払式支払手段と資金移動業によって発行される電子マネーとの交換を行う場合、前払式支払手段を提示することによって、資金移動業によって発行される電子マネーを購入していると理論的には整理できる。しかし、前記第2章1⑷(iii)のとおり、前払式支払手段によって資金移動業によって発行される電子マネーを購入できるとする場合、前払式支払手段は原則として払戻しが禁止されることから電子マネーに交換することにより出金が可能となれば実質的に規制の潜脱となる可能性がある。そのため、決済にのみ使用できると機能を制限するか、少額の払戻し（法20条5項ただし書）の範囲でのみ交換できるとする運用が望ましい。

⑸　暗号資産とポイントとの交換

暗号資産とポイントを交換する場合は、前記⑵と同様、対価を得て発行されたものに該当するか否かが問題となる。

暗号資産には様々なものがあるが、少なくとも資金決済法で定義される暗号資産（ビットコインなど）は、不特定の者に対して購入および売却ができる財産的価値であることを要件としており、交換所で現金と交換ができるようなものは財産的価値があると考えられる。

そのため、暗号資産と交換的に発行されるポイントについても対価を得て発行されていると認められ、このような形態で発行されるポイント

図表5-5：前払式支払手段と資金移動業によって発行される電子マネーとの交換

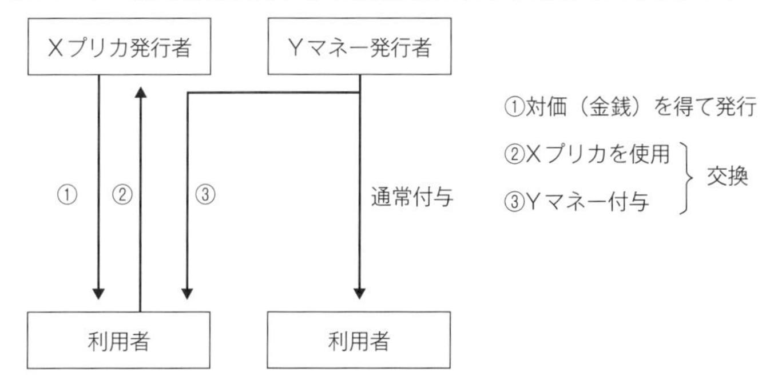

については、「ポイント」と称していても、原則として、前払式支払手段に該当し、資金決済法の適用を受けるものと考えられる。

反対に、ポイントを暗号資産と交換する場合は、一定の商品やサービスと交換ができるというポイントの利用方法の１つとして認められると考えられる。

なお、暗号資産の定義では、暗号資産と相互に交換できる財産的価値も暗号資産に該当するとされている。ポイントと暗号資産が一方向だけでなく、相互に交換される場合は、ポイント自体が暗号資産に該当し、暗号資産とポイントの交換が暗号資産交換業の定義に該当する可能性も出てくるので留意が必要である。

(6) 暗号資産と前払式支払手段との交換

もともと前払式支払手段は、対価を得て発行されるものを指し、このため、財産的価値のある暗号資産と引き換えに前払式支払手段が発行されることは問題がないと考えられる。

一方、前払式支払手段は、原則として払戻しが禁止されている（法20条５項）。これは、銀行以外の者が業として預り金を行うことを禁止していることにその趣旨があり、前払式支払手段について自由な払戻し（換金、返金などを含む）を認めると元本の返還が約束され、「預り金」に当たるおそれがあると考えられるからである。また、送金手段として利用が可能となり、銀行法が禁止する「為替取引」に該当するおそれもある。

このため、前払式支払手段（６ヶ月の有効期間を付して資金決済法の適用除外となっているものも含む）については、交換所で現金と交換ができる暗号資産と交換を認めることが上記の払戻し禁止規制に該当しないかを考える必要がある。前払式支払手段の発行者以外の者が、暗号資産と前払式支払手段を交換することは、実質的には払戻しには当たらず問題ないと考えられる。前払式支払手段の発行者自身が暗号資産と交換し、実質的な規制の潜脱となっている場合には、払戻し禁止規制に抵触し、交換が認められない場合があるものと考えられる。

⑺　暗号資産と資金移動業によって発行される電子マネーとの交換

資金移動業によって発行される電子マネーは、対価を得て発行されるものであり、このため財産的価値のある暗号資産が、資金移動業によって発行される電子マネーと交換されることは問題がないと考えられる。

また、資金移動業によって発行される電子マネーは、譲渡や換金が可能と解され、この資金移動業によって発行される電子マネーと暗号資産が交換されることについても特段問題がないと考えられる。

ただし、いずれも交換を認める場合にはマネー・ローンダリング等の観点からリスク評価が必要となると考えられる。

◆ あ行

◆ か行

◆ さ行

◆ た行

◆ な行

◆ は行

◆ ま行

◆ や行

◆ ら行

実務解説　資金決済法〔第５版〕

2011年７月25日　初　版第１刷発行
2022年３月５日　第５版第１刷発行
2025年６月10日　第５版第２刷発行

著　者　堀　天子

発行者　石　川　雅　規

発行所　株式会社 商事法務
〒103-0027 東京都中央区日本橋3-6-2
TEL 03-6262-6756・FAX 03-6262-6804〔営業〕
TEL 03-6262-6769〔編集〕
https://www.shojihomu.co.jp/

落丁・乱丁本はお取り替えいたします。　印刷／そうめいコミュニケーションプリンティング

Printed in Japan
Shojihomu Co., Ltd.
ISBN978-4-7857-2933-2
＊定価はカバーに表示してあります。